مرجان

مریم ریاحی

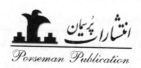

انتشارات پرسمان
Porseman Publication

انتشارات پرسمان
Porseman Publication
www.porsemanpress.com
Email:info@Porsemanpress.com

مرجان

نوشته: مریم ریاحی

ناشر: پرسمان

چاپخانه: کیمیاقلم

صحافی: کاری نو

تیراژ: ۲۰۰۰ جلد

نوبت چاپ: سوم ۱۳۹۴

شابک: ۴-۱۲۱-۱۸۷-۶۰۰-۹۷۸

آدرس: میدان انقلاب- خیابان منیری جاوید- کوچه صابر- پلاک ۱- طبقه ۴.

تلفن: ۶۶۴۶۰۸۸۱ همراه: ۰۹۱۲۲۱۶۴۳۲۵

۱

اول دی‌ماه بود... سرمای صبح رمق را از آدم می‌گرفت...

شال‌گردن سفیدم را دور گردنم تابی دادم و تا روی لب‌ها و بینی‌ام بالا کشیدم...

خودم را توی پالتوی مشکی‌ام جمع کردم... ترانه گفته بود اگر برفی چیزی ببارد

سرما کمتر خواهد شد... اما هنوز خبری نبود...

به ساعتم نگاهی انداختم، هنوز وقت داشتم... اما نمی‌توانستم خونسرد باشم...

چهره‌ی سرمازده‌ی امیر جلوی چشمانم آمد... قدم‌ها را تند کردم... تنها چیزی که

باعث می‌شد آن صبح پر از سرما، قابل تحمل باشد، همین بود... نگاه چسبناک امیر...

پیاده‌روی خلوت را که با آفتابی کم‌رمق رنگ گرفته بود، به سوی ایستگاه اتوبوس

بالا رفتم...

پیاده‌روی عزیزم... همان پیاده‌رویی که حتی شب‌ها توی خواب هم در آن قدم

می‌زدم... با همان تپش‌های قلبم... تند تند... پرصدا... امیر آن‌جا بود... همیشه

همان‌طور بود... منظم... دقیق... اتو کشیده... حتی صبح به آن زودی... و آن نگاه

چسبنده... شیفته... مهربان... پرتمنا که تا ساعت‌ها مثل مسکنی قوی اثرش در تن و

جانم می‌نشست... و لحظه به لحظه با یادآوری‌اش از انرژی وصف نشدنی سرریزم

می‌کرد...

اوایل این‌طور نبود، نگاه‌های امیر بی‌پاسخ می‌ماند....

و من که حوصله‌ی خودم را هم نداشتم، بی‌توجه به او و دوستانش که با دیدن من به تکاپو می‌افتادند و صدایش می‌کردند، خیره به انتهای پیاده‌رو... به سرعت می‌گذشتم... و امیر را با نگاه حسرت‌آلودش جا می‌گذاشتم....

اما حالا بعد از چند ماه، حس می‌کردم بدون دیدن تندیس امیر کنار مغازه‌ی گل‌فروشی، رفتن به محل کارم و طی کردن باقی روز دیگر امکان‌پذیر نیست....

با این‌که فقط یک سال از عهد سفت و سختم در باب هرگز عاشق نشدن می‌گذشت اما حال، بی‌تابِ لحظه‌های دیدار با امیر بودم....

لحظه‌هایی که بی‌هیچ گفتگویی، مثل قراری از پیش تعیین شده روزی دوبار تکرار می‌شد.... از دور نگاهی به گل‌فروشی انداختم... کسی بیرون نبود... حتی از دوستان امیر هم که همان اطراف مغازه داشتند خبری نبود... دلم ریخت... نکند «امروز امیر را نبینم!!»

قدم‌ها را کند کردم... بی‌فایده بود... لحظه به لحظه به گل‌فروشی نزدیک‌تر می‌شدم و دلم در حسرت دیدارش بی‌قرارتر می‌شد.... اما... خبری نبود....!! حتی نمی‌توانستم نگاهی به داخل گل‌فروشی بیندازم... خجالت می‌کشیدم... می‌ترسیدم نگاه امیر غافلگیرم کند....!! ماه‌ها بود به همه تلاش‌هایش «نه» گفته بودم... نمی‌خواستم این‌طور ناگهانی بی‌تابی‌ام را شاهد باشد!!

از کنار مغازه گذشتم... و دل صد تکه‌ام همان‌جا روی زمین ریخت... دست توی جیبم کردم... گوشی‌ام را بیرون کشیدم و شماره‌ی ترانه را گرفتم...

صدای خواب‌آلود ترانه توی گوشم پیچید....

صدا در گلویم شکست... به زحمت گفتم: الو، ترانه... امیر نیست....

ترانه با صدای خواب‌آلودش گفت: به جهنم که نیست!! هی واسش کلاس بذار....!!
دختر اُتُل خان پت پت!!

عصبی بودم، با حرص گفتم: بی‌شعور... یه چیزی بگو.. چی‌کار کنم؟!

ترانه که پیدا بود خودش را جمع و جور کرده است گفت: مغازه‌اشون تعطیله؟!

می‌دانستم الان موهای کوتاه و درهمش را پشت گوش می‌چپاند و توی
رختخوابش می‌نشیند...

گفتم: نه... بازه...

ترانه: خب... لابد توی مغازه‌َس...

گفتم: مگه می‌شه نیاد بیرون؟!

ترانه: آره... چرا نشه؟! ... توی این سرما بیاد بیرون که چی؟! جنابعالی از لای هزار
دور شال‌گردن یه نگاه بهش بکنی؟!

نالیدم: ترانه...

ترانه: مرض!! هزار بار گفتم مثل آدم وایسا ببین چی می‌خواد... چی می‌گه؟

ساکت بودم... دلم گریه می‌خواست!!

باورش برایم سخت بود که این همه به دیدار هر روزهَش محتاجم!!

ترانه: مرجان... الان کجایی؟!

نفسی کشیدم... بغضم را قورت دادم و گفتم: بالاتر از گل‌فروشی‌َم دارم می‌رسم به
ایستگاه...

هوای سرد به سرفه‌ام انداخت، همین که بغض می‌کردم به فین فین می‌افتادم...

ترانه: نرو بالاتر... برگرد به طرف گل‌فروشی... برو توی مغازه...

درجا ایستادم، انگار منتظر همین جمله بودم... حرف‌های ترانه همیشه تأثیر خودش

را داشت!! به عقب نگاه کردم... صدای ترانه بود که می‌گفت: مرجان برو یه شاخه گل بخر...

قدمی برداشتم و گفتم: ترانه..

ترانه: معطلش نکن دیگه...

دوباره ایستادم و گفتم: نمی‌تونم ترانه... خیلی تابلو می‌شم!! این وقت صبح برم گل بخرم؟!

ترانه: چه اشکالی داره؟! اصلاً یه دسته گلی چیزی قیمت کن!!

گفتم: نه... نمی‌تونم...

ترانه عصبی شد و گفت: زهرمار... منو از خواب بیدار کردی که چی؟...

بیچاره راست می‌گفت... از سر ناچاری گفتم: بگیر بخواب ترانه... ولش کن... می‌رم توی ایستگاه... نیستش دیگه!! اگر بود حتماً می‌اومد بیرون...

ترانه: عیب نداره، عصری که بر می‌گردی می‌بینیش... هر جا باشه تا عصر حتماً میاد...

امید به دیدار امیر هنگام بازگشتم از محل کار، در دلم جوانه زد... فوری جوانه‌ام را بغل کردم و با یک دنیا آرزو به سوی ایستگاه رفتم...

هیچ‌کس نبود... روی صندلی سرمازده‌ی ایستگاه نشستم... بدنم لرزید... انگار بدون دیدار امیر سرما گزنده‌تر از هر روز شده بود... اما مهم نبود از همان‌جا که نشسته بودم سر به عقب بردم و با ناامیدی نگاه دیگری به گل‌فروشی که حالا فاصله‌اش با من تقریباً زیاد بود انداختم و ناامیدتر از قبل تمام فکرم را به طرف عصر و زمان تعطیلی‌ام سُر دادم...

اتوبوس آمد و من بی‌حس و بی‌رمق همان‌طور که هنوز نگاهم به حوالی گل

فروشی بود سوار شدم و آن‌قدر خیره به آن‌جا ماندم تا از جلوی چشم‌هایم محو شد...

توی اتوبوس بودم که ترانه زنگ زد...

الو مرجان؟! چی شد؟!

بی‌حس و آهسته گفتم: هیچی... توی اتوبوسم.

ترانه: خبری نشد دیگه؟

گفتم: نه... نبود

ترانه: گفتم که، حتماً کاری داشته... برگشتنی می‌بینیش... مرجان تو رو خدا اگه دیدیش... اگه خواست چیزی بگه، حرفی بزنه مثل دفعه‌ی پیش نکنی‌ها!!

انگار که ترانه مقصر باشد با حالتی حق به جانب و ناراحت گفتم: اگه بیاد!!

ترانه می‌خواست امیدوارم کند، گفت: میاد... میاد...

حوصله‌ی حرف زدن نداشتم... فکرم مشغول طی کردن باقی روز بود... بدون تزریق انرژی چه‌طور می‌توانستم تا عصر دوام بیاورم...

چند ماهی می‌شد که توی مانتوفروشی کار می‌کردم... جای بدی نبود... آقای خانی صاحب فروشگاه در همان نگاه اول، بدون تعارف گفت که فقط کار خوب می‌خواهد... کسی که مورد اعتمادش باشد تا با خیال راحت، ساعاتی از روز، فروشگاه را به او بسپارد...

من هم بدون تعارف گفتم: فقط امنیت می‌خواهم و حقوق به موقع...

هر دو خیلی زود به توافق رسیدیم... همان هفته‌ی اول شناسنامه‌ام را که گرو برداشته بود پس داد... و من شدم همه‌کاره‌ی فروشگاه... اوایل سختم بود... خسته می‌شدم... با این‌که فروشگاه خیلی هم بزرگ نبود اما همیشه شلوغ بود... آن موقع به استقلالم فکر می‌کردم، به پول آخر ماه... و به این‌که شانس آورده‌ام در محل مطمئنی

مشغول کارم... خوبی آقای خانی این بود که سر وقت حقوقم را می‌داد به ازای هر ساعت اضافه یا روزهای تعطیل هم مبلغی روی حقوقم می‌گذاشت. قدر خوب کار کردنم را می‌دانست... پیدا بود زخم‌های زیادی از فروشنده‌های قبلی‌اش به یادگار دارد... بعد از ماه‌ها کار کردن تازه متوجه امیر شدم... این‌که هر روز صبح و عصر کسی مشتاق و شیفته، انتظارم را بکشد... حس جالبی بود... به ترانه که گفتم دیوانه شد... یادم است تازه از حمام بیرون آمده بود و حوله‌ی سفیدش را دور موهای کوتاهش می‌پیچید که گفتم: ترانه... یه عاشق پیدا کردم...

نمی‌دانم چه حالتی در صورتم بود که از پیچاندن حوله دست برداشت و یک چشمی نگاهم کرد... بعد از ثانیه‌ای گفت: غلط کردی!!

خندیدم و به آشپزخانه رفتم...

مثل اجل معلق دنبالم آمد... پیدا بود احساس خطر می‌کند... آستین مانتویم را گرفت و کشید و گفت: صبر کن ببینم...

ایستادم... لبخندزنان نگاهش می‌کردم... از ترساندنش لذت می‌بردم...

گفتم: چیه؟

گفت: تو بگو چیه؟

گفتم: من گفتم...

گفت: منم گفتم...

گفتم: ترانه... ولم کن... گرسنه‌ام.

گفت: مرجان... خودم می‌کشمت... نمی‌خوام دوباره اسیر عشق و عاشقی جنابعالی بشم!!

گفتم: من عاشق نشدم... می‌گم یه عاشق پیدا کردم!!

گفت: بگو کیه برم پدرشو در بیارم...

گفتم: گناه که نکرده جوون مردم...

دوباره آستینم را کشید و تکانم داد و گفت: ببین... خودتی مرجان... دیروزم که لوازم آرایش خریدی... بی‌راه نبود!!

خندیدم... نالید: مرجان...!!!

گفتم الان است که گریه‌َش بگیرد... لبخندی زدم و گفتم: مرجان و زهرمار... می‌گم چیز مهمی نیست...

گفت: درباه‌ی «روزبه» هم می‌گفتی جدی نیست...

گفتم: اون که بره گم شه...

گفت: همین کارو کرد که بدبخت شدی... مرجان... تازه داریم مثل آدم زندگی می‌کنیم... حواست هست؟!

بلند زدم زیر آواز: حواسم هست و می‌میرم، حواست نیست کنارش اوج می‌گیرم، حواست نیست...

دیگر حسابی شاکی شد و داد زد: الهی بمیری مرجان... الهی بمیری... و رهام کرد و رفت...

حالا من بودم که دنبالش می‌رفتم... دست انداختم و حوله‌ی پیچ و تاب دارش را کشیدم و گفتم: ترانه... خره... به خدا چیزی نیست... همه رو برات می‌گم دیوونه...

دو ایستگاه بعد از گل‌فروشی، فروشگاه مانتوفروشی خانی بود... از ته دلم نفسی کشیدم و به سختی جایم را به نفر بعدی دادم و پیاده شدم...

مغازه‌ی کناری‌امان هم مانتوفروشی بود... آقای عبدی دم در را آب و جارو می‌کرد... تا مرا دید گفت: سلام خانم نیکزاد... صبح به خیر...

لبخندی زدم و بی‌رمق گفتم: سلام... خسته نباشین...

و کلیدها را به او دادم... هر روز صبح او در فروشگاه را باز می‌کرد... برعکس آقای خانی، او هر روز زودتر از فروشنده‌اش می‌آمد... سن و سال‌دارتر از آقای خانی بود، مادربزرگم خدا بیامرز همیشه می‌گفت: پیرها حوصله ندارن زیاد بخوابن یعنی دیگه زیاد هم وقت ندارن... باید از ساعت به ساعت زندگی‌شون استفاده کنند!!

شاید آقای عبدی هم به همین فکر می‌کرد... وارد فروشگاه که شدم غم همه‌ی وجودم را گرفت. سرد بود و تاریک... به سرعت چراغ‌ها را روشن کردم... روشن کردن بخاری‌ها هم با من بود... از این کار بدم می‌آمد... بخاری‌ها خیلی سخت روشن می‌شدند... اما همین که شعله آبی رنگ را می‌دیدم که زبانه می‌کشید و پخش می‌شد خوشحال می‌شدم...

تا لحظاتی از کنار بخاری جُم نخوردم... ذهنم پیش امیر بود... در آن چند ماهی که می‌شناختمش، این اولین بار بود که نمی‌دیدمش... زیر لب گفتم: «شاید کاری براش پیش اومده... کمی جابه‌جا شدم و گفتم: اصلاً شاید توی مغازه‌اش بود... من که نگاه نکردم!! شاید یه لحظه سردش شده... رفته توی مغازه!!

اما نه... اون همه توی ایستگاه معطل کردم... اگه توی مغازه بود حتماً برای لحظه‌ای بیرون می‌اومد... اصلاً مگه می‌شه منو ببینه که از اونجا رد می‌شم و بی‌اهمیت توی مغازه بمونه!! امکان نداره!!

صدای آقای عبدی را شنیدم که از دم در می‌گفت: خانم نیکزاد... بیا نون تازه...

از جا بلند شدم... دوباره یک لبخند عاریه‌ای روی صورتم گذاشتم و گفتم: مرسی آقای عبدی... دستتون درد نکنه...

و نان بربری داغ را که نصف شده بود گرفتم... هر روز برای خودشان نان تازه

می‌خرید و نصف آن را سهم من می‌کرد...

گوشه‌ی نان را کندم و توی دهانم گذاشتم... فکرم پیش امیر بود... نکنه مریض شده باشه؟ به ماه گذشته فکر می‌کردم... امیر تا کجاها دنبالم آمده بود... طفلکی دیگر کارش به التماس کشیده بود... می‌خواست سوار اتومبیلش بشوم... مدام می‌گفت: قصدم مزاحمت نیست...

اما بی‌اعتنا به تمنایش، راهم را ادامه داده بودم...

ترانه گفته بود: اشتباه کردی... بالاخره که چی؟! وقتی این همه دوسش داری خب می‌رفتی ببینی چی می‌گه؟! تا کی یه جا وایسه نگات کنه؟! بالاخره باید حرف دلش رو بگه یا نه؟!

حرف دلش؟!... حرف دلش که از نگاهش پیداست...

ترانه گفته بود: خب پس چرا کلاس گذاشتی؟

گفته بودم: دیگه نمی‌خوام با هیچ مردی هم‌کلام بشم... والا از نگاه عاشقانه و حرف‌های بعد از اون می‌ترسم... نگاهی که یه عمر بدبختت کنه!!

ترانه گفته بود: همه که روزبه نمی‌شن... اون نامردی کرد... همه که نامرد نیستن...

بعد از آن امیر دیگر دنبالم نیامد... هر بار به یک گوشه ایستادن و زل زدن به من رضایت داده بود... حالا من هم نگاهش را بی‌پاسخ نمی‌گذاشتم... از دور به دنبال قد بلند و هیکل لاغرش می‌گشتم... همین که می‌دیدم هست، قوت قلب می‌گرفتم... قدم‌هایم کند می‌شد تا لذت آن دیدار را کشدار کنم... نزدیک‌تر که می‌شدم... نگاه چشم‌های درشتش به نگاهم می‌چسبید... حس می‌کردم هر لحظه ممکن است با نیرویی ماورا تمام مرا به درون چشم‌هایش بکشد....

دوست داشتم خودم را در مسیر این نیرو رها کنم...

صدای پیرزن اسفند دودکن را از دم در فروشگاه شنیدم... مثل جن از جا جستم و دست در جیبم کردم... یک سکه‌ی دویست تومانی توی جیبم بود... به سوی در دویدم و گفتم: خانوم... بفرمایید... تو رو خدا این و بگیرید اون طرف...

منظورم بساط اسفندش بود با آن دود غلیظ که اگر وارد فروشگاه می‌شد تا شب باید از بوی اسفند خفه می‌شدم!...

گذشته از آن، مانتوهای بدبخت بودند که مثل ماهی دودی، دودزده و بودار می‌شدند! پیرزن که از فروشگاه دور شد... صدای التماس آقای عبدی آمد که می‌گفت: خانوم... خانوم... نیا تو تورو خدا... مانتو رنگ روشن داریم... سیاه می‌شن...

این هم یکی از شوک‌های تکراری بود که هر روز صبح ما را به حرکت وا می‌داشت...

تازه روی صندلی نشسته بودم که خانمی از دم در پرسید: خانوم... این پالتو چنده؟! از همان‌جا گفتم: بفرمایید تو... نمونه‌های دیگه رو هم ببینید... خانوم وارد فروشگاه شد...

نگاهم به ساعت گرد، بزرگ و زشت فروشگاه افتاد نزدیک به ۱۰ بود...

توی دلم گفتم: آخه این وقت صبح کی خرید می‌کنه!! به سختی از جایم بلند شدم... ذهنم پیش امیر بود...

***

این‌که هنگام بازگشت هم تیرم به سنگ خورد و امیر را ندیدم دیگر توانی برایم نگذاشته بود... نمی‌دانستم لحظاتم را چه‌طور به هم بفشارم تا صبح شود و من دوباره راهی شوم...

روایت

به جای مقدمه

برای کسانی که ممکن است «روایت» را به عنوان یک تاریخ یا سرگذشت تلقی کنند و اشخاص و حوادث آنرا واقعی بپندارند ذکر این نکته لازم است که این کتاب، با همه اشارات تاریخیِ ظاهراً واقعی که در آن وجود دارد، بهرحال یک «رومان» است، و مثل هر رومان و داستان دیگری، در عین‌حال که ممکن است از واقعیات الهام و بهره بگیرد، هیچیک از حوادث و شخصیت‌های آن «حقیقی» نیستند و علیرغم شباهت بعضی از آنها با حوادث و شخصیت‌های حقیقی، داستان مطلقاً ساخته و پرداختهٔ ذهن و احساس و دریافت و سلیقه‌ها و داوری‌های آگاهانه و ناخودآگاه نویسنده است، و بدون شک اگر کسی «نوار» و «دنبالهٔ نوار» را که انگیزهٔ نگارش کتاب بوده، گوش کند هیچ رابطهٔ «واقعی» میان این دو نمی‌تواند بیابد.

زمانی که کتاب «چشمهایش» انتشار یافت خیلی‌ها گفتند که استاد ماکان، قهرمان داستان، کمال‌الملک است، خیلی‌ها هم اظهار عقیده کردند که ارانی است. بعضی‌ها هم که خود را در کار هنر وارد می‌دانستند مدعی شدند که علوی با ترکیبی از خودش و این دو نفر پرسوناژ اصلی داستان را ساخته است. او در آن زمان در برابر تمام این اظهارعقیده‌ها سکوت می‌کرد و اگر کسی با سماجت از او دربارهٔ استاد ماکان می‌پرسید، به یک کلمهٔ «نمی‌دانم» اکتفا می‌کرد. اما چندسال پیش از مرگش وقتی کسی از او پرسید: «آقابزرگ، این استاد ماکان کیست؟» محجوبانه و مظلومانه جواب داد:

«خودمم»

و من فکر می‌کنم که «فرود» هم کسی جز خود آقابزرگ نیست.

۲۰ خرداد ۱۳۷۷

ب.پارسا

۱

آنچه از نظر خوانندگان می‌گذرد نه قصه است و نه رمان، هـیـچ‌گـونه حادثهٔ غریب و عجیبی که در دوران خاصی برای همهٔ ما رخ نداده باشد در آن وجود ندارد. حکایت نیست، روایت است. سـرگذشت نـیست، تاریخچهٔ دورانی است که از روی نواری دربرگیرندهٔ رویدادهای زندگی انسانی رنج کشیده نقل شده است.

برخی گویند: یک قصهٔ عشقی بیش نیست.دیگران آن را یک رسالهٔ حزبی شمارند. هرکسی از ظن خود شد یار من. شایسته بود اگر عین نوار را روی کاغذ می‌آوردم، بی‌کوچکترین دخالتی از جانب کاتب. عیب کار این بود که «قهرمان» هویت خود را، آنچنان که هست، آن طوری که در عالم واقع وجود دارد، نشناسانده است. خودش آنقدر فروتن است که نمی‌خواهد دلیری و از خودگذشتگی‌اش آشکار شود. به علاوه وجود او معجونی است از ترس و بی‌باکی و زورآزمائی، خشم و پوزخند و ننگ و غرور. آنجائی که باید سربلند باشد خود را شرمنده می‌نمایاند. کاتب استنباطات خود را از این جرثومه بیان می‌کند.

فرود آدمی است با تمام خواص انسانی: دلسوز و سنگدل، بلندپرواز

و کناره‌جو، آرام و آشوبگر، حیله‌گر و صادق باده‌ها صفات متضاد که در هستی هر موجود زنده‌ای جاگرفته‌اند و در لحظه‌های گوناگون برحسب اقتضای حوادث خواهی نخواهی بروز می‌کنند و سرنوشت آدمی را به سوئی می‌کشانند.

تمام زندگی او تلاشی است به منظور رهائی از چنگ سرنوشت و این یک امر دشواری بود که زورش به آن نرسید. اسم او را فرود گذاشته‌ام، همه‌کس ــ اقلاً دست‌اندرکاران می‌دانند ــ که این یک نام واقعی نیست. کافی است که اسم درست او را فاش کنم و همه تر و چسب هوار خواهند کشید: این آدمی که تو توصیف کرده‌ای همان کسی نیست که ما با سرگذشت او آشنا هستیم.

در شرح زندگی که روی نوار ضبط شده است راز درونی‌اش را برای دوستی گشوده، شاید خوش نداشته باشد همه‌کس از آن باخبر شود.

چراکاتب او را فرود نامیده است؟ خودش هم نمی‌داند. شاید نادانسته اشاره به قهرمان داستانی است که قصد داشت به‌کین‌توزی سیاوش با لشگر کیخسرو همدست شود و با وجود همهٔ تلاش در پیشانی‌اش نوشته شده بود که باید به دست یاران برادر جان دهد.

این راز را هم فاش نخواهم کرد که از کدام ولایت آمده، اگرچه تا اندازه‌ای ضروری به نظر می‌رسد، زیرا از همان کودکی، از همان دورانی که از دبستان بیرون آمد و به دبیرستان پاگذاشت و با نرگس همبازی شد، در مسیری افتاد که دیگر از آن خلاصی نیافت.

آقای پایدار پدر نرگس از بهترین معلم‌های آن شهر و آن دبیرستان بود که با پدر فرود صیغهٔ برادری خوانده، هر وقت فرصت داشتند با هم

می‌گذراندند و شب‌هاگاهی تا دیروقت، همین که حاجی علی‌اصغر واعظ
پدر فرود از مسجد و منبر به خانه بازمی‌گشت، با هم به‌سر می‌بردند.

جوانیشان را هر دو در حوزۀ علمیۀ قم با هم گذرانده بـودند، طـلبه
بودند و یکی دو سال نیز با هـم در نـجف اشـرف بـه‌سر بـرده بـودند.
دوستی‌شان باعث شد که با هم به این ولایت آمدند. یکی‌شان آخوند و
روضه‌خوان و واعظ شد، عبا و عمامه را نگه داشت، زنی از خانواده‌های
متمکن گرفت و دیگری کلاه بر سر گذاشت و در مدرسه‌ای کار پیدا کرد
و وقتی در شهر دبیرستان تأسیس گردید او را مـعلم تـاریخ و ادبیات
شناختند و در این شهر ماندند.

زن‌هایشان نیز با هم خویشی دور داشتند. پس از چندی عیال آقای
پایدار معلم فوت کرد و او با یک دختر چند ساله تـنها مـاند. حـاجی
علی‌اصغر که کار و بارش بهتر بود، از مریدانش پول مولی قرض کرد و
برای پایدار معلم در خانۀ کوچکی دیوار به دیـوار خـانۀ زنش لانه‌ای
ترتیب داد و اینک که آغاز روایت است یکی به اسم حاجی علی‌اصغر
واعظ و دیگری به لقب آقا معلم در این شهر دارای حیثیت و آبروئی
هستند.

همین دوستی میان واعظ و دبیر باعث شد که حاجی آقا تـن درداد
پسرش به دبیرستان برود و راه درس و بحث پیش گیرد والاّ حاجی آقا از
کتاب و کاغذ دیگر چشمش آب نمی‌خورد و آرزو داشت فـرزندش
کسب و کاری یاد بگیرد و نان حلالی بخورد و مستقل باشد تا او بتواند
چند سال باقیماندۀ عمرش را به سیر و سیاحت بگذراند و حفظ و حراست
کسانش بار دوشش نباشد. تا بچه‌ها کوچک بودند می‌توانست آنها را

همراه ضعیفه سوار اتوبوس کند و به قم و خراسان برود و وقتی بزرگتر شدند به عمه‌شان بسپرد و همراه عیالش به عتبات عالیات مشرف شود. محیط خانه و مسجد برایش تنگ شده بود و او فقط در سیر و سفر می‌توانست نفس تازه‌ای بکشد. هرچه از راه معامله و خیرات و مبرات به او می‌رسید در این راه صرف می‌شد، همنشینی و بحث و فحص با پایدار، که بعداً رئیس فرهنگ آن ولایت شد نعمت دیگری بود که حاجی آقا از آن لذت واقعی می‌برد. از زمانی که با هم همسایه شدند تنها دیواری میان آنها حائل بود و دری حیاط کوچک آقا معلم و باغچهٔ حاجی آقا را به هم مربوط می‌کرد. آقای پایدار در خانهٔ دوستش محرم بود و همیشه می‌توانست بی‌خبر از این در وارد شود. واقعش این است که نرگس را حاجیه خانم مادر فرود بزرگ کرده بود و بچه‌ها همیشه در حیاط و باغچهٔ یکدیگر بازی می‌کردند. تا وقتی عیال آقا معلم زنده بود این دو مونس همه وقت از هم کمک می‌گرفتند و چه بسا اتفاق می‌افتاد که زن‌ها با هم به بازار می‌رفتند و پرستاری بچه‌های شیطان حاجی آقا، از جمله فرود را به نرگس که دو سالی از آنها بزرگتر بود و فهمیده‌تر وامی‌گذاشتند. فرود دو خواهر کوچکتر از خود داشت. منیره و بدری که با نرگس اخت بودند از برادرشان زیاد حرف‌شنوی نداشتند. اینها را نرگس، هر وقت حاجیه خانم در خانه نبود، مشغول می‌کرد.

دورترین خاطره‌ی فرود از این دختر از روزی است که با دو خواهر کوچکش زیر درخت انار دم باغچه پائین راه پلهٔ اطاق پنج دری نشسته بودند و عروسک بازی می‌کردند. برگ‌های رنگارنگ پائیزی سطح حیاط را پوشانده بودند و پشه‌های لخت و بی‌جان روی انارهای شکافته

سورچرانی می‌کردند. حاجی آقا صبح زود به مسجد رفته، فرود را موظف کرده بود برگ‌های زرد سطح آب و کف حیاط را جمع و در باغچه دور چنار کپه کند. فرود هنوز از پله پائین نیامده متوجه شد که بچه‌ها قالیچه‌هاشان را روی برگ‌های نمناک پهن کرده هر و هر به اناری که نزدیک بود روی سر نرگس بیفتد می‌خندیدند. پسرک که بدش نمی‌آمد هر وقت دستش می‌رسد نیشی به دختر آقا بزنند، زد زیر خنده، منتها کمی بلند و پرخاش‌جویانه‌تر از همیشه. نرگس که همیشه می‌خواست بزرگتری جمع را حق مسلم خود بداند، تشرش زد و گفت:

«پسره‌ی ننر، آنجا وایساده‌ای چه کنی؟ برو به کارت برس!»

«کارم چیه؟»

«برو حیاط را جارو کن. نمی‌گذارم با ما بازی کنی. پسر با پسر دختر با دختر.»

«چه لوس! کی خواست با شما بازی کند؟ پس شعری را هم که بلدی بخوان، کبوتر با کبوتر...»

«بله باز با باز، کند همجنس با همجنس پرواز.»

«می‌خواهی نذارم بازی کنید؟»

«بیا، اگر راست می‌گوئی بیا ببینم چطور نمیذاری بازی کنیم. همچین چغولیت را به حاجی آقات بکنم که خودت حظ کنی.»

فرود صدایش را کلفت کرد و هارت و هورت‌کنان به خواهرانش دستور داد بلند شوند و قالیچه را جمع کنند. اما منیره و بدری گریه‌شان بلند شد و خود را به نرگس چسباندند و برادر بزرگترشان را حسابی بور کردند و همین که فرود دمش را روی کولش گذاشت و به جارو کردن

افتاد سه تا دختر زیر لبی به پسر بزرگ خانواده خندیدند و پیروزی خود را به رخش کشیدند. از فرود دیگر کاری برنیامد. البته که می‌توانست دست دوتا خواهر را بکشد و در آشپزخانه حبس کند. روزی همین کار را کرده بود و حاجی آقاش با وجود غرولند حاجیه خانم خود پسر را بیش از یک ساعت همان‌جا نگاه داشت، اگر آقا معلم میانجیگری نکرده بود ناهار هم بهش نمی‌دادند. به علاوه فرود از آقا معلم حساب می‌برد، او را دوست داشت و احترامش را واجب می‌دانست. از همه مهمتر این بود که فرود از آقا معلم کتاب می‌گرفت و این در رحمت را هرگز نمی‌خواست به روی خود ببندد.

امروز که بعد از عمری فرود یادبودهای گذشته را برای دوستی نقل می‌کند، خودش هم نمی‌داند چه اثری این دختر در او گذاشت که این حادثه در خاطره‌اش حک شد. اثیری توصیف‌ناپذیر در وجود او نفوذ کرد. کسی چه می‌داند از کجا این جاذبه و دافعه سرچشمه گرفت. از چشم‌های درشتش که وجود آدم را قبضه می‌کرد، از حرکات تند و ناگهانی تمام ارکان بدن و یا توازن و تناسب تمام شکل و اندامش و یا زیبائی فریبنده‌ای که هر سلاحی را از دست حریف می‌رباید. صحبت از تمایل و علاقه و محبت و عشق نبود، آن هم در آن زمان. برعکس، بیزاری می‌نمود از موجودی که از قدرت او در سلطه‌ی اقتدارش، هنگامی که مادر و پدر در خانه نبودند، می‌کاست.

نرگس هر وقت در مدرسه و پیش پدر به‌سر نمی‌برد در این خانه و باغچه می‌ماند، چه بچه‌ها بودند و چه نبودند. این خانه چهار اطاق آفتابگیر داشت که به اندازه‌ی یک متر و نیم از سطح زمین و خیابان

مرتفع‌تر بودند. درست روبه‌روی آنها اطاق نسبتاً بزرگتری را بعدها حاجی آقا ساخت که در آن از مهمانهایش پذیرائی کند و نماز قضا بجا آورد. آنجا کتاب‌هایش را جا داده بود و عبادت می‌کرد. اما کتاب‌های باباش زیاد به درد فرود نمی‌خورد. اغلب چاپ سنگی بودند و بدخط و گاهی خطی که خود حاجی آقا رونویس کرده و یا دیگران برایش تهیه کرده بودند. به علاوه زیاد عربی داشت و فرود نمی‌فهمید و حاجی آقا متوجه این نکته می‌شد و او را تشویق به فراگرفتن این زبان می‌کرد. از این کتاب‌ها در خانهٔ آقا معلم هم بود متها فرود کتاب‌های دیگری نیز در دست نرگس دیده بود مانند «بینوایان»، «دلیران تنگستانی» و «تلماک». نخستین داستانی که شاگرد دبستانی، هنوز تصدیق شش ابتدائی را نگرفته خواند و سال‌ها بعد بار دیگر مرور کرد و به فکرش انداخت همین رمان بود که سخت به استبداد تاخته، مفاسد یک حکومت مبتنی بر زور را توصیف می‌کند و خودسری و خودخواهی، تجمل و تملّق را محکوم می‌داند و از سلطان می‌خواهد که ضامن صلح و رفاه مردم کشور باشد. بعدها شاگرد سوگلی آقا معلم بارها در این باره بحث‌ها کرده بود بی آنکه حدس بزند به چه راهی سوق داده می‌شود.

آقا معلم سمج و در عین حال باگذشت بود. از این صورت دراز استخوانی با دماغ کشیده و ریش مخروطی شکل زیر چانه که سروکله را به شکل مثلث درمی‌آورد، با چشم‌های سیاه و گوش‌های بَلبَلی پرتوی می‌تراوید که گاهی می‌توانست بچه‌ها را مسحور کند. بالای پیشانی تا مغز سرش دیگر طاس بود و فقط چند دسته موی سیاه برگوش‌هایش چسبیده بودند که روزی مشگی بوده‌اند. هنوز هفت ساله نشده پدرش او را و

مادر را گذاشته به نجف رفته بود و بچه را آخوندی به نجف رساند و همان جا زندگی را با فقر و گدائی و درس و بحث سر کرده بود. روی هم رفته پایدار مرد خوش‌ریختی بود و شاید همین اندام بلند و آراسته‌اش او را برانگیخته بود که لباس ملائی را از تن بکند و به شیوه‌ی اداره‌ای‌ها کت و شلوار بپوشد و بالاخره در این شهر کاری و جائی پیدا کند.

آقا معلم حوصله نداشت چندین دقیقه حرف‌های شاگردانش را بشنود و گاهی با یک کلمه طرح‌های آنها را بی‌پایه کند. هین حال را در گفتگوی آقای پایدار و حاجی آقا تشخیص داده بود. البته در مباحثه با حاجی آقا حرمت عبا و عمامه را حفظ می‌کرد، اما ناظر بی‌طرف احساس می‌کرد که تیزهوش‌تر از یار دوران طلبگی است.

زندگی فرود با هزار رشته با آن آقا معلم وابستگی پیدا کرده بود، نه تنها به خاطر نرگس و خاطراتی که از او در ایام پسربچگی داشت بلکه به خاطر خود آقا معلم که رشته‌های سرگذشتش را به هم می‌پیوستند.

از همان بچگی نرگس در زندگانی فرود مقام خاصی یافت، فرقی بود میان دختر همسایه و بچه‌های دیگر که با آنها در مدرسه، زیرگذر، در کوچه و در مسجد، زیر قپه و در رأس گلدسته بازی می‌کرد. آنها می‌آمدند و می‌رفتند. جائی برای آنها در دلش خالی نمی‌ماند. زود از یادش می‌رفتند اما نرگس همه جا بود، همان طوری که حاجیه خانم و حاجی آقاش و منیره و بدری و آقا معلم همه جا و همیشه در مدرسه و در خانه حضور داشتند و بر رشد روحی و جسمی او نظارت می‌کردند.

وقتی فرود تصدیق شش ابتدائی را گرفت آقای پایدار حاجی آقا را وادار کرد ولیمه‌ای بدهد. در آن زمان پدر تمام ثروتش را صرف سفر

خراسان کرده بود و پایدار مخارج ضیافت را بـه دوسـتش قـرض داد، قرض‌الحسنه‌ای که هرگز پرداخته نشد. این دو با هم ندار بودند. آن روز جزو مهمان‌ها پسر سیاه چرده‌ای بود به اسم فیروز که بچه‌ها او را مـلا فیروز می‌نامیدند. فیروز که موهای وزوزی داشت و شاید رگ خونی از یک سیاه افریقائی در تنش جاری بود، پسری زیرک بود و بـاهوش و حاضرجواب و تندخو. از پس هرکس برمی‌آمد. در مدرسه هـمه از او حساب می‌بردند و سر به سرش نمی‌گذاشتند. از این گذشته زورمند هم بود و هر وقت در مدرسه‌ای کار پیدا می‌شد که از عهدهٔ فرّاش بـرنمی‌آمد فیروز به یک اشارهٔ آقا معلم سینه سپر می‌کرد و انبار حـلبی آب را می‌توانست جا به جا کند و قوتش از زور فرّاش هم سر بود. دست بزن نداشت اما هر وقت بچه‌ها خلقش را تنگ می‌کردند کمی بـازویشان را می‌چلاند و همه حساب کار خودشان را می‌کردند. این پسر که در کلاس دوم دبیرستان درس می‌خواند، از سوگلی‌های آقا معلم بود و او نیز مانند فرود از کتابخانه‌اش بهره می‌برد.

در این سن نرگس دختری بود جا افتاده و می‌دانست چگونه می‌شود پسران را مفتون کرد. همین که بو برد میان پسر هـمسایه و سوگلی آقـا جانش رقابتی به قصد جلب او در کار است و این دو با هـم چشم و همچشمی دارند و به هم حسد می‌ورزند متنها این یک با لبخند و چشمک و دیگری با متلک و لیچارگوئی خودنمائی می‌کند تمام فنونی را که دختران از نسل به نسل به ارث می‌برند در اختیار گرفت تا رقابت آنها را تیزتر کند.

۲

فرود تازه کلاس سوم دبیرستان بود و باز قرار بود همراه حاجی آقا و مادرش به زیارت حضرت رضا مشرف شـوند. فیروز کـلاس آخـر را می‌گذراند و یقین داشت در امتحان موفق خواهد شد. از همدیگر دوستانه خداحافظی می‌کردند. در لحظه‌ی آخر در حالی که هر دوشـان دنبال بزرگتران خانواده به گاراژ می‌رفتند، فیروز دست انداخت زیر بازوی فرود که بغچه‌ی بزرگی زیر بغل داشت و پرسید:

«ببینم یارو، هنوز هم خاطرخواه نرگس هستی؟»

فرود که علاوه بر بغچه یک چمدان بـزرگ حـمل مـی‌کرد و روی دوشش آفتابه‌ای وصل به یک تسمه آویزان بود، از این پـرسش هـیچ خوشش نیامد، آن هم در این گرمای تابستان، یک ساعت پیش از عزیمت به مشهد مقدس. اصلاً از زور کار در مدرسه فرصت نکرده بود دو کلمه حسابی با نرگس حرف بزند و موقع خداحافظی هم نزدیک بود با هـم دعواشان بشود. به علاوه خودش هم ممکن بود شاگرد اول کلاس بشود و دیگر چیزی کمتر از او نبود. حتی در ریاضی و تاریخ از او هم بالاتر بود ــ به‌خصوص که از کتاب‌های تاریخ خوشش می‌آمد و آقا معلم خوب

می‌توانست او را راهنمائی کند و از همه مهمتر این که به احترام آقا معلم خلاف شرع و اخلاق می‌دانست به چشم بد به نرگس نگاه کند. اصلاً از نرگس خوشش نمی آمد، برعکس بیزار هم بود، برای آنکه نرگس داشت دیپلم متوسطه را می‌گرفت و خود را آماده برای رفتن به تهران می‌کرد. چیزی که بیشتر او را آتشی می‌کرد قهر و آشتی دائمی نرگس با او بود. همیشه می‌توانست وسیله‌ای پیدا کند که کفر او را دربیاورد. بعد بیاید خود را لوس کند و دلش را به‌دست آورد. راست است وقتی نرگس به او لبخند می‌زد خوشش می آمد و قند توی دلش آب می‌شد. گاهی هم که به فکر فتنه‌های او می‌افتاد به خودش می‌گفت اگر مرا دوست داشت نمی‌گذاشت به تهران برود. مگر کسی از زیردست دانشجویان تهرانی جان سالم به در می‌برد؟

این افکار بی‌ربط و بی‌منطق مثل برق از سرش گذشت.

از خیابان باغ سردار عبور کردند و به گاراژ مرحبا رسیدند. اتوبوس خراسان هنوز آماده نبود. زوار بدرقه کنان می آمدند و می‌رفتند و داد و فریاد راه می‌انداختند. شاگرد شوفرها بد و بیراه به هم می‌گفتند. رانندگان به آنها فحش می‌دادند. زیر درخت توت توی گاراژ دو دوست نشستند.

فرود رو کرد به همراهش: «راستش این است که من اصلاً نمی‌دانم به تو چه جواب بدهم»

بچه‌های گدا همه جا پرسه می‌زدند. به هرکه چیزی به آنها نمی‌داد متلک می‌گفتند و با هم کتک‌کاری می‌کردند. بوی گند بنزین دماغ آدم را می‌سوزاند، دو جوان زودتر به گاراژ آمده بودند که بار و بندیلشان را به موقع به راننده بسپارند و روی سقف اتوبوس جا دهند. هر دوشان عرق

کرده بودند و مژه‌هایشان سنگین شده بود.

«فیروز می‌دانی چیه؟ کی به تو گفت که من از نرگس خوشم می‌آید؟»

«چرا اوقاتت تلخ می‌شود؟ من همچین فهمیدم.»

یک توت خشک از روی درخت افتاد روی دامن فیروز ــ که آن را برداشت و پرتاب کرد به طرف بچه‌ای که آن را از روی زمین بلند کرد و به دهان انداخت. کنار درخت حوض کوچکی بود و چند تا ماهی قرمز در آن شناور بودند، زنی بچه به بغل سر و صورت بچه‌اش را با آن شست و سینهٔ خودش را که رو به دو پسر باز بود، پوشاند.

«بی‌خود فهمیدی.»

فیروز پسر ساده‌ای بود. دو تا شوخی‌های دخترانه و ناز و نوز بی‌شیله پیله به نیّت شیر کردن فرود این بچه دهاتی را گمراه کرده بود که گوئی مفتون او شده است. صحیح است که آقا معلم پدرش را که گاهی از ده خربزه و خیار و تخم‌مرغ به شهر می‌آورد و می‌فروخت تشویق کرده بود که فرزندش را به مدرسه بفرستد و درس بخواند. درست است که فیروز اجازه داشت گاهی روزهای جمعه سری به آموزگار و مدیر مدرسه بزند و حتی سر سفرهٔ آنها بنشیند و ترید آبگوشت بخورد. شکی نیست در اینکه آقای پایدار می‌کوشید نه تنها فیروز بلکه همهٔ شاگردان خود را از تعلیماتی در خور استعداد و پشتکار آنها برخوردار سازد و مثلاً به او یک شغل معلمی یا ناظمی در یکی از مدارس شهر عرضه کند، اما از همهٔ این توجّهات و اشاره‌ها نمی‌شد نتیجه گرفت که آقای پایدار در نظر دارد دخترش را به او بدهد. پایدار آرزوهائی داشت. می‌خواست نرگس را به تهران بفرستد، تحصیل کند، پزشکی بخواند و اگرنه در پایتخت اقلاً در

شهر خودشان به دردهای بی‌درمان مردم برسد. از این گذشته از اینجا و آنجا شنیده بود که عموی فیروز به جرم قاچاق پارچه و جوراب ابریشمی گرفتار است و مادر فیروز سر به نیست شده و شوهرش را تنها گذاشته و از فرزندش به کلی بی‌خبر است. در هر صورت در مجموع چیزی به سود فیروز از آب درنمی آمد که آقا معلم دخترش را به او بدهد.

«خوب، اگر این جور است پس حرفی نداری که من بابام را برای خواستگاری پیش آقا معلم بفرستم.»

«از کجا معلومه که نرگس از تو خوشش بیاید؟»

«اگر بداند که تو او را نمی‌خواهی از کجا شوهر بهتر از من پیدا می‌کند؟ دیپلم را که گرفتم معلم می‌شوم و حقوق می‌گیرم. آقا معلم حاضر است در دبیرستان به من کار بدهد.»

«می‌خواهی شرط ببندیم که نرگس زن تو نمی‌شود؟»

«پس هنوز هم بهش چشم داری؟ با وجود این هم حاضرم شرط‌بندی کنم. بیا پشک بیندازیم.»

«نه با پشک مشک نمی‌شود.»

«فرود دست در جیب کرد و یک یکریالی درآورد. آن را روی شستش گذاشت و ناخنش را به بند اول انگشت اشاره تکیه داد و گفت:

«اگر درست درآمد زن تو می‌شه و اگرنه، نمی‌شه. قبول داری؟»

«قبول دارم.»

فرود با یک تلنگر یکریالی را به هوا افکند و هنوز به کف دستش نیامده با دست چپ آن را پوشاند.

«فیروز گفت: شیر.»

«کره خر، این وقت شیر یا خط بازی کردنه؟ به جای اینکه بیاد چمدون ها را روی اتوبوس بار کنه بازیش گرفته.»

این صدای حاجی آقا بود که با چندتا از مریدانش به گاراژ رسید. چندتا آخوند و عده ای بازاری و یکی دو تا فکلی با سلام صلوات حاجی آقا را بدرقه می کردند. بچه گداها تا این سرصداها را شنیدند دویدند به طرفشان و یکی از بازاری های کلاهی به چندتا از آنها چندتا سکه داد. جوانترها بچه ها را از دور حاجی آقا رد می کردند و بهشان تشر می زدند. پشت سر آنها چند زن با چادر سیاه و چادرنماز و بی چادر همهمه کنان می آمدند و زن هائی که کنار خیابان به تماشا ایستاده بودند التماس دعا داشتند. گه گاه مردان و زنانی می کوشیدند دست حاجی آقا را ببوسند ولی وی از آن جلوگیری می کرد و صورت بعضی از مردان را می بوسید. از روبروی آنها مرد بلندبالای سیاه توئه ای می آمد. همین که یکی از بدرقه کنندگان او را دید از جمعیت جدا شد، چیزی تنگ گوشش گفت و او را برگرداند. وقتی برگشت به همراه خود گفت: «بیچاره نمی دانست که با قد بلندش برخورد او با مسافر شگون ندارد.» ناگهان کسی با علم سبز که به سر آن یک پنجۀ مسی چسبیده بود به آواز بلند خواند:

ز کربلای حسین بوی سیب می آید ــ ز طوس بوی رضای غریب می آید.

هنوز مصرع اول را ادا نکرده چند نفری با او دم گرفتند. و همین که چاوش مردم را دعوت به همخوانی کرد و فریاد کشید:

بلندگوی اگر عیب بر زبانت نیست ــ به شاه قبه طلا حضرت رضا صلوات

ده ها نفر با او همصدا شدند:

به یازده پسران علی ابیطالب ــ به ماه عارض هریک جدا جدا صلوات

دو پسر بچه همین قدر توانستند غیظ و شادی خودشان را قورت بدهندکه از هم جدا شدند. حدس فیروز درست درآمد، شیر بود. از ذوق جستی به هوا زد و خداحافظی کرد. فرود در حالی که از زور پسی پیش پدرش می‌رفت برای دلداری به خود گفت مثل اینکه آیهٔ آسمانی نازل شده.

در همین موقع آقا معلم همراه نرگس به قصد بدرقه کردن حاجی آقا و حاجیه خانم سر رسید و البته هیچ یک از دو پسربچه به او بروز ندادند که سر چه شرط‌بندی کرده‌اند و دختر آقاکه در یک پیراهن سفید آستین کوتاه و سینه بسته به یک عروس بزک نکرده می‌ماند، چشم حسرت به فرود دوخته بود و گوئی در حق او دارد دعای خیر می‌خواند.

فرود، نه برای اینکه مهری از این دختر ۱۷ ساله در دل داشت، بلکه بیشتر بدین جهت که در رقابت شکست نخورده باشد، خود را فریب می‌داد. تا ما از خراسان برگردیم عروسی این دو نفر سر نخواهد گرفت. بعد هم که آقا معلم تصمیم دارد دخترش را برای تحصیل به تهران بفرستد. تا آن وقت هم خدا بزرگ است.

زندگی در سفر و در مشهد و گذران ساعت‌ها در اتوبوس و سر و کله زدن با راننده و شاگردش و نزاع زوار با هم و تماشای بیابان‌های خشک و سوزان و اقامت در اطاق‌های دودزدهٔ پر از ساس و کنه و رنگ‌های صفابخش گنبد و گلدسته‌های خوش نقش و دعوای حاجی آقا و حاجیه خانم سر بی‌مزگی شوربا و یخنی از بازار خریده شده و صرفه‌جوئی و دلواپسی به خاطر بچه‌ها در خانه، که خدا می‌داند چه به سرشان آمده، اینها دیگر برای فرود تازگی نداشت. از این سفرها زیاد کرده بود و خود

را یک پا جهاندیده می‌دانست. حتی نزدیک بود مزار حضرت امام حسین(ع) را در کربلا نیز زیارت کرده باشد. با وجود این توقف چند ساعته در قم در راه برگشت به ولایت برای او نقطهٔ عطفی در زندگی به شمار می‌رفت.

حاجی آقا و حاجیه خانم در قهوه‌خانه‌ای داشتند چائی می‌خوردند و فرود را دنبال نان و پنیر و انگور فرستاده بودند که ناهارشان باشد. قهوه‌چی پسر شیخ محمد از دوستان دوران طلبگی حاجی آقا بود. این آدم در ولایت برادری داشت و حاجی آقا می‌توانست همیشه در طی زیارت خراسان اطلاعاتی از خانواده و دوستان کسب کند. آنجا شنید که شاه طی نطقی در مدرسهٔ نظام، هنگام اعطای دیپلم به دانشجویان که با درجهٔ افسری به ارتش می‌پیوستند به خطر عظیمی اشاره کرده بود که کشور را تهدید می‌کند و از این جهت جوانان باید آمادهٔ هرگونه فداکاری باشند. حاجی علی آقا و حاجی میرزا رحیم و حسین رودباری مظنّهٔ آذوقه را بالا برده بودند و مردم بی‌اعتنا به قیمت‌ها هرچه می‌توانستند می‌خریدند و انبار می‌کردند.

پسر شیخ محمد خبر داشت که تو شهر چو افتاده که گرانی می‌آید و قحطی می‌شود و جنگ درمی‌گیرد و حتی می‌دانست که آقا معلم برای خودش و حاجی آقا هم مقدار هنگفتی بُن‌شن و عدس و کشک و پیاز خریده بار بار به خانه آورده است. در جمع‌آوری آذوقه پدر فیروز دست داشته و خود فیروز هم همیشه وردست آقا معلم بوده است.

در این هیر و ویر فکری که به خاطر فرود نمی‌رسید عروسی فیروز بود. اما خب، این هم وسیله‌ای بود که راهی به دل آقا معلم باز کند. این

جور هم می‌شود قاپ کسی را دزدید. اول به اسم تلمّذ راه خود را در خانه باز کرد. آنقدر موس موس زد که آقای پایدار به او وعده داد یک شغل مهمی در مدرسه‌ای بش بدهد. حالا به سرش زده داماد هم بشود. به فرود چه؟ شاید خیر است. ناراحتی‌اش بیشر از این شکست در شرط‌بندی بود. برای اینکه خودش را از این خیالات رنج‌آور خلاص کند به تلفنخانه رفت و به بدری تلفن کرد، به قصد اینکه خبر تازه‌ای بگیرد. بدری نمی‌خواست رازی فاش کند. دلخور بود. داداش را دوست داشت و نمی‌خواست او را برنجاند اما برادر دست‌بردار نبود.

«از چه دلخوری؟ چرا حرف نمی‌زنی. من خودم همه چیز را می‌دانم.»

«چه می‌دانی؟ خبری نیست.»

«دندان روی جگر بگذار، بگو ببینم چته؟»

«می‌گویند باباش آمده نرگس را برای ملا فیروز خواستگاری کند.»

«این که خبر بدی نیست.»

این را از روی صمیمیت گفت. قرعه به نام او افتاده. همین است دیگر.

«من نگفتم که بد خبری است. ملاّ غیظش گرفته، چون که آقا معلم فرموده‌اند حاجیه خانم بزرگترِ دخترش است و ایشان باید اجازه فرمایند، به علاوه با دوستان و کسان، از جمله با حاجی آقا مشورت کنند و بعد تصمیم بگیرند.»

خبر خواستگاری نرگس ولوله راه انداخت. فرود از قیافهٔ مادرش می‌دید که آشفته است. در مرحلهٔ اول در قهوه‌خانهٔ پسر شیخ محمد از نزدیکی آنها رد می‌شد حرفشان را قطع می‌کردند. هیچ حوصله نداشت

پای صحبت آنها بنشیند. ظاهراً دلواپسی حاجی آقا از کمیابی و اضطراب عمومی بود. به این نکات فرود توجهی نداشت. شنیده بود که در سال قحطی پدرش روزی سر راهش هفت نفر از گرسنگی مرده را شمرده بود و دم دکان نانوائی گرسنگان خمیر را چپو می‌کردند. اما آن دوران گذشت. قزاق‌های روس باعث و بانی آن گرفتاری‌ها بودند. به حالا چه مربوط است.

مادرش به دلیل دیگری حرصش گرفته بود. راه که می‌رفت غر می‌زد: «مگر کسی بهتر از ملافیروز برای نرگس پیدا نمی‌شد.» حاجیه خانم هرگز فیروز را از زبانِ بچه‌ها «ملا فیروز» نخوانده بود. همین خود دلیل کنجکاوی فرود بود و نمی‌دانست به چه دلیل مادرش این همه جوش می‌زند. همین دیشب وقتی این خبر سر سفره فاش شد حاجیه خانم یک هو یکه خورد.

«ایوا، چی گفتی؟ فیروز می‌خواد نرگس را بگیره؟ وای خدا نکنه. چه غلط‌ها!»

حاجی آقا آرام و سنجیده، بی‌آنکه کوچکرین شگفتی به او دست داده باشد، به این واکنش عیالش اعتراض کرد.

«به تو چه مربوط؟ مگر فیروز چه عیبی دارد؟ نرگس هم که دختر شاه پریان نیست.»

«این حرف‌ها چیه؟ یعنی میگی دختره شوهری بهتر از این پسره که هیچی نداره پیدا نمی‌کنه؟»

«به ما چه در کار مردم دخالت کنیم.»

«چطور به ما مربوط نیست. خود پدرش میگه من بزرگش کرده‌ام و

باید با تو مشورت کند. آقا معلم خودش خوب فهمیده که چرا این پیغام را داده.»

به نظر فرود حاجیه خانم همیشه صبور و مطیع بود و با حاجی آقا مدام مدارا می‌کرد و می‌کوشید رضایت خاطر او را فراهم آورد. هرگز ندیده بود که مادرش به این شدت با پدرش یکی بدو کند. مثل اینکه تمام خیالاتش درباره‌ی سرنوشت نرگس داشت واهی می‌شد.

«مگر آقا معلم با تو که برادرخوانده‌اش هستی نمی‌خواهد مشورت بکند. خوب، چه میگی؟»

«زن، من چه دارم بگویم؟ هر وقت از من پرسید از دوست و آشنا می‌پرسم و وقتی چیزی دستگیرم شد جواب می‌دهم.»

«این را هم خواهی گفت که ننه‌اش کدام گور رفته و عمویش را برای چه حبس کرده‌اند.»

«بس کن زن، آنقدر غیبت نکن. گفتم تحقیق می‌کنم و جواب می‌دهم.»

«این که دیگر سؤال و پرسش نداره. من جای تو بودم از همین جا تلگراف می‌کردم و می‌گفتم نه، این آقا قابل دختر شما نیست.»

این گفتگو مدت‌ها طول کشید. فرود با دقت صحبت‌های آنها را گوش می‌داد و از بر می‌کرد. نمی‌فهمید مادرش چرا اینقدر اصرار دارد از این وصلت جلوگیری کند. در راه قهوه‌خانه همه‌اش در این فکر بود نظری راجع به این زناشوئی بدهد و موضعی اختیار کند. به خودش می‌گفت این یک هوس بچگانه‌ی فیروز است. به من چه؟ به ما چه؟ به حاجیه خانم چه؟ بعد یادش آمد نکند مادرش نرگس را برای او تکه گرفته باشد مبادا

کاسه‌ای زیر نیم کاسه باشد و حال می‌بیند که با پیدا شدن سر و کله‌ی فیروز آرزوهایش ممکن است بر باد رود. شکی نیست که حاجی خانم نرگس را خیلی دوست داشت. دختر آقا هم که مادر نداشت حاجیه خانم را مثل ننه‌ی خودش می‌دانست. اما آخر این خاله خاک‌انداز بازی زن‌ها به او چه مربوط است؟ به علاوه نرگس دو سال از او بزرگتر بود. کی تا به حال دختر از خود بزرگتر را گرفته است؟ خدا می‌داند حاجیه خانم چه وردی تو گوش نرگس خوانده؟ از این زن‌ها هرچه بگوئی برمی‌آید. کافی است یکبار از دهنش دررفته باشد: تو باید عروس خودم بشوی. همین، شاید همین کک تو تنبانش انداخته باشد. این لوس‌بازی‌هایش باید برای خاطر همین حرف‌ها باشد.

به نظرش رسید که دارد مثل بزرگترها فکر می‌کند و مو از ماست می‌کشد. گوئی با مسئلهٔ بغرنجی روبرو است و سر دوراهی است و باید به یک سو برود و از سوی دیگر چشم بپوشد. آیا ازدواج نرگس و پسر بابا آنقدر مهم است که افکار او را مشغول کند. فیروز بچهٔ بدی هم نیست. وقتی خودش را با او می‌سنجد می‌بیند که فیروز صفاتی دارد که او فاقد آنهاست. او به‌جای هوش پشتکار دارد و حال به سرش زده است که نرگس را بگیرد و حاضر است برای آقا معلم حمالی هم بکند بار بار بن شن به انبار آقا معلم و حاجی آقا بریزد. نرگس هم حالا خوب می‌تواند باد به آستین بیندازد و بگوید با یک اشارهٔ انگشت خواستگار پیدا کردم و تو، فرود، حساب کار خود را بکن.

ناگهان این خیالات و توهمات با غرش هواپیمائی در آسمان صاف بر

فراز گنبد طلائی حضرت معصومه که از آن کاغذ پاره می‌بارید غیبشان زد. یک هو دود شدند و به هوا رفتند. سرها همه رو به آسمان بلند شدند. چشم‌ها همه به کپه‌های کاغذ که در نور خورشید مانند ستاره‌های کهکشان در شب تیره می‌درخشیدند، دوخته شد. در کوچه و پس کوچه، از دکان‌ها و پستوها، از مسجد و مدرسه، زن و مرد، آخوند و طلبه، کاسبکار و عمله، اوستا و کارگر، عمامه‌ای و کلاهی به خیابان‌ها و به صحن حرم هجوم آوردند. صلوات می‌فرستادند و هریک می‌کوشید پاره کاغذی به دست آورد تا ببیند چه رمزی در این کاغذباران نهفته است. مردم فریاد می‌زدند: «طیاره کاغذ می‌ریزه، خط فرنگی رو بالش نوشته، خودم خواندم». یکی از میان جمعیت داد کشید: «صلوات بفرستید» یک عمامه سبز بر سر پرید روی سکوی دکان نانوائی:

«خودم در بغداد دیدم، اول کاغذ می‌ریزند بعد بمب. مردم بروید خانه‌هایتان.»

پاسبانی اورا از روی سکو پائین کشید. «اینجا که بغداد نیست آخوند، بیا برو دنبال کارت.»

سه هواپیما همین طور کاغذ می‌ریختند و رد می‌شدند. جمعیت نخستین ورقه را به دست آورده بودند. فرود هرچه تلاش کرد نتوانست چیزی گیر بیاورد. سیب‌زمینی پخته فروشی بساطش را روی زمین گذاشت، جست زد روی سکوئی و کاغذ چهارگوشه‌ای را در هوا قاپید. خودش نتوانست آن را بخواند. فرود فرز خودش را به او رساند. خواست کاغذ را از دست او برباید. ول نکرد. فرود توانست خط فارسی را بخواند. آنچه به چشمش خورد قابل فهم نبود. درک نمی‌کرد که مقصود چیست.

شنیده بود که میان آلمان و فرانسه جنگ است. امّا آخر جنگ آن دور دورها به قم چه؟ اعلامیهٔ متفقین چه معنائی دارد؟ از ما چه می‌خواهند؟ فرود از بچه‌گدائی در ازای ده شاهی یک اعلامیه را خرید و خودش را به دکان نانوائی رساند. مگر می‌شد نان خرید؟ همه‌اش صحبت از جنگ و دعوا بود. روس‌ها آمدند، انگلیس‌ها آمدند. ارتش با روس‌ها و انگلیس‌ها در شمال و جنوب می‌جنگد. فرود با نان خالی به قهوه‌خانهٔ پسر شیخ محمد برگشت. در قهوه‌خانه هنگامه‌ای برپا بود. همه دور حاجی آقا جمع شده بودند. از او توضیح می‌خواستند. پدر بعضی اصطلاحات را برای مردم معنی می‌کرد. قهوه‌چی و شاگردش مردم را آرام می‌کردند: «بگذارید به کارمان برسیم. جنگ یا نه جنگ. ما باید نان زن و بچه‌هامان را شب به خانه برسانیم. حاجی آقا، شما بفرمائید راهمان بدهند به مردم چائی‌شان را برسانیم.» پدر کاغذها را می‌خواند، مفادّ آنها را با هم مقایسه می‌کرد. خبر آوردندکه گرسنه‌ها ریخته‌اند و خرازی‌فروشی نزدیک صحن را غارت کرده‌اند. بعضی از تهران خبر می‌آوردند که پاسبان‌ها لباس‌هایشان را کنده‌اند و با زیرشلواری توی خیابان‌ها می‌گذرند. یکی خودش دیده بود که عده‌ای می‌خواسته‌اند افسری را که توی درشکه به خانه می‌رفته است کتک بزنند. در تهران کاغذباران صبح علی‌الطلوع شروع شده است.

راست و دروغ با هم قاطی می‌شد. مردم دروغ‌ها را بیشتر از راست‌ها باور می‌کردند. هرچه دروغ گنده‌تر بود خوشتر می‌آمد. کسی حرف کسی را گوش نمی‌داد. هر چیزی را که می‌شنیدند چندتا رویش می‌گذاشتند و بازگو می‌کردند. هرکسی می‌خواست شنیده‌های خود را به کرسی بنشاند.

اول روی شهر تهران بمب ریخته‌اند. تمام شهرهای شمال و جنوب زیر و رو شده است. رادیو خبر می‌داد دولت برکنار شده. مردم راضی نمی‌شدند می‌گفتند: دولتی‌ها را یکجا اعدام کرده‌اند. دولت تازه سرکار آمده و همه سر به نیست شده‌اند. قیمت نان بالا رفته. بن‌شن دیگر پیدا نمی‌شود. در یک کیسه‌ی عدس اقلاً یک من سنگ ریخته‌اند. سگ صاحبش را نمی‌شناسد. کلمات هرج و مرج، بلبشو، زیر و رو از دهن به دهن می‌گشت. کن فیکون شده بود. آشیخ محمد خودش دیده بود که گله‌ها سر به بیابان گذاشته‌اند و گرگ‌ها دنبالشان. کلمه‌های اتمام حجت، اولتیماتوم، متفقین، بیطرفی، اشغال دنگ دنگ در مغز فرود صدا می‌کردند؛ معنای آنها برای پسره پانزده ساله مفهوم نبود. هنوز یک پیاله چای نخورده پدر و مادر اسباب‌هایشان را بستند و پا توی یک کفش کردند که حتماً همین امروز صبح هرچه زودتر باید شوفر را وادار کرد به شهرشان برگردند. حاجی آقا از پسر شیخ محمد شنیده بود که بازاری‌ها دارند دکان‌ها را تخته می‌کنند. همه کس در فکر ذخیره کردن آذوقه است، در حرم طلبه‌ها اخبار رادیو را شنیده بودند، روس‌ها و انگلیس‌ها شهرهای بی‌دفاع را بمباران کرده‌اند.

حاجی خانم چادر سیاهش را به سر کرده در گوشه‌ای کز کرده بود:

«حاجی، چرا اینقدر دستپاچه‌ای؟ مگر چه شده؟»

«ضعیفه، مگر نمی‌بینی جنگه؟ جنگ، می‌فهمی یعنی چه؟ روس‌ها و انگلیس‌ها آمده‌اند و دارند اسلام را نابود می‌کنند.»

حاجیه خانم خیال می‌کرد که جنگ یعنی لرها آشوب کرده‌اند و قشون دولتی رفته که امنیت برقرار کند. فوج‌ها می‌آیند از وسط شهر می‌گذرند و به زن و بچه‌ی مردم کاری ندارند. بمب روی شهرها ریختن

که کار فرنگی‌ها است. اینجا از این خبرها نیست. حاجی آقا هم حوصله نداشت به ضعیفه حالی کند که این جنگ نزاع میان چند تا کرد و لر و قشقائی با قشون ایران نیست.

جمعیت بود که همین جور به قهوه‌خانه هجوم می‌آورد. دیگر جای سوزن انداختن نبود، تا توی خیابان عمله و اکره که در راه‌ها هواپیماهای کاغذریز را دیده بودند، ایستاده بودند که از زبان یک آیة‌الله بشنوند چه حادثه‌ای رخ داده است. صدای پسر شیخ محمد و شاگردش به هیچ جا نمی‌رسید. خبرهای دروغ و راست مثل برق پخش می‌شد. فرود می‌خواست خودش را به پدرش برساند، لقمه نانی به دهنش بگذارد که فشار خبرجویان او را به وسط حوضک قهوه‌خانه هول داد. پایش توی پاشویه لیز خورد و نزدیک بود توی حوض بیفتد که او را گرفتند و بیرون کشیدند. حاجی آقا برخاست، دست پسرش را گرفت و خود را از دست مردم نجات داد.

پسرک دچار بهت و حیرت شده بود. نمی‌فهمید برای چه حتی باباش دست و پایش را گم کرده است. از او توضیح می‌خواست: اتمام حجت یعنی چه؟ اولتیماتوم چیست؟ متفقین کیانند؟ حالا چه می‌شود؟ به دولت ما چه کار دارند؟ حالا روزگار بهتر می‌شود یا نه؟

حاجی آقا خودش هم از اوضاع سر درنمی‌آورد و طبعاً توضیحی نداشت به فرزندش بدهد. خودش هم نمی‌دانست. با یک نفر آدم حسابی که روبرو نشده بود تا بداند پشت پرده چه خبر است. رادیو هم در اختیار نداشت که اخبار را از منبع صحیحی بشنود. تا به حال جز پاره کاغذهائی که از آسمان می‌ریختند چیزی ندیده بود. تنها دلداری که به پسرش

می‌داد این بود که آرزو داشت به شهر و خانهٔ آنها آسیبی نرسیده باشد.

«باید هرچه زودتر خودمان را به خانه برسانیم. چند روز دیگر نه یک
ماش گیرمان می‌آید و نه یک لپه، چه برسد به برنج و روغن.»

«روزی دست خداست حاجی، ترا هرگز اینجوری نـدیده بـودم. از
گرسنگی که نمی‌میریم.»

فرود هم هرگز پدرش را اینجوری ندیده بود. اما چندان طولی نکشید
که فهمید زندگیش در این سوم شهریور ورق خورده است.

روزها طول کشید تا اتوبوس آنها از قم به شهر مقرشان حرکت کرد.

۳

در عرض چند روز شیرازه از هم گسیخت. یک کشور در ظاهر منظم و مرتب و در باطن ظلم‌زده و توسری خورده از هم پاشید. کلاهی‌ها باز عمامه‌ای شدند. عمله‌های راه بیل و کلنگشان را روی دوش گذاشتند و به چاک زدند. مقاطعه‌چی‌ها مزدهایشان را بالا کشیدند. بیکاران به گدائی، دزدی و غارت افتادند. قهوه‌خانه‌ها در طول راه در و تخته شدند. ژاندارم‌ها اونیفورم‌هایشان را کندند. شوفرها قیمت‌ها را چند برابر کردند. راه‌ها بسته شد. اعلیحضرت قدرقدرت پا به فرار گذاشت. رجال سرشناس که چکمه‌های او را می‌لیسیدند تره هم برایش خرد نکردند. گفتند صندوق صندوق جواهر و سکه‌ی طلا و قالی با خودش برده. در مجلس کاسه‌لیسان دیروزی انقلابی و ضد استعمار از آب درآمدند. ارش شوروی از شمال و سربازان انگلیسی از جنوب به ایران تاختند و سردمداران جا خالی کردند. اتومبیل‌های سران نظامی قرقی‌وار رو به جنوب رفتند. باری‌ها پر از اثاثیهٔ دولتمندان از یک سو و کامیون‌های نظامی انگلیسی از سوی دیگر می‌آمدند و می‌رفتند. آنقدر شورش را درآوردند که نخست‌وزیر جدید مجبور شد در مجلس بگوید: کجا

می‌روید؟ اینها می‌آیند و می‌روند و به کسی کاری ندارند. وزیران مسئول ناله سر دادند ما بی‌تقصیریم. از هیچ جا خبر نداشتیم. آلت فعل بودیم. همه‌اش تقصیر قائد عظیم‌الشأن بود. اگر ما نبودیم دیگری می‌آمد و بدتر از ما مـی‌کرد. مگـر نـدیدید کـه وزیـران را مسـموم و در زنـدان خفه می‌کردند.

در مغز حاجی آقا این خاطرات وول می‌خوردند، درهم می‌لولیدند. دلش می‌خواست آنها را برای پسرش نقل کـند امـا هـراس گـلویش را می‌فشرد و نمی‌توانست به زبان بیاورد. کاش هرچه زودتر با آقا مـعلم روبرو شود و با او افکار خود را به میان بگذارد. اما قدم بـه قـدم لنگ می‌کردند. قهوه‌خانه‌ها پر بود. بنزین پیدا نمی‌شد. دیگر در شهرها و در راه‌ها یک پاسبان و یا یک ژاندارم دیده نمی‌شد. همه خـانه‌نشین شـده بودند.

همین که فرود نخستین سرباز انگلیسی را دید قلبش فرو ریخت. اینها دسته دسته، گروه گروه، فوج فوج، سوار باری‌هایشان کاروان‌ها بـه راه انداخته بودند. مردم اینها را «کـانوا» مـی‌نامیدند. دردنـاک‌ترین رخـداد مواجهۀ او با سربازان هندی بود که لخت و عور در کنار رودخانۀ نزدیک شهرشان ولو بودند. این دیگر بـرای فـرود تـحمل‌ناپذیر بـود. آخر او مسلمان بود و نماز می‌خواند و مردم شهرشان را دوست داشت و به گذشتۀ ایران، تا آنجا که یک پسر پانزده ساله درک می‌کند، احترام می‌گذاشت. از اعراب که آمده بودند ایران را فتح کرده بودند خوشش نـمی‌آمد. از ترک‌ها که آمده بودند و شمال ایران را اشغال کرده بودند، آقا مـعلم داستان‌ها نقل می‌کرد. اما این هندی‌ها زیردست و مزدور انگلیس‌ها بیایند

و ایران را اشغال کنند و روز روشن لخت و عور ... و...شان را بی‌شرمانه به زن‌ها نشان دهند. نه این دیگر قی‌آور بود. این دیگر توهین بود، توهین به همه.

فرود خودش می‌گوید که برای هند احترام فراوان قائل است. پایداری و نبرد هندی‌ها را برای رسیدن به آزادی و استقلال و دموکراسی تقدیر می‌کند. امروز می‌داند که از این مردم امثال گاندی و تاگور و بوز (Bose) بـرخـاسـتـه‌انـد. امـا ایـن هـنـدی‌هـای تـوسـری خـورده، سـربازان مـزدور انگلیسی‌ها وطن او را اشغال کنند، نه این دیگر برایش تازگی داشت. ببینید چقدر انگلیس‌ها در این کشور متمدن رخنه کرده‌اند که چنین چیزی میسر می‌شود. آخر اینها که اشغالگر نبودند. از دیدن این منظره گریه‌اش گرفت. کشنده بود.

آن وقت تازه احساس کرد که چقدر خودش میهن‌پرست و مـردم -دوست و به قول امروزی‌ها ناسیونالیست است.

ناگهان چشم‌هایش باز شد حالا دیگر با دیدی تـازه بـه جـهان می‌نگریست. دنیا فقط باغچه و حوض و حاجیه خانم و حـاجی آقا و معلم و منیره و بدری و مدرسه و فیروز و پسرانی که کبوتربازی می‌کردند نبود. نرگسِ افاده‌ای هم نبود. خارج از این افق و این دایره عالم دیگری وجود داشت. از ظلم و دوروئی و تقلب و بی‌ناموسی و دزدی و غارت و خیانت و آدمکشی و هزاران بلای دیگر که تا به حال فرود از آنها بی‌خبر مانده بود. در روزنامه‌ها و کتاب‌ها و گفتگوی بزرگسالان رازهائی نهفته بود که باید آنها را گشود. آقای پایدار فقط معلم و جای پدر نبود. او در اطاق محقرش کتاب‌هائی داشت که آدم را بینا می‌کرد. وقتی از او کتابی

دربارهٔ سیاست انگلیس در هند خـواست آقـای پـایدار بـه او «اخـتناق هندوستان» را داد با این تذکر که اگر بخواهی حسابی چیز بفهمی، باید زبان انگلیسی و یا یک زبان خارجی دیگر یاد بگیری.

واقعیت این است که این خاطره‌ی پخش کاغذپاره در هوا و تعرض به ایران و هندی‌های لخت کنار رودخانه و آنچه بعد بـه سـرش آمـد بـه اندازه‌ای در عمق وجودش رخنه کرد که عمری از آن دست‌بردار نبود. تنها تکیه به اینکه «جنگ است» و «جنگ همین است» و «جنگ قانون خود را دارد» او را قانع نکرد و نمی‌کرد و هنوز هم نمی‌کند. دعوا مال لات‌هاست، کلوخ‌اندازی، کتک‌کاری کار بی‌پدر و مـادرهاست. مگـر آدم‌های حسابی همدیگر را می‌کشند، وقتی همان روزها از رادیو شنید که کشتی‌های ایران را در خلیج فارس غرق کرده‌اند و چند نفر از جمله علیخان پسرخالهٔ ناظم مدرسه‌شان را که ملوان بوده کشته‌اند، همه‌اش از خودش می‌پرسید که آخر چرا باید گذاشت که ظالم‌ها مظلوم‌ها را بکشند. هزاران سؤال از خود داشت و بعدها در تمام عـمر مـی‌کوشید بـه ایـن پرسش‌ها پاسخی بدهد.

از این به بعد هر وقت آقا معلم و پدرش روبروی هم می‌نشستند و شطرنج‌بازی می‌کردند و گپ می‌زدند و فرود برای آنها چـای و قـلیان می‌آورد، دم در می‌ایستاد و خوش داشت به حرف‌های آنها گوش دهد. پدرش بی‌میل نبود او را دست به سر کند امّا آقا معلم دوستش را قانع می‌کرد که با پسر بالغ نمی‌توان مانند یک بچه رفتار کرد.

در حومهٔ شهرشان سربازان انگلیسی اردو زده بودند و بسیاری از آنها از جمله افسرانشان و افراد هندی اغلب در خیابان‌ها پرسه می‌زدند و یا با

باری‌هایشان بی‌توجه به مقررات عبور و مرور تند از خیابان‌ها می‌گذشتند و اینجا و آنجا از هرزگی‌هایشان خبرها شنیده می‌شد. در همان روزهای اول اخبار عجیبی از دهن به دهن می‌گشت: رئیس شهربانی از شهر فرار کرده، یک انگلیسی جای او آمده، برخی خودشان دیده بودند که یک انگلیسی همراه چند هندی به شهربانی رفته است. از اینها بدتر در روزنامه‌ها نوشته بودند که یک انگلیسی در تهران خواست است زن یک مدیر روزنامه را به زور به خانه‌اش ببرد. افتضاحش درآمده بود. خبر را در روزنامه‌ها منتشر کرده بودند. آخر مگر چه می‌شود کرد. دولت ایران که نمی‌توانست با روس و انگلیس بجنگد. توی مدرسه بچه‌ها هرکدام چماقی برای خود می‌تراشیدند و می‌خواستند هر خارجی را که دنبال بی‌بی می‌گردد لت و پار کنند. آقا معلم قدغن کرده بود که چوب‌ها را به مدرسه نیاورند. «شما که با چماق‌هایتان نمی‌توانید از پس توپ و تفنگ برآئید. مقاومت صحیح است اما تک تک سودی ندارد. دولت ما که سر جنگ ندارد.»

فرود همین که در نظرش مجسم کرد که ممکن است یک هندی لخت و عور شب و نصف شب منیره و بدری و نرگس را بگیرد و آنها را توی جیبش هول دهد، چندشش شد. خوب، وقتی در تهران چنین اتفاقی رخ می‌دهد چرا در ولایت پیشآمد نکند. ناگهان در حضور پدرش و معلمش به فکرش رسید با چند تاگردن کلفت‌های مدرسه‌گروهی تشکیل دهد و در کمین هندی‌ها بنشیند و هر وقتی یکی از آنها به کسی تجاوز کرد حسابی خدمتش برسند. خودش خیلی زور نداشت اماکسانی بودند که به درد این کارها می‌خوردند و از عهده‌ی این هندی‌های لاغر و مردنی

برمی‌آمدند. نرگس را هم باید حراست کرد. باید به همه حالی کـرد کـه برای حفظ ناموس همه حاضر است به کار دستجمعی متوسل شود. در هرحال کار دستجمعی باید باشد.

صحبت آقا معلم رشتۀ افکار او را قطع کرد:

«حاجی آقا، خبر خیلی فراوان است. شنیدید که شاه را به جنوب افریقا برده‌اند باز یک نخست‌وزیر استعفا داده و یکی دیگر سر کـار آمـده. هندی‌ها در شهر دنبال بی‌بی می‌گردند.»

در اطاق همسایه صدای منیره و نرگس شنیده مـی‌شد. حـاجی آقـا انگشت به لب برد و گفت:

«هیس، بلند حرف نزنید، چه لزومی دارد که زن‌ها بشنوند و وحشت کنند.»

«حاجی آقا، کار از این کارها گذشته. برعکس خوب است که همه هشیار شوند تا بهتر بتوانند از خود دفاع کنند.»

آقا معلم بعد رو کرد به فرود و از او پرسید:

«پسر، می‌دانی بی‌بی چیه؟»

فرود خوشحال از اینکه طرف صحبت واقع شده جانی گرفت، جرأت پیدا کرد و بدون رعایت ادبی که پدرش همیشه بـخصوص در حضور دیگران از او توقع داشت از هول حلیم خودش را در دیگ انداخت.

«به، من خودم دیدم که یک سرباز هندی دست زن چادر به سری را گرفته و با هم توی خانه‌ای جیم شدند. حاجی آقا، حاجیه خانم نباس تنها به کوچه بره، منیره و نرگس خانم هم همینطور. به، مگر شما خبر ندارید؟ چند روز پیش خودم در روزنامه خواندم در تهران افسری انگلیسی دنبال

زن شیک و پیکی افتاده، می‌خواسته او را سوار جیپ کند که زن داد و فریاد راه انداخته، مردم رسیده‌اند و یارو انگلیسیه سوار جیپ شده و فرار کرده.»

آقا معلم شگفت‌زده از او پرسید:

«تو روزنامه از کجا می‌آوری؟»

«بابای یکی از همشاگردیهام کتابفروشی داره، روزنامه هم می‌فروشه. از بس هر ساعت دنبال روزنامه رفتم قرار گذاشتیم من برم روزنامه را از پستخانه بگیرم و یکیش را هم خودم بردارم.»

آقای پایدار به فکر فرو رفت. حاجی آقا می‌خواست پسرش را بفرستد برود بخوابد. او نگذاشت.

«حاجی، علاقهٔ پسرت را به اوضاع دنیا می‌بینی؟ بد نبود اگر در این شهر خودمان هم روزنامه‌ای داشتیم.»

در این باره حاجی آقا هم فکر کرده بود. از زمانی که متفقین به ایران لشکر فرستاده بودند مکرر به او چنین پیشنهادی کرده بودند، شازده محمدحسین میرزا هم دلش می‌خواهد روزنامه‌ای دائر کند. به عقیدهٔ او این خارجی‌ها باید بدانند که در این شهر مردمی هستند که زبانی دارند. امثال ما که نمی‌توانند دنبال آنها موس موس بکنند. اما اگر روزنامه‌ای باشد می‌دانند که با که باید مذاکره کنند. دکتر ابوترابی هم به حاجی آقا رجوع کرده بود منتها همه می‌دانستند که او قبلاً بند و بستی با فرمانده برقرار کرده و از کجا معلوم است که دائر کردن روزنامه کار خود این مهمان‌های ناخوانده نباشد. حاجی آقا به او جواب سربالا داده بود، به علاوه روزنامه خرج داشت. دفتری و میز و صندلی و چاپخانه‌ای و کسی

که بتواند مقاله بنویسد و جواب مقامات دولتی و خارجی‌ها را بـدهد. مدیر چاپخانهٔ تدین هم از آن دندان‌گردها بود. بی‌سرمایه چه مـی‌شود کرد.

«خیلی خوب می‌شه. شما که خودتان قبلاً امتیاز داشتید. اما پولش را از کجا می‌آورید؟»

«شاید پولدارهائی حاضر باشند مخارجش را به عهده بگیرند.»

به نظر فرود این یک فکر خوبی بود. اوه، چه خوب مـی‌شد اگر در شهر آنها روزنامه‌ای وجود داشت. حتماً خیلی از مردم آن را می‌خریدند. او می‌توانست تمام شاگردهای کلاسش را وادار کند که هرکدام در روز یک روزنامه بخرند. بهترش اینست که هرکدامشان چندتا روزنامه بگیرند و بفروشند. منیره و بدری و نـرگس هـم مـی‌توانـند در مـدرسه‌هایشان روزنامه‌خر و روزنامه‌فروش پیداکنند. هنوز فکر را به پایان نرسانده وارد عمل شد وگفت:

«آقای پایدار، شما بیائید یک روزنامه دائر کنید. من همهٔ کـارها را برایتان روبراه می‌کنم. دوندگیش با من.»

حاجی آقا دوید تو حرفش:

«تو برو عقب درس و مدرسه‌ات. بگذار بزرگترها به این کارها برسند.»

آن ذوق درس خواندن که تا به حال روح فرود را شعله‌ور می‌ساخت از زمان ورود نیروهای متّفقین به ایران کم کم داشت ته می‌کشید. مگر بلعیدن کتاب و روزنامه به او فرصت می‌داد مسائل حساب را حل کند و عربی و شرعیات یاد بگیرد. به درس تاریخ علاقه داشت و حاضر بـود گاهی بعدازظهر و یا شب‌ها لای کتابی را باز کند و آنچه آقا معلم سر

درس گفته بود بار دیگر از نظر بگذراند. برای درس‌های دیگر تلاشی لازم نبود. همانچه که سر کلاس به گوشش می‌خورد به خاطر می‌سپرد و برایش کافی بود. دیگر کوشش برای اینکه شاگرد اول کلاس باشد و در امتحان‌های نهائی بهترین شاگرد تمام ولایت بشود او را سر شوق نمی‌آورد. مطالعه‌ی «اختناق هندوستان» و آموختن زبان انگلیسی برای او مهم‌تر بود. قبلاً روزی نمی‌شد که چند ساعتی به مطالعه نپردازد: «اسکندرنامه»، «سلیم جواهری»، «ارسلان‌نامه»، «من هم گریه کردم»، «عاق والدین»، «تارزان» و داستان‌های ایرانی را خوانده بود. گاهی با نرگس شرط می‌بستند که کی زودتر کتابی را تمام می‌کند و کی بهتر محتوای آن را برای بدری و منیره نقل می‌کند. این‌ها همه‌اش وسیله‌ای بود که دختر آقا برتری و بزرگتری خود را به رخ پسر همسایه بکشد. گاهی بر سر ارزیابی کتابی، مثلاً «پل و ویرژینی» با هم بحث می‌کردند. عاقبت کار به نزاع می‌کشید. از هم قهر می‌کردند و باز آقا معلم می‌باید میانجیگری کند. دعوا سر قهرمان برناردت ووسن پیر بود. نرگس اصرار داشت که ویرژینی بیخود ایل دوفرانس را ترک کرد و به پاریس رفت، و اگر نرفته بود در برابر چشم‌های خانواده‌اش یک‌چنین مرگ فجیعی نصیبش نمی‌شد. فرود می‌گفت مگر دست خودش بود ایل دوفرانس را ترک کند. هرکس باید تلاش کند که پیش برود، بیاموزد، کاملتر و بهتر شود ولو اینکه آدم ناچار دنبال سرنوشتش برود. اصطلاح «جبر تاریخی» هنوز به گوشش نخورده بود. اما چیزی در درون او سیخش می‌زد که جریان حوادث اختیار را از دست خود آدم می‌رباید. اگر روس‌ها و انگلیس‌ها نیامده بودند و هندی‌های لختی عورتین خود را نثار نمی‌کردند

او حتماً به خراسان می‌رفت و ضریح امام رضا را می‌چسبید و پول توجیبی‌اش را به زیارت‌نامه‌خوان می‌داد که سلامتی حاجی آقا و حاجیه خانم را از درگاه الهی بطلبد. باید کاغذ از آسمان ببارد و مردی روی سکو برود و فریاد کند «من خود در بغداد دیده‌ام. اول کاغذ می‌ریزند و بعد بمب» تا چشم‌های او به روی دنیائی باز شود که تا آن زمان در پوششی مه‌آلود پنهان مانده بود. می‌آیند و بمب می‌ریزند روی شهرهای بی‌دفاع و کشتی غرق می‌کنند و به قول نخست‌وزیر «تصادم و زد و خورد رخ می‌دهد»، یعنی همدیگر را می‌کشند و این آقای وزیر به مجلسیان اجازه نمی‌دهد که «صحبتی بشود». فرود از خود می‌پرسید: «مرا از کجا به کجا کشانده‌اند؟»

سال‌ها بعد روزی به نرگس گفت: «عجیب! سرگذشت ما دو تا چقدر شبیه داستان پل و ویرژینی است. ما هر دو تا آواره شدیم. کاش در شهر خودمان مانده بودیم و در همان تنگنا با یک زندگی آرامی سر می‌کردیم.»

مطالعهٔ کتاب سر جای خود اما سرتاسر روزنامه را خواندن نیز دیگر جزو واجبات بشمار می‌رفت. روی نقشه‌ای پیشرفت آلمان‌ها و عقب‌نشینی شوروی‌ها و شکست انگلیسی‌ها و فرانسوی‌ها را با سنجاق نشان می‌کرد. هر وقت به شهری برمی‌خورد که آن را در کتاب جغرافیای خود نمی‌یافت، پیش آقای پایدار می‌رفت و از روی یک اطلس جغرافیایی به زبان انگلیسی آن را می‌یافت. کار به جایی کشیده بود که بر معلومات آقای پایدار، در اثر سؤال‌های با ربط و بی‌ربط فرود افزوده می‌شد. نرگس هم در ضمن به نوائی می‌رسید، یعنی چیزی یاد می‌گرفت

بی آنکه به خود زحمتی داده باشد.

مغز فرود یک بایگانی محتویات روزنامه‌ها شده بود. هرکس دنبال او می‌گشت می‌دانست که دم پستخانه می‌تواند او را پیدا کند. به توصیهٔ آقا معلم توانست به کتابخانهٔ شهر راه یابد. حتی روزنامه‌های مبتذل پیش از شهریور را می‌خواند و می‌کوشید از لای سطور نکته‌های تاریخی بیابد. از تهران سه روزنامه بیشتر نمی‌آمد. هر سه تای آنها را می‌خرید، به خانه می‌برد. کم کم حاجی آقا هم آنها را می‌خواند. آقا معلم می‌خندید و نرگس می‌کوشید روی دست پسر همسایه بلند شود. احساس می‌کرد که دیگر دارد دیر می‌شود. فرود دو سال از او کوچکتر بود اما از حیث سواد و اطلاعات عمومی و قضایای اجتماعی داشت از او سر می‌شد. دیگر پسر حاجی آقا وسیله‌ای برای اعتلای روحیه و اخلاق دختر نازنازی نبود. بزرگ شده بود. باید به نظر احترام به او نگریست و وقتی می‌دید که دو دست گره کرده بر پشت با آقا معلم در حیاط قدم می‌زند و با او گفتگو می‌کند و از او ایراد می‌گیرد و آقا معلم حتی به شاگردش در برخی موارد حق می‌دهد و تسلیم می‌شود، سر بر برتری او فرود می‌آورد، البته در پنهان. حالا می‌شود گفت که از او خوشش می‌آید و گاهی با نگاه خریداری به او می‌نگریست و به خودش می‌گفت کاش دو سه سال از او کوچکتر بودم.

روزنامه‌خوانی دیگر در تمام خانواده باب شده بود. بدری و منیره هم می‌خواندند. به همه‌ی نکات پی نمی‌بردند اما خوششان می‌آمد از اینکه رضاشاه مجلس را «طویله» خوانده است. بعد از شام وقتی آقای پایدار و دخترش هم سر سفره بودند و روزهای جمعه پس از ناهار همین که

حاجیه خانم قلیان سر نقره‌ای و کوزه بلور را می‌آورد و جلوی صدر
خانواده می‌گذاشت بحث دربارهٔ اخبار روزنامه آغاز می‌شد. البته
خبرهای داغ در روزنامه‌ها منتشر نمی‌شد. آقای پایدار می‌دانست که پس
از فرار فرماندهٔ محل مقداری از سلاح و مهمات به دست عشایر افتاده و
در گوشه و کنار ولایت شرارت و چپاول‌هائی رخ داده بود. در اینگونه
بحث‌ها فرود گل می‌کرد. خودش هم حالا نظریه داشت و در ابراز آن
بی‌پروا می‌کوشید. حاجیه خانم لبش را می‌گزید و سر تکان می‌داد و
خنده‌ای پنهانی صورتش را شاد می‌ساخت و رو به نرگس می‌کرد و
آهسته به طوری که دیگران نشنوند از او می‌پرسید: «این چیزها را از کجا
می‌داند؟ چه هوش و ذکاوتی!؟»

گاهی فیروز و برخی دیگر از دوستان دیگر مثل کلهر هم در این معرکه
سری توی سرها می‌آوردند. آنها در حضور بزرگترها سکوت اختیار
می‌کردند و تنها نرگس می‌کوشید آنچه پسر همسایه می‌گفت در ذهن
بسپارد.

هرچه لحن روزنامه‌ها تندتر و پرخاشجویانه‌تر بود بهتر. روزنامه‌ای در
تهران منتشر می‌شد به اسم «ستیزگر». دور آن چند نفری جمع بودند که
گروهی یا دسته‌بندی‌ای، یا به قول خودشان جمعیتی می‌خواستند بوجود
آورند. به نظر می‌آمد که قصد همهٔ آنها از انتشار روزنامه گرفتن جواز و
وکیل شدن نبود. دست‌کم چنین به نظر می‌آمد که بیشتر آنها آمال
اجتماعی داشتند؛ در هرحال فرود چنین تصور می‌کرد. آنها در نوشته‌ها و
در مقالات اقتباسی از روزنامه‌های دیگر تنها به نخست‌وزیر وقت و
رجال سرکار حمله نمی‌کردند، آنها به تمام دستگاه دولتی و اداری و

اجتماعی پیش از شهریور و عمال آنها که هنوز سر کار بودند و کیا بیا
داشتند می تاختند. از کجا فرود حدس بزند که از همین گروه یکی دو نفر
از روی دوش یاران خود بالا رفتند و به نان و آبی رسیدند و در فساد
اجتماعی فرو رفتند. معهذا چیزی که او را جلب کرد نقش ضد انگلیسی
بود که از هر سطر روزنامه استنباط می‌شد. این جنبه به حدی فریبنده بود
که فرود، که داشت تصدیق ششم متوسطه را می‌گرفت، همراه چند نفر از
همدوره‌هایش از جمله کلهر و یکی دو نفر از معلمانش گروهی به اسم
«ستیزگر» در شهرشان تشکیل دادند. بالاخانه‌ای را اجاره کردند و با
گردانندگان روزنامه در تهران تماس گرفتند و ابتدا خود را «نمایندگی
ستیزگر»، و بعدها روی تابلوئی که بر سردر بالاخانه نصب کردند «گروه
ستیزگر» نامیدند. این تظاهر در محیط جنگ‌زدهٔ شهر تا به آن اندازه
سروصدا راه انداخت که رئیس شهربانی از دوستان آقا معلم به دستور
میجر راس فرمانده کل آن منطقه تقاضا کرد تابلو را پائین بیاورند.

حالا دیگر کسی که تصدیق شش متوسطه در دست داشت و یارانش
امثال کلهر، آنقدر شعور داشتند درک کنند که این امر دخالت در امور
یک کشور است. در حالی که متفقین، یعنی انگلیس‌ها و امریکائی‌ها در
تبلیغات خود خویشتن را حامی و حافظ دموکراسی و حقوق انسانی
قلمداد می‌کردند و حضور سربازان خود را در خاک یک کشور بیطرف
به عنوان دفاع از بیدادگری و تجاوز و توسعه‌طلبی آلمان نازی توجیه
می‌کردند. «ستیزگران» تصمیم گرفتند این بی‌عدالتی و نقض حقوق ملی را
در اعلامیه‌ای برملا کنند و اعتراض شدید خود را ابراز دارند. شهربانی از
این تصمیم باخبر شده بار دیگر رئیس شهربانی دوستانه به خانهٔ آقای

پایدار رفت و از او خواهش و استدعا کرد که از این اقدام جوانان بی‌تجربه جلوگیری کند. البته آقای پایدار شنیده است که متفقین در تهران هم یک روزنامهٔ نیمه دولتی را به اتهام خبر کوچکی که به زلف یار برمی‌خورد یک روز توقیف کردند. جنگ است و باید منافع ارتش را مد نظر گرفت. آقا معلم با این سیاست کجدار و مریز مخالفتی نداشت و به دوستان «ستیزگر» که همه از دوستان خودش بودند، توصیه کرد که از اعتدال تجاوز نکنند. آقای پایدار استاد همه‌شان بود و آنها چاره‌ای نداشتند جز اطاعت. اما یک نکته برای «ستیزگران» مسلم شد. تصمیم گروه آنها وزنی دارد و باید به تقویت آن پرداخت.

این دوندگی‌های فرود ولوله‌ای در خانواده برپا کرد. حاجی آقا ته دلش خوشحال بود و احساس غرور می‌کرد و دیگر دلواپسی او از اینکه پسرش در درس خواندن اهمال می‌ورزد، برطرف شد. آقا معلم هم به او اطمینان می‌داد که فرود هنوز هم از شاگردان خوب مدرسه است و شکی نیست که آخر سال از عهدهٔ امتحان برمی‌آید. اما حاجیه خانم از سرنوشت دو برادرش که به یاغیان پیوسته، جان خود را در کف گرفته و بعداً تسلیم شده بودند، خبر داشت. او از سیاست‌بازی بیزار بود و با وجودی که در تمام دوران بیست ساله سلطان جبار از جانب‌گیری شوهرش مطلع بود، هرگز به او میدان نداد که اقدامی علیه حکومت وقت بردارد. حالا این پسرهٔ هیژده ساله دارد هرچه او بیخته بر باد می‌دهد. موعظه و نصیحت به فرود تأثیری نداشت، متوسل به دعا و جادو و جنبل ــ البته پنهان از شوهرش ــ شد. دعای کمیل خواند، آنقدر «اللهم انی اسئلک برحمتک...» خواند که منیره هم از برکرد، بدون اینکه بداند سبب

اضطراب مادرش چیست. وقتی سفرهٔ حضرت زهرا می‌انداخت دیگر نمی‌شد از بچه‌ها پنهان کرد. بدری می‌دانست چه خبر است. شاد و شنگول بود که داداشی سری توی سرها می‌آورد. به علاوه احساس می‌کرد که گفتگوهای پنهانی و آشکار برادرش با نرگس یاوه و بیهوده نیست، کاسه‌ای زیر نیم کاسه است. این آمد و شدهای بی‌محابا با دختر همسایه هیچ ارتباط با دلدادگی فرضی دو همسایه با هم نداشت. بدری که در چهارده سالگی سینه‌اش تدریجاً آماس می‌کرد و خود را همپایهٔ برادرش می‌دانست دلخور بود از اینکه داداشی او را به بازی نمی‌گیرد.

وظیفهٔ جلب زنان، از جمله نرگس، به جمعیت به عهدهٔ فرود واگذاشته شده بود. زنان دیگری هم بودند که میل داشتند با گروه «ستیزگر» همکاری کنند امّا از آن بیم داشتند که پیشقدمی آنها موجب بدنامی خودشان و خانواده‌شان را فراهم آورد، در صورتی که همکاری نرگس دختر آقا معلم رئیس فرهنگ شهر راه را برای آنها نیز هموار می‌کرد.

نرگس این رجحان را داشت که نه‌فقط دختر آقا معلم بود بلکه در محیط مدرسه و ادارهٔ فرهنگ خوشگلترین دختر بشمار می‌رفت. چشم‌های درشت سیاه، زلف‌های مشکی فراوان، رنگ مسی و مخملی پوست صورت و از همه بانمک‌تر گونه‌های گوشتالو که حتی فرود بی‌علاقه را برمی‌انگیخت آنها را نیشگون بگیرد چیزهائی نبودند که بیننده را به این خوش‌لقا خیره نسازند. اندام بلند و ورزیده ــ به ندرت نیم ساعت رزش صبحانهٔ او ترک می‌شد ــ چالاکی‌اش، خوش صحبتی و خنده‌های فتان و بی‌باکی‌اش در بحث و جدال با جوانان در حضور و در غیاب پدرش و بخصوص هر وقت که فرود هم حاضر بود از نظر

هیچکس دور نمی‌ماند. اما چیزی که بسیاری از دوست و آشنا را می‌فریفت عفت و تقوای این دختر و بی‌نظری او به جوانان همسالش بود. به هیچکس اجازه و جرأت نمی‌داد به چشم خریداری به او نگاه کند غافل از اینکه در دل او آتشی می‌سوخت که فرصت نمی‌داد دیگران از آن بهره‌ای ببرند.

چقدر نرگس مایل بود از رفتن به تهران به قصد ورود به دانشگاه صرف‌نظر کند و در عوض پیش فرود وگروه بماند و با عطر وجودش دلداده‌اش را مسحور کند. این منظور برآورده نشد. پدرش اصرار داشت او را به تهران بفرستد زیرا یقین داشت که نشو و نمای در دانشگاه برای دختر چشم وگوش بستهٔ او محیط مناسبی است که در آن آسان‌تر می‌تواند استعدادهای خودش را پرورش دهد.

خواستگاری فیروز از نرگس هیاهوئی بیش نبود. اصلاً بابای او به آقای پایدار رجوع نکرده بود. آمد و شد او به خانهٔ آقا معلم عادی بود. به خانهٔ او بسیاری از دانش آموزان برای گرفتن کتاب می‌آمدند. به علاوه فیروز داناتر از این بود که بی‌گدار به آب بزند اما دهنش لق بود. اینجا و آنجاگفته بود که می‌خواهد باباش را به خواستگاری بفرستد. اگرچه پسر ساده‌ای بود و به نظر می‌آمد که زود تسلیم حوادث می‌شود و در برابر ناملایمات زانو به زمین می‌زند اما این دلیل سستی پایه‌های اخلاقی و روحیه‌اش نبود. پیش می‌آمد که روزی به یک دشواری سر فرود آورد اما پشتکار داشت و باز روزی دیگر جرأت می‌یافت که به مراد خود برسد. آقای پایدار با این جنبه‌های شخصیت او خوب آشنا بود و موضوع خواستگاری او از دخترش البته به گوش وی هم رسیده بود. این‌طور

چیزها را هوس بچگانه تلقی می‌کرد و به روی خود نمی‌آورد. در فکر و خیال پدر چیزی که رخنه نمی‌کرد دخالت در زناشوئی دخترش، آن هم در این سن بود.

از این گذشته همه‌کس می‌دانست که شرکت در گروه و سردمداری در جلسهٔ زن‌ها مشغولیت تازه‌ای بود. همه جور آدمی آنجا می‌آمد، هم بزک کرده‌ها و هم کلفت‌ها و خانه‌زاده‌هاشان، که با روسری و چادر نماز می‌آمدند و می‌نشستند و دم نمی‌زدند و حتی از شوخی‌های خانم‌ها خنده‌شان هم نمی‌گرفت. این کار برای نرگس هم تفنّنی بیش نبود. چگونه ممکن بود این کوته‌فکری نصیب آقای پایدار شود و درک نکند که دخترش به قصد جلب پسر حاجی آقا از این در به آن در می‌زند و به خانه‌های دختران همشاگردیش سر می‌کشد و در جلب آنها به زندگی اجتماعی می‌کوشد. درک این نکته دشوار نبود که رفتار فرود سرمشق دخترش شده بود. از وقتی که شوق کتابخوانی در وجود فرود زبانه کشید نرگس هم گریبانگیرش شد که او هم کتاب بخواند. در سابق کودکانه و بچه‌بازی بود نه جدی. البته مقصود فقط تقلید نبود، چشم و همچشمی بود. دخترک هر روز بیشتر احساس می‌کرد که فرود دارد از او جلو می‌افتد و نمی‌خواست مفت و مسلم از او عقب بماند. اما یک عامل دیگر را هم ناگزیر باید به حساب آورد. در این جلساتِ زنان یک بیوه‌زن خوشگل جلفی هم خیلی خودنمائی می‌کرد و می‌خواست به هرکس که جلوه می‌فروخت تنه بزند و با آرنج خود راه رقیب را ببندد. نرگس از این دروغ و دغل‌بازی‌ها بدش می‌آمد و می‌کوشید از این سبکسری‌ها جلوگیری کند و دختران معقول را نهراساند. از این جهت به روزنامه و

کتاب علاقه پیدا کرده بود و با پسر حاجی آقا بحث می‌کرد و تا تمام مطلبی را خودش نمی‌پذیرفت وارد بحث نمی‌شد و آنچه در جلسه ابراز می‌کرد پایه و ریشه داشت.

این کوشش و تلاش آقای پایدار را فریب نمی‌داد. او احساس می‌کرد که روابط میان دخترش و پسر همسایه نه بر زمینهٔ قهر و آشتی دوران کودکی است و نه شوق جلسه‌بازی است. دلبستگی دخترش به فرود از چشمهٔ دیگری آب می‌خورد. چراکه نه. جوانی است و هزار پیچ و خم. منتها این سرگرمی‌ها برای فرود گذرا بود. طبع جستجوگر و پیگیر او دنبال دریائی می‌گشت که در آن شنا کند. این کوره راه او را به هیچ وادی نمی‌رساند.

گروه نتوانست نرگس را به سود خود جلب کند اما موفقیت بزرگتری نصیب آنها شد. آقا معلم که در دوران جوانی امتیاز انتشار روزنامه‌ای را کسب کرده بود، که در آن در زمان نخست‌وزیری سردار سپه مقالاتی به هواخواهی از جمهوری نشر شده بود و در آن رجال نامدار آن روز و سیاستمداران شکست خورده آثار خود را منتشر کرده بودند، بهترین کسی بود که می‌توانست «ستیزگر» را پابرجا سازد به شرط اینکه روزنامه‌اش را در اختیار جمعیت گذارد. اسم روزنامه، که سابقاً هفته‌ای دوبار روزهای سه‌شنبه و جمعه منتشر می‌شد، «پایدار» بود و به همین جهت موقعی که سجل احوال و شناسنامه باب شد آقا معلم همین اسم را برای نام خانوادگی خود پذیرفت. آقا معلم کمی ناراحت بود از اینکه روزنامه‌اش به هواداری جمهوری‌خواهی شهرت پیدا کرده بود. اما حالا دیگر کسی به این فکر هم نبود و حتی بازرگان جویای وکالت که مخارج

روزنامه را تا مدتی تعهد کرده بود نیز متوجه این نکته نشده بود معهذا
میل داشت، اگر بشود، اسم دیگری برای نشریهٔ خود پیداکند. بعد دید که
این کار جریان طولانی را باید طی کند از این جهت از آن چشم پوشید و
حاجی آقا عقیده داشت فرصت به از این بدست نخواهد آورد. نخست
باید در مبارزه با نفوذ خارجی‌ها سهمی به عهده گرفت و دوم به این جوان
کوشا یاری داد.

برای امثال فرود و کلهر دیگر از روزنامه خواندن آبی گرم نمی‌شد.
آنها هوس‌های بزرگتری در دل می‌پروراندند. فرود قبلاً هم مقاله‌ای برای
«ستیزگر» در تهران فرستاده و آنجا به چاپ رسیده بود. چه خوب می‌شد
اگر روزنامه‌ای در شهرستان وجود داشت و می‌توانست در آن افکار خود
را منتشر کند. چنین تصور می‌کرد که طبع نویسندگی، شاعری دارد. شعری
با مفاد «آب روان است و سنگ‌های ته رودخانه از جای خود جنب
نمی‌خورند و سیلی باید تا آنها از جا برکند» نوشته بود. مقصودش از آن
باقی ماندن عمال دیکتاتوری در دورهٔ دموکراسی باید بوده باشد. ابتدا
می‌خواست آن را برای روزنامهٔ «ستیزگر» در تهران بفرستد. بعد که از این
روزنامه هم سر خورد آن را برای روزنامهٔ شهر خودشان نگه داشت.

مطالب بسیاری بود که می‌بایست در روزنامه مطرح شود. آقای
پایدار، که در دوران بیست ساله گاهی برخی دشواری‌های سیاسی و
خیانت‌های رجال را به ذهن سپرده بود، اینک که بیم تبعید و زندان و
خفقان و مرگ نمی‌رفت آنها را یادداشت می‌کرد و گاهی در گروه
«ستیزگران» به بحث می‌گذاشت مانند تسلیم قلهٔ آرارات به ترک‌ها، چپاول
دارائی سردار اقبال السلطان و کشتن او و تیر خوردن سرلشگر فاتح،

محاکمات قلابی رجال و قتل آنها، تصرف عدوانی املاک زمینداران و تعدی و اجحاف به مالیهٔ کشور و سرقت جواهرات سلطنتی و غیره همهٔ اینها رازهای مگو بودند که حالا باید پرده از روی آنها برداشته شود. هریک از این مسائل به محض اینکه به زبان می‌آمد مثل برق پخش می‌شد و دربارهٔ آنها در هر محفل و منزل، در مسجد و مدرسه، در ادارات و بازار، گفتگو می‌شد. و بیش از همه فرود و یارانش را سر ذوق می‌آورد که بروند در کتاب‌ها و در کتابخانه‌ها و در روزنامه‌های گذشته رازیابی کنند و مردم را بیاگاهانند. به قول کسی دیگر مردم مرغ‌های منقار چیده نبودند که چندتا وکیل و روزنامه‌نویسی به آنها نارو بزنند و با دغل‌های پیش پا افتاده بفریبند.

طبیعی است که امثال فرود زمانی که در جلساتشان اینگونه مطالب را با استدلال برای شنوندگان روشن می‌کردند، بر حیثیت و آبرویشان افزوده می‌شد. یک روز نرگس پیش از اینکه به تهران برود از پسر همسایه پرسید:

«ناقلا، تو این اطلاعات را از کجا می‌آوری؟»

«از بابات می‌گیرم. من از کجا خبر داشتم که سردار اقبال وجود داشته است و رضاخان تمام دارائیش را ربوده.»

«پس چرا بابام به من نمی‌گوید.»

«حتماً به تو هم می‌گوید، منتها تو دنبالش را نمی‌گیری.»

«کاش می‌توانستم اینجا بمانم و پیش شما باشم.»

«پس چرا داری میری؟»

«دارم میرم...؟»

دیگر چیزی نگفت. نگاهی به چشم‌های فرود دوخت و فرار کرد.

این زمزمه‌ها و بگومگوها و فریادها همه جا شنیده می‌شد و بسیاری از دست‌اندرکاران آنها را سرمایه‌ای برای آیندهٔ خود می‌دانستند و می‌خواستند برای پیشرفت کار خودشان، چه از روی میهن‌دوستی و چه از روی سودجوئی، آن را به کار اندازند. از جمله آقای خرازی که در عرض بیست سال دیکتاتوری در فاصلهٔ میان دو جنگ ثروت هنگفتی به هم زده بود به فکر وکالت افتاد و آماده شد به آقا معلم از لحاظ مالی کمک کند و تنها شرطی که پایدار در قبال وجوه پذیرفت این بود که روزنامه جنبهٔ ضد انگلیسی و ضد دیکتاتوری خود را حفظ کند. از این جور آدم‌ها زیاد بود و حالا که آقای پایدار رئیس فرهنگ، بچه مدرسه‌ای‌ها و فرهنگیان و جمعی از بازاری‌ها راگرد خود جمع کرده بود و بخصوص حمایت حاجی آقا را هم داشت. می‌آمدند و از او کمک می‌خواستند. از همه بهتر همین آقای خرازی بود که با شیشه آینهٔ دوره‌گرد شروع به کسب کرده و هنوز خودش راگم نکرده بود. چه عیبی دارد که در مجلس آینده مانند دورهٔ اول مجلس از اینگونه بقال چقال‌ها کرسی‌ها را اشغال کنند و زود فریب نخورند.

۴

به مناسبت عزیمت نرگس به تهران در خانهٔ آقا معلم مهمانی‌ای داده
شد که در آن خانوادهٔ فرود و دوستانی مانند کلهر و منیره و دو نفر از
معلمان گروه «ستیزگر» حضور داشتند. از دو روز پیش حاجیه خانم و
نرگس و دو سه تا از زنان همسایه که در روضه‌خوانی‌های محل همیشه
صدرنشین بودند وسائل این سور را فراهم کرده بودند. خرید به عهدهٔ
گلین خانم زن علاف سر گذر بود که دخترش با نرگس همشاگردی بود.
پخت و پز را خود حاجیه خانم به عهده داشت و دوشیزگان دم بخت
وردست‌هایش بودند.

همه‌شان در مهمانی حضور داشتند. می‌خندیدند، بلند بلند همدیگر را
صدا می‌زدند، شوخی می‌کردند، نرگس را می‌بوسیدند، به او غبطه
می‌خوردند:

«خوش به حالت، از این شهر فلک زده زیر دست خاله خانباجی‌ها
خلاص می‌شوی.»

دیگری می‌دوید توی حرف:

«هرجا برود باز برمی‌گردد به این خراب شده. بخت ما مانند بادکنک

می‌ماند، یک سوزن بش بزنی می‌ترکد.»

بزرگ‌ترها دربارهٔ مسائل روز اختلاط می‌کردند. از فرود و فیروز دربارهٔ گروه ستیزگر می‌پرسیدند:

«چه طرحی ریختید، چکار می‌کنید؟»

«فرود، مواظب خودت باش. این خارجی‌ها را آنقدر دست کم نگیر. روزی زهرشان را به تو هم خواهند ریخت.»

دیگری با اشاره به رفتن نرگس به تهران می‌خواست نیشی به فرود بزند و در عین حال فیروز را انگولکی کرده باشد:

«خوب فرود، تو هم سال دیگر به دانشگاه می‌روی اما فیروز اینجا می‌ماند و معلم می‌شود.»

یکی از کلهر پرسید: «پس تو چرا به گروه نمی‌پیوندی؟»

فرود از کلهر پشتیبانی کرد:

«کلهر دوست من است. هرجا من باشم او هم هست. حالا کمی صبر می‌کند، از کجا معلوم که من در این جمعیت بمانم.»

حاجی آقا و آقای پایدار و محمدحسین میرزا و ریش سفیدان در اطاقی روی زمین نشسته بودند، قلیان می‌کشیدند و تخته می‌زدند و برای خودشان چائی می‌ریختند و پسته می‌شکستند و حرفشان سر مسائل کلی سیاسی بود. آقا معلم دمبدم به حیاط که در آن میزهای پر از میوه و آجیل و شربت گذاشته بودند، سر می‌زد و برمی‌گشت و هم به جوانان می‌رسید و هم به پیرمردان.

چندتا از مهمانان در اثر اختلاف میان احزاب توده و «ستیزگر» دودل بودند و خود نمی‌دانستند به کدام جبهه رو آورند. در این جلسه بود که

آقا معلم به‌گروه خبر خوش انتشار روزنامه را داد.

این مژده برای فرود آب خوش صافی بود که می‌توانست در آن تا دلش بخواهد شنا کند اما در همان لحظهٔ اول، پیش از آن که فرود ذوق خود را ابراز کند آقا معلم نوک او را چید:

«فرود، من می‌دانم که تو سر از پا نمی‌شناسی اما این را بدان که فقط وقتی می‌توانی با من همکاری کنی که از دَرسَت عقب نمانی. می‌شنوم که گاهی از سر درس طفره می‌روی و اگر این رویّه ادامه پیدا کند از عهدهٔ امتحان نهائی برنخواهی آمد.»

حاجی آقا اخم کرد، رنگ از صورت نرگس پرید. فرود خودش منتظر چنین جلسه‌ای از طرف آقا معلم نبود. پدر هیچ نگفت. همین تذکر را کافی می‌دانست. نرگس امیدوار بود و یقین داشت طولی نخواهد کشید فرود هم به تهران خواهد آمد و آنجا آنها با هم دوست خواهند شد و مانعی برای روابط آنها وجود نخواهد داشت. اگر قرار باشد امسال و یا سال بعد دیپلم بگیرد و بخواهد در روزنامه کار کند چه؟

فرود منتظر این سرزنش بود منتها نه در این جلسه. حاجی آقا از تصمیم آقا معلم قبلاً با خبر شده بود، به همین دلیل چند شب پیش از آن با پسرش پس از شام خلوت کرده بود، و نه با لحن یک آقا بالاسر بلکه به زبان یک دوست با پسرش به گفتگو پرداخته بود:

«من از شور و هیجان تو خشنودم. هر کاری که دلت می‌خواهد بکن. می‌بینم و حس می‌کنم که وقتت را بیهوده تلف نمی‌کنی. دنباله‌رو هم نیستی. خودت اراده داری. درس‌هایت هم بد نیست. به مادرت حتی گفته بودم برات صیغه بگیرد. آن اطاق آن طرف باغچه را برات خالی کند. من

در سن تو یک زن صیغه داشتم. تو حالا شور وطن‌پرستی‌ات گل کرده چه بهتر، منتها یک چیز است. برای درس خواندن حالا فرصت هست، چند سال دیگر ذهن آدم کار نمی‌کند...»

حاجی آقا یک ساعت در این باره، در ضمن نقل حوادث گذشته، از زندگی آقا معلم و خودش و طلبه‌های دیگر حرف زده بود. آن روز فرود بیشتر متوجه شده بود که پدر دانا و خوبی دارد و قابل احترام است. بیشتر دوستی‌اش را به دل گرفته بود. دستش را بوسیده و به او اطمینان داده بود که آنقدر یاد گرفته که بتواند از عهدهٔ امتحان نهائی برآید. به همین دلیل بود که حاضرالذهن و خشک به آقا معلم جواب داد:

«من امتحان نهائی را می‌دهم و حتماً هم قبول می‌شوم.»

بعد دربارهٔ مسائلی که روزنامه باید طرح کند و موضعی که باید اختیار بکند صحبت شد. هرکس چیزی گفت.

«ما همیشه مخالف دخالت انگلیس‌ها و همهٔ خارجی‌ها در امور ایران هستیم.»

«خوب، اختلاف میان «توده» و «ستیزگر» که دیگر مربوط به انگلیس‌ها نیست.»

«آقا، آنجا دعوا بر سر خواننده و هواخواه است. مسئله‌ای نیست، گذرا است. جانبداران روزنامهٔ ضد فاشیستی همه از اعضای حزب هستند و آن طوری که شنیده «ستیزگر»ها هم دارند حزب «میهن» را تشکیل می‌دهند.»

«ما باید در صورتی که وطن‌پرستی آنها برای ما مسلم شد مراقب باشیم که کدام دسته در کار خود جدی هستند.»

گفتگو ادامه می‌یافت در حالی که فرود به تقلید آقا معلم هر حرفی را که از دهان حاضران بیرون می‌آمد می‌بلعید و محتوای آن را تجزیه و تحلیل می‌کرد. فیروز با منیره و بدری شوخی و بازی می‌کرد و نرگس گوشش تیز بود که پسر همسایه چه می‌گوید و سرنوشت او به چه راهی سوق داده می‌شود، به ماندن در شهرشان و یا به آمدن به تهران.

چیزی که فکر فرود را اصلاً و ابداً مشغول نمی‌کرد، ماندن در ولایت و یا رفتن به تهران بود. برایش مسئلهٔ اقامت نرگس یا عزیمت به تهران هم مطرح نبود. برود به دانشگاه تهران یا نرود، نظربازی فیروز هم که گاهی داد سخن می‌داد و می‌کوشید به هر وسیله شده در دل نرگس راهی بیابد او را از منظور و هدف خود بازنمی‌داشت. علم کردن روزنامهٔ «پایدار»، این آرزویش بود. به آقا معلم قول داد که دوندگی‌های روزنامه را به عهده بگیرد. این خودش خیلی زحمت داشت. تحقیق کرده بود، به چاپخانه رفتن، مقاله بردن، با حروف‌چین سروکله زدن، غلط‌گیری کردن و صفحه‌بندی، پخش روزنامه، پست، به حساب دفتر و دستک رسیدن و هزار گرفتاری‌های دیگر خودش مشقتی بود. سیاست روزنامه را با **منافع** آقای خرازی تطبیق دادن، این یکی البته به عهدهٔ آقا معلم بود.

فرود مسیری برای طی این طریق یافت. سر درس می‌رفت اما بیشتر برای روزنامه شعر می‌گفت و مقاله می‌نوشت. شعری را که دربارهٔ آب و سنگ گفته بود، در روزنامه به چاپ رساند. یک مجلهٔ هفتگی آن را در تهران منتشر کرد، و این موجب سربلندی او شد.

دیگر فرود داشت اسم در می‌کرد. همین که دیپلم گرفت باباش او را با چندتا از ملاهای شهر آشنا کرد. آنها او را تشویق می‌کردند به دانشکدهٔ

معقول و منقول برود و ملا شود.

مجالست با مردمان جورواجور روز به روز فکر او را بازتر می‌کرد و به آرزوهایش قدرت پرواز بیشتری می‌بخشید. منتها تمام این دوندگی‌ها، زد و خوردها، با حروفچین و مطبعه‌چی درافتادن برتری‌جوئی او را ترضیه نمی‌کرد. کم‌کم دریافت که روزنامه‌نویسی، نویسندگی و شعرگوئی خواهی نخواهی خواهران جاه‌طلبی هستند. اما در کارهای او چیزکی که آدم را بیشتر سر ذوق بیاورد و به‌گستاخی و جان در کف نهادن بیاندازد وجود ندارد. پرخاشجویانه‌ترین نوشته‌ها هم از چهار دیوار شهرشان فراتر نمی‌رفت.

کم‌کم آدم‌ها را هم شناخت. بسیار کسان که در وهلهٔ اول به نظرش طیب و طاهر جلوه می‌کردند تو زرد از آب درآمدند. حتی فراش هم از ناتوها بود. جاسوسی می‌کرد و هر واقعهٔ کوچکی را به آقای خرازی گزارش می‌داد، از کاه کوه می‌ساخت. کله پوک به نظر می آمد اما در باطن از آن پاردم ساییده‌ها بود، خوب می‌توانست خودش را به خنگی بزند، این را آقای پایدار از گفت‌وگو با صاحب کار دریافته بود. حالا این بیچاره منتها برای چند تومان جیرهٔ ماهیانه خبر می‌برد اما کسانی با تقاضاهایشان به روزنامه مراجعه می‌کردند که جزکلاشی هیچ منظوری نداشتند. تا غافل می‌شدی چوب لای چرخ می‌گذاشتند و نارو می‌زدند. با هزار جاگاوبندی داشتند و صورت ظاهرشان جز صفا و وفا چیزی بروز نمی‌داد.

فرود در عرض دو سال پی برد که اهل این کار نیست. اقلاً زندگی در شهر خودشان چیز به درد خوری نیست. نزدیک بود یقین کند که

روزنامه‌نویسی بیشتر ریاکاری است تا حقیقت‌جوئی. به علاوه مقاله‌نویسی در روزنامه‌ای که در چند صد نسخه بیشتر منتشر نمی‌شد و آن سوی خندق شهر هیچکس اسم آن را نشنیده بود، رضایت خاطر او را فراهم نمی‌آورد در صورتی که گویندگان و نویسندگان روزنامه‌های حزبی در تمام ایران شهرت به هم زده بودند.

روزی فیروز که با او در روزنامه همکاری می‌کرد به او گفت:

«این پیرمردی را که امروز به روزنامه آمده بود و با آقای معلم کار داشت، شناختی؟»

فرود او را ندیده بود. از این پیرمردان موقر و محترم زیاد به روزنامه می‌آمدند و هریک از آنها تقاضاهائی داشتند. بیشترشان مالکینی بودند که زمین‌ها و دهات و چراگاه‌هایشان را رضاشاه به دستیاری مأمورین شهربانی غصب کرده بود. آنها را زندانی می‌کردند، زن و بچه‌هایشان را بی‌نان و بی‌بزرگتر می‌گذاشتند، می‌ترساندشان که اگر سندهای فروش را امضاء نکنند صاحبان املاک را در زندان خفه می‌کنند و یا زجرکش. برخی از این داستان‌ها که به کشتن زن و بچه منتهی شده بود به حدی دلخراش بود که آقای پایدار فرود را به دنبال کاری می‌فرستاد و خود می‌کوشید هر جوری شده ادعاهای آنها را به گوش دولتیان برساند و رضایت خاطرشان را فراهم آورد. اما این کار دشواری بود. مدعیان اصرار داشتند که جزئیات گرفتاری آنها در روزنامه نقل شود و دارائی‌شان مسترد گردد و ستمگران به جزای خود برسند. اما این تقاضاها برآورده نمی‌شد. یک روزنامهٔ شهرستانی چه نیروئی داشت و در چهار صفحهٔ آن چگونه می‌شد اخبار داخله و وضع جنگ جهانی و

شرارت‌های سربازان متفقین و دعواهای ستمدیدگان را با عکس و تفصیلات نقل کرد. همین خود وسیلهٔ ناراحتی عمومی می‌شد و همه را به جلز و ولز می‌انداخت.

فیروز توضیح داد: «نه این از آنها نیست، این از آن آزادیخواهان قدیم است. در ادارهٔ دارائی کار نسبتاً بی‌دردسری دارد. ادعا می‌کند که با سوسیالیست‌های همسن خود درگذشته سر و سرّی داشته. آمده بود آقا معلم را به جلسه‌شان دعوت کند. به من هم گفت: «شما هم می‌توانید بیائید. ما هر روز دوشنبه و چهارشنبه در بنده منزل جلسه داریم.»

گفت‌وگو با آقا معلم این خبر را تأیید کرد، اما مدیر روزنامه صلاح نمی‌دانست توجه رئیس شهربانی را به خود جلب کند:

«مگر نمی‌دانی هر قدمی که من برمی‌دارم هزار جا ثبت و ضبط می‌شود والا میجر راس از کجا خبر دارد که شما گوشه‌ای نشسته‌اید و تابلوئی دارید و باید تابلوتان را پائین کشید. از همین حالا همه جا آدم دارند»

نرگس از این ماجرا بی‌خبر مانده بود وگرنه حتماً با هزاران حیلهٔ زنانه که بلد بود او را از ادامهٔ کار باز می‌داشت، در این سال‌ها چه وقتی که نرگس هنوز در ولایت بود و چه زمانی که به تهران رفته و خودش را برای ورود به دانشگاه آماده می‌کرد، گوئی شبکلاه حضرت سلیمان به سر می‌گذاشت و همه جا نادیده از کم و کیف زندگی فرود باخبر می‌شد. طبیعی است که در این خبرگزاری نقش عمده به عهدهٔ فیروز بود. این پسر دلداده آنقدر ساده بود که تصور می‌کرد مکاتبهٔ مرتب نرگس با او دلیل تمایل اوست والاّ دختر به این خوبی که آنقدر کنجکاو نمی‌شود. واقعیت

این بود که فیروز در تهیهٔ اطلاعات صحیح دربارهٔ اخلاق و روحیه و پشتکار و افکار و اعمال فرود فروگذار نمی‌کرد و همه چیز را به گوش صاحب کار می‌رساند.

فرود به خانهٔ پیرمرد رفت و آنجا برایش آشکار شد که در یک جلسهٔ حزبی شرکت کرده است.

جمعی آنجا حضور داشتند، قریب سی نفر. اطاق کوچکی بود. همه روی زمین روی قالی نخ‌نمای ارزانی نشسته بودند. یک چراغ نفت‌سوز آنجا را روشن می‌کرد. فقط یک صندلی در درگاه اطاقی که روی ایوانی باز می‌شد، گذاشته بودند که خالی بود و ظاهراً برای ردگم کردن بود. اگر کسی، پاسبانی یا جاسوسی سرزده وارد می‌شد، کسی عمامه به‌سر از آن استفاده می‌کرد و جلسهٔ حزبی تبدیل به مجلس سوگواری می‌شد. تعجب کرد چه آدم‌هائی می‌توانند مردان سیاست بشوند. چند نفر در اطاق سیگار می‌کشیدند. یکی کیسهٔ توتون و چپقش را روی زمین گذاشته بود. دود غلیظی فضا را فراگرفته بود. همه‌شان آدم‌های سنگین، جاافتاده و مسن بودند. جوانتر از همه فیروز و فرود بودند. پیرمردی که به ادارهٔ روزنامه آمده بود جلسه را اداره می‌کرد. تعجب کرد که چگونه این چهل پنجاه ساله‌ها اهل سیاست شده‌اند. گفته شد همه‌شان در جوانی سر پرشور داشته‌اند، بعد زمین ادب بوسیده، کناره‌گیری کرده بودند. کسی نطق نمی‌کرد. با هم بحث نمی‌کردند. مطلبی مطرح نبود. گاهی پیرمرد یکی را مخاطب قرار می‌داد و او را تشویق می‌کرد شمه‌ای از خاطرات خود را بازگوید. اما یک نکته توجه او را جلب کرد و اثر عمیقی در روحیاتش باقی گذاشت. گفتهٔ او جنبهٔ حزبی و سیاسی داشت. گوینده همان کسی بود

که چپق می‌کشید. دوزانو نشسته بود. گفت: امروز دو ساعت سر چاه صبر کردم و مقنّی را قانع کردم که امشب اینجا بیاید. با دست اشاره به مش باقر کرد که پهلویش مانند او دوزانو روی زمین نشسته بود. بعد از آن شب دیگر از این جور آدم‌ها در یک جلسهٔ حزبی ندیدم.

فرود از خودش می‌پرسید آیا یک جلسهٔ سیاسی باید این شکلی باشد؟ یک نفر حرف می‌زند و دیگران گوش می‌دهند؟ گوئی همه‌شان آن شب برای نخستین بار گرد هم آمده بودند. حرف‌هائی که می‌شنیدند برایشان تازگی داشت. برخی موافق بودند و سر تکان می‌دادند. برخی لبخندی به صورتشان می‌نشست. جز مش‌باقر چاه‌کن دیگران همه بازاری و خرده‌فروش و بزاز و کاروانسرادار می‌نمودند. همه همدیگر را کمابیش می‌شناختند. آدم‌های باوفائی به نظر می‌آمدند، بی خرده شیشه. از کجا فرود فهمید که آنها آدم‌های صاف و ساده‌ای هستند؟ می‌گویند سال‌ها سیاست را بوسیده و به کار و زندگانی خود پرداخته بودند و باز به ندای یکی از ریش سفیدان دور هم جمع شده بودند. این جور فرود و فیروز با هم استدلال می‌کردند.

پیرمردی که می‌خواست پایهٔ جمعیتی را بنا بر درخواست همپالکی‌های قدیمی‌اش هنگام روی کار آمدن رضاخان سردار سپه بگذارد اوستا سربلند حروفچین بود که به قول خودش اعتصاب حروفچین‌ها را راه انداخته بود. پس از سرگشتگی‌های فراوان و دربدری کاری در ادارهٔ دارائی محل پیدا کرده بود و اینک بار دیگر فیلش یاد هندوستان کرده بود. اوستا سربلند همین که فرود و فیروز را در خانه‌اش دید امیدوار شد، چون تصور کرد بدین وسیله می‌تواند جوانان را هم

جلب کند. البته ناراحت بود از اینکه چرا خود آقا معلم همراه آنها نیست.
وقتی از فرود دلیل خواست، شنید:

«آقای پایدار روزها با کار ادارهٔ فرهنگ و روزنامه آنقدر گرفتار
هستند که دیگر به این امور نمی‌رسند. گاهی تا نیمه شب باید مقاله‌خوانی و
غلط‌گیری کنند و خسته و مرده به خانه برمی‌گردند.»

این حروفچین گذشته و مالیاتچی کنونی چشم‌های ریز نافذی داشت با
صورت کشیده و دماغ بلند و چند مو که سر طاسش را خط خطی
می‌کردند. با نگاهش درون آدم را می‌کاوید. از گفتهٔ فرود خوشش نیامد:

«شاید حق با آقای پایدار باشد. برای کار ما آدم باید صبر و حوصله
داشته باشد. هیچ امری بی‌پیگیری به نتیجه نمی‌رسد. به هدفی که ما داریم
به آسانی نمی‌توان رسید.»

«هدف شما چیست؟» این پرسش زبان فرود را قلقلک می‌داد اما
جرأت نکرد بیان کند.

اوستا سربلند چقدر میل داشت دو جوان را به گفت‌وگو وادارد. فیروز
خجول بود. عادت داشت بشنود و هرچه بزرگ‌ترها می‌گویند بپذیرد. اما
فرود باید اول ته و توی کار را درآورد. به نظرش آمد که این اوستا از آن
کهنه مقدس‌هاست و جز اطاعت و بردباری از همدستان و زیردستان خود
چیزی نمی‌خواهد. از حرف‌هایش پیدا بود:

«ما باید اول پی‌ریزی کنیم.» بعد از تشکیلات و انضباط و ایمان و
پشتکار و رازداری و غیره و غیره صحبت کرد. هربار انضباط و
حرف‌شنوی و کلماتی نظیر آن تکرار می‌شد.

به نظر فرود این کارها از عهدهٔ او برنمی‌آمد. صحیح است، این‌طور

باید کار کرد. اما فرود این‌جوری خلق نشده بود. سرشتش نمی‌پذیرفت. دیگر به آن جلسه نرفت. برعکس فیروز که دیگر آن هیئت را ترک نکرد، حزبی شد و جام شوکران را تا جرعهٔ آخر سرکشید. فرق میان این دو دوست و رفیق همین بود که فیروز به قول نرگس ملا فیروز بود و فرود پاکبازی که هرگز به مرزی نمی‌رسید. اولی جاه‌طلب نبود، به حوزه‌اش می‌رفت، می‌شنید، گوش می‌داد، معتقد بود هرچه بالاترها می‌گویند آیهٔ الهی است. فرود شکاک بود. فقط آن چیزی را که خود درک کرده بود و یقین می‌دانست صحیح است قبول داشت. فیروز می‌توانست ساعت‌ها بنشیند به خزعبلات گوش دهد و دم نزند. فرود مثل جرقه می‌پرید، می‌ترکید، به جان مزخرف‌گویان می‌افتاد و همین شد که فیروز جان سالمی بدر برد، حزب را گذراند همانطور که بنیه‌داران بر بیماری غلبه می‌کنند.

اما فرود آدمی نبود که بتواند دو ساعت سر چاه بنشیند فقط برای اینکه مردی را قانع سازد در یک جلسهٔ حزبی شرکت کند. او می‌خواست با یک مقاله، نه با چند سطر شعر، جماعتی را به جنب و جوش وادارد. حزب برای او جذبه‌ای نداشت. در این محیط تنگ که همه همدیگر را می‌شناختند و حاجی آقا از بالای منبر مستمندان را به صبر و حوصله تشویق می‌کرد و امام جمعه نیز از آزادی و رفاه عموم و ملت‌دوستی موعظه می‌کرد، دیگر برای او جائی نبود. به‌علاوه اصرار مادرش که برود درس بخواند و ملاّ شود و عمامه به سرش بگذارد و طلبگی کند، بیشتر او را مشوش می‌ساخت. مادرش گاهی به شوخی و جدی اشاره‌ای هم به نرگس می‌کرد:

«چه دختر خوبی! به این مقبولی، هیچ جا پیدا نمی‌شود. خوب، یکی دو سال از تو بزرگتره، عیبی نداره. هرچه باشه از خودمانه.»

این مقدمات را می‌گفت که بعد به آن اضافه کند:

«در هر صورت تو ملاّزاده‌ای. همه‌کسان تو اهل علم بوده‌اند. اگر به قم و کربلا و نجف نمی‌خواهی بروی، به تهران برو، در دانشگاه اسم بنویس. روزنامه‌نویس که کار نشد. من هرچه دارم می‌فروشم. مخارج تحصیل ترا فراهم می‌کنم. نرگس هم آنجاست...»

آن وقت حرص فرود درمی‌آمد، می‌دوید توی حرف مادرش:

«حاجیه خانم، به نرگس چه کار دارم مگر خودم بچه‌ام؟ بی‌کمک تو هم می‌توانم گلیم خودم را از آب بیرون بکشم...»

اینها را می‌گفت و خودش می‌دانست که قمپز بیخودی است. درمانده بود چگونه و به چه وسیله‌ای در پایتخت زندگی کند. چندتا شعر می‌شود در روز گفت؟ آن هم در تهران. آنقدر شاعر و نویسنده هست که کسی اعتنای سگ به او نمی‌کند.

آن وقت به تحریک حاجی آقا و مادرش آقا معلم زیر پای او نشست که در مهر ماه دانشگاه باز می‌شود و اگر از همین حالا دست به‌کار نشود و هرچه زودتر به تهران نرود یک سال او تلف می‌شود و اجباراً به نظام وظیفه می‌برندش و باید دو سال سرباز شود. بهتر آن است که درس بخواند و کاغذ پاره‌ای در دست داشته باشد. در این صورت می‌تواند اگر دلش بخواهد شعر بگوید و یا حتی روزنامه‌نویس بشود.

«تا پدر و مادرت زنده هستند فرصت را غنیمت بشمار و برو در فکر تحصیل باش.»

فرود از آقا معلم حرف‌شنوی داشت و راستی استدلال‌های او قانع‌کننده بود. از این جهت رخت بربست و عازم تهران شد.

بعدها همه گفتند از همان زمان عشق به نرگس او را به تهران کشاند. آنها که فرود را می‌شناختند و با روحیه و غرور و غدی او آشنا بودند می‌دانستند که چنین نیست. اصلاً دیگر نرگس آن کششی را که در محیط خانواده و در سایهٔ فضل و کمال آقا معلم کسب کرده بود، از دست داده بود. هیچ میل نداشت او را ببیند، با او تماس بگیرد مبادا دوباره تحت تأثیرش قرار گیرد. حالا به نظر خودش راهی در زندگی یافته بود. روزنامه‌نویسی یک جذبهٔ فریبنده‌ای داشت. آنچه که مردم ته دلشان آرزو می‌کنند آن را روی کاغذ آوردن، مصائب آنها را برملا ساختن، اینها انگیزه‌هائی بودند که در دلش فتنه می‌کردند. بی‌باکی، خطر، دلهره در وجودش لانه داشتند و او را به جنبش وامی‌داشتند.

۵

اسم‌نویسی در دانشگاه وسیله‌ای بود برای ارضای پدر و مادرش. ابتدا خواست در رشتهٔ روزنامه‌نویسی اسم بنویسد. تحقیق کرد، استادان حسابی ندارد. در رشتهٔ حقوق اسم نوشت.

ماه‌های اول مانند یک شاگرد مدرسه سر درس حاضر می‌شد. با دانشجویان دختر و پسر می‌جوشید. از آنها کمک می‌گرفت. با آنها همراه بود. در تظاهرات دانشجوئی شرکت می‌کرد. باکی نداشت از اینکه همراه دیگران به استادان نیز بتازد. کم کم داشت یک پای غریو و غوغا می‌شد. این را یاران هم احساس کردند که بی‌باک است و ترس سرش نمی‌شود، چه برخی از آنها می‌کوشیدند او را جلو بیندازند و دنبالش هورا بکشند. منتها فرود عاقلتر از آن بود که بگذارد دستش بیندازند. او میل داشت دیگران از او تبعیت کنند نه برعکس. در این چندماهه احساس کرد که یکی از هزاران است. دیگران به او تنه می‌زنند و می‌رانندش. خودی وجود نداشت. او می‌خواست گل کند، نمی‌خواست آلت فعل باشد، می‌خواست منشأ و مبدأ حرکتی باشد. این لغت را از چند کلمه‌گفت‌وگو با سربلند یاد گرفته بود. جمعیت مبدأ هر پیشرفتی است. مزاجش

نمی‌پذیرفت که در جمعیت گم شود. او آرزو می‌کرد سردسته و راهبر و مشوق و محرک جمعیت باشد. حرکتی باید بوجود آورد. یک کلمهٔ دیگر هم به یادش آمد. نهضتی، جنبشی باید تا مقصودی برآورده شود.

می‌رفت و می‌نشست و فکر می‌کرد و پندارهای خود را روی کاغذ می‌آورد. شعر می‌گفت و برای دیگران می‌خواند و از تشویق آنها لذت می‌برد. همین شد که وسوسهٔ روزنامه‌نویسی که چند ماهی در او خفته مانده بود بار دیگر بیدار شد. تمام وجودش می‌طلبید که خود را بنمایاند. استعدادی در درونش می‌لولید که بایست پرورش یابد. به خیالش روزنامه برای او همه چیز همراه داشت. شب که آن را در همان شهر کوچک در دست می‌گرفتی و می‌خواندی و تراوش‌های فکری خودت را مرور می‌کردی حظّی بهت دست می‌داد که در هیچ مورد دیگر نظیرش را احساس نمی‌کردی. نوشته باهات گفتگو می‌کرد، می‌خنداندت، به گریه‌ات می‌انداخت، به شگفتی وامی‌داشت، مغرورت می‌ساخت و می‌کوفتت. خط‌ها زنده می‌شدند، جان می‌گرفتند، در مقابل چشمانت می‌رقصیدند و ادا درمی‌آوردند و چشمک می‌زدند.

فرود هنگامی که به تهران رسید راه اولش به ادارهٔ روزنامهٔ «ستیزگر» بود، همان محلی که خیال‌ها او را به پرواز درآورده به او امیدواری داده بود که به محض ورود همهٔ کارکنان آن روزنامه، همهٔ ستیزگران به احترام او از جایشان برمی‌خیزند و خود مدیر تا دم در به پیشوازش می‌آید و دست او را می‌گیرد و به همه می‌شناساند:

«این همان کسی است که شعر آب و سنگ را ساخته و ما انتظار داریم که از این پس با ما همکاری کند و برای ما و فقط برای ما افکار خود را

بنویسد و در روزنامهٔ ما انتشار دهد.»

خیال می‌کرد آنقدر به او حقوق و مزایا می‌دهند که می‌تواند زندگی دانشجوئی خود را اداره کند و احتیاجی به کمک خرج مادرش نخواهد داشت. چندتا شعری را که در یک کیف چرمی همراه آورده بود به تصورش کلید همه‌گونه موفقیت می‌بود. به زودی می‌تواند اشعار و مقاله‌هایش را دربارهٔ ستمگری‌های مأمورین املاک شاهی در مازندران و گیلان که در ولایت یادداشت کرده بود در این روزنامه منتشر کند. آن وقت دانشجویان به استعداد سرشار و طبع وقّاد او پی می‌برند و او می‌تواند به حساب گروه‌هائی که می‌خواستند او را وسیلهٔ پیشرفت خود کنند، برسد. راه باز بود. اینک این گوی و این میدان.

چقدر برایش یأس‌آور بود، وقتی دید که تمام دستگاه پر طمطراق «ستیزگر» عبارت از دو اطاق است، محقرتر از بالاخانهٔ ادارهٔ روزنامهٔ «پایدار» که در آن آقا معلم هم دفترهای مدرسهٔ بچه‌ها را تصحیح می‌کرد و هم با ارباب رجوع سر و کله می‌زد. در اطاق نخستین پشت میزی پر از کاغذ و روزنامه آدمی کوتوله و گوژپشت نشسته بود و در همان دم نخست با تیزهوشی مادرزادی دریافت که تازه‌وارد یکی از آن ولایتی‌هاست که با هزاران آرزو به تهران آمده، منتها سوراخ دعا را گم کرده، به جای اینکه به نخست‌وزیری در جستجوی جواز برود به ادارهٔ روزنامهٔ «ستیزگر» آمده است.

پنجرهٔ اطاقی که در آن مردک نشسته بود رو به پس کوچه‌ای باز می‌شد که در آن خاکروبه، کوزه شکسته، پوست هندوانه و خربزه انباشته شده بود و از آن بوی گندی برمی‌خاست و این بیچارهٔ بدترکیب که پشت

میز روزنامه‌ها را زیر و رو می‌کرد اصلاً و ابداً در عذاب نبود. شاید هم به یک درخت اقاقیا که برگ‌هایش داشت می‌ریخت، دل خوش کرده بود و اصلاً بوئی نمی‌شنید. روی میز چهارپایه‌ای کنار اطاق یک کتری فلزی بود و یک استکان چای نشسته. لولهٔ بخاری کج و کوله‌ای به بی‌ریختی اطاق می‌افزود و این محیط توسری خورده و این آدم مفلوک درست شایستهٔ هم بودند.

فرود هیچ یادش نیست چه گفت و چه شنید. اما این مطلب، علی‌رغم کوتولگی و گوژپشتی مردک شیک‌پوش هنوز یادش هست که مانند آب سردی بر سر دیدارکننده ریخت. این جملهٔ او هرگز از یادش نمی‌رود: «داداش، برای ما آمد نداشت، از کجا که برای تو فرجی باشد؟»

این حقیقت، این واقعیت در خاطره‌اش حکّ شد و باقی ماند. البته او را متقاعد نکرد اما مکرّر در زندگی یاد این محیط و این هیکل و این گفت‌وگو و این آواز دهل که از دور آنقدر خوش است، افتاد.

در شهرک آنها اقلاً آدم‌هائی مثل آقا معلم و پیرمردی که دو ساعت برای ربودن مش باقر مقنّی سر چاه می‌نشیند وجود دارند اما در این تهران نکند همه چیز با آمد و نیامد برآورد می‌شود.

خلاصه اینکه این نخستین برخورد با روزنامه‌نویسی در اعماق وجودش اثری باقی گذاشت، منتها نه تا آن حد که او را از نویسندگی و شاعر بیزار کند.

خودش هم نمی‌دانست این کوتولهٔ گوژپشت چقدر راه زندگی او را سد کرد و چقدر وقفه در زندگی او ایجاد کرد. در هرحال معبر او را نبست. شوق خودنمائی شدیدتر از آن اندازه بود که او را از دائره بیرون

اندازد. رفت و برای خودش یک‌دست لباس عالی خرید. نونوار شـد. کراوات بست. داد سرش را اصلاح کردند و ته ریشش را تیغ انداخت. در خانه شلوارش را زیر رختخواب می‌گذاشت که اطویش خـراب نشـود. تدریجاً بچهٔ ولایتی شبیه به فکلی تهرانی شد.

چندتا روزنامه خرید و تصمیم گرفت هرجا تابلوی روزنامه‌ای دیـد سری بزند. بهانه‌ای هم پیدا کرد. آمده است چند کلیشه که دیگر بـه دردشان نمی‌خورد برای روزنامهٔ شهرستان بخرد. نخستین روزنامه‌ای که جلب توجه کرد در یک عمارت نسبتاً آبرومندی جـا داشت بـه اسـم «صبح». ساختمان چند اطاقه در وسط باغچه‌ای قرار داشت و درختان خزان زده در زیر آفتاب جلوه‌ای داشتند، چند پنجرهٔ بزرگ رو به باغ و خیابان باز می‌شدند. پیرمردی در باغ با گل‌های پائیزی ور می‌رفت. چند تا گل سرخ هنوز خودنمائی می‌کردند. بر تاج درختان چنار کلاغ‌ها قارقار می‌کردند. در حوض تازه آب انداخته‌ای ماهی‌های سـرخ قـر و غـمزه می‌آمدند. دورتادور حوض و روی هرهٔ گرد باغچه گل‌های شمعدانی و . آویز بر صفای باغچه می‌افزودند. کنار باغچه یک اتومبیل فورد دیـده می‌شد و مردمیان قدی آن را پاک می‌کرد. فرود از او سراغ دفتر روزنامهٔ «صبح» را گرفت. مردک با اشارهٔ دست راه به او نشان داد. مردی پشت میزی نشسته بود و با چند بسته روزنامه ور می‌رفت. از تازه وارد پرسید: «فرمایشی داشتید؟»

فرود سلام کرد و گفت: «می‌خواستم خدمت آقای مدیر برسم.»

«گمان نمی‌کنم آقای مدیر وقت داشته باشد. قبلاً وقت گرفته بودید؟»

«نه، می‌خواستم برای روزنامهٔ «پایدار» چند کلیشه قرض کنم.»

«خودتان روزنامه‌نویس هستید؟»

فرود هنوز آنقدر جسارت پیدا نکرده بود که به خود لقب دهان پرکن روزنامه‌نویس بدهد. من‌من‌کنان گفت:

«خوب، بله. در روزنامه کار کرده‌ام.»

«یک دقیقه تأمل بفرمائید. بلکه خانم وقت داشته باشد شما را بپذیرد.»

مدیر و یا صاحب امتیاز و نمی‌دانم هرچه بگوئید زنی بود سی و چند ساله از همان نظر اول معلوم شد که خانم بزک کرده و زیر ابرو برداشته، از آن فرهنگ برگشته‌هائی است که با هدف و مقصود این مقام و کرسی را اشغال کرده است. چند لحظه جوان تازه وارد را برانداز کرد. از روی مبل راحت بلند نشد، دستش را دراز کرد و گفت:

«بفرمائید آقا.»

چند دقیقه‌ای از آسمان و ریسمان حرف زد، فرود را به صحبت واداشت، از کار و کاسبی‌اش پرسید. آیا متأهل است و نامزد دارد؟ در کدام روزنامه و در کدام شهرستان کار کرده، معلوماتش در چه حد است و آخرالامر پرسید: «چه نوع کلیشه‌ای می‌خواهید؟»

فرود بی‌رودرواسی گفت: «دانشجو هستم و می‌خواهم در یک روزنامهٔ آبرومند کاری پیدا کنم تا کمک معاشم باشد.» اتّفاقاً مدیر و یا صاحب امتیاز دنبال وردستی می‌گشت. خانم در جوانی زن خوشگلی می‌بایست بوده باشد. اما دیگر پیری داشت در صورتش و در هیکلش جا برای خود باز می‌کرد. از فراش دم در و صندلی‌های تا اندازه‌ای نو و فراوان و چراغ‌های جورواجور و پرده‌های رنگ وارنگ دریافت که در این باغ و خانه ممکن است نان او به شاخ آهو بسته نباشد. چنین می‌نمود

زن ثروتمندی، شاید دختر یکی از اعیان که سال‌ها در اروپا گذرانده و مثلاً چیزی هم یادگرفته بیهوده هوس روزنامه‌نویسی کرده است. این دم و دستگاه هیچ شباهتی به آن دکهٔ مفنگی مردگوژپشت نداشت.

چند هفته‌ای فرود زیر نظر پیرایه خانم کار کرد، با چشم و گوش باز. اینجا چای و قهوه همیشه روبراه بود. همه جور آدمی با این خانم کار داشتند. برادرش از آن کله‌گنده‌ها بود. پس از چندی که در آن فضا به‌سر برد فهمید برادر خانم که گهگاه به باغچه می‌آید و جلوی عمارت پارک می‌کند، کوس وزارت می‌زند. خانم صاحب امتیاز بود و مدیر، جواد سخنور، یکی از قلم‌زن‌های به‌نام پایتخت که همه ماهه حقوق می‌گرفت منتها پشتکار و دلسوزی او در جمع و جور کردن اخبار و تنظیم مطالب و تزیین ستون‌های روزنامه و تهیهٔ کلیشه و مصاحبه، و از همه مهمتر گزینش کاریکاتورهائی که مخالفین برادر خانم را می‌کوبیدند، بدون اینکه گزک به دست دشمن بدهد، فقط به خاطر حقوق ماهیانه نبود. مزد اساسی او که در ثبت اسناد کیا بیا بود، امید به ازدواج با خانم صاحب امتیاز و ورود در محفل برادرش می‌نمود.

اینجا دیگر بساط دیگری پهن بود. می‌آمدند و می‌رفتند. اداره‌ای‌ها، بازاری‌ها، کارفرماها، افسران بلندپایه و مدیر کل‌ها، استادان، و... سوار اتومبیل و گاهی پیاده و برخی نیمه شب از در کوچک پشت باغ وارد می‌شدند.

گنجهٔ کوچکی پر از مشروب‌های فرنگی گران قیمت و گیلاس‌های خوش‌تراش بود. از آنها سهمی هم به فرود می‌رسید. حیف که هنوز عرق‌خوری نیاموخته بود.

هر چند روز، صبح خانم چند روزنامه به زبان انگلیسی و فرانسه همراه می‌آورد و تأسف می‌خورد از اینکه فرود خوب انگلیسی نمی‌داند و به او توصیه می‌کرد بکوشد این زبان جهانی را بیاموزد. پیرایه خانم هر روز، اگر ارباب رجوع فرصت می‌دادند چند ساعتی را صرف خواندن مطبوعات خارجی می‌کرد و بعد آنها را به زبان شکسته بستهٔ فارسی برمی‌گرداند و فرود آنها را به فارسی روان درمی‌آورد؛ بعد آقای سخنور آنها را برای روزنامهٔ «صبح» به قول خانم ادیت می‌کرد.

کار فراوان بود. گاهی تا نصف شب فرود در روزنامه می‌ماند. آنگاه به چاپخانه سر می‌زد. در این صورت البته با اتومبیل خانم و توسط راننده‌اش به منزل حضرات یا به اداره و گاهی به خانه‌اش برده می‌شد. اما اگر دیروقت به اداره برمی‌گشت می‌دید که چندین اتومبیل در باغ و دم در پارک کرده‌اند و همهٔ چراغ‌ها روشن است و راننده‌ها در آبدارخانه جمعند و گاهی صدای خنده و جدال آنها در باغ شنیده می‌شود. از این و آن، از خبرنگاران روزنامه‌های دیگر هم می‌شنید که مندرجات این روزنامه با وجودی که در هزار و اندی نسخه بیشتر منتشر نمی‌شد نزد مجلسیان و رجال سیاسی و خبرنگاران دارای وزن و اعتبار است. گاهی آنچه صبح زود در این نشریه گزارش می‌شد همان روز ظهر توسط خبرگزاری‌های خارجی منتشر می‌گردید.

خانم به زودی دریافت که فرود چشم و گوش بسته دست به قلم دارد و می‌تواند برای منظور و هدف آنها مفید واقع بشود. او را تشویق کرد درس دانشگاهی‌اش را ادامه دهد و روزی چند ساعت هم برای آنها کار کند. با مزد بخور و نمیری که به او می‌دادند نمی‌شد زندگی کرد. اما فرود

با فوت و فن روزنامه‌نویسی آشنا شد. یادگرفت با مقامات دولتی چگونه رفتار کند، شرّ آقایان محترم مزاحم را چگونه از سر آقای مدیر و صاحب امتیاز بکند. کجا باید پول خرج کرد و کار را به جریان انداخت و کجا باید سر کیسه را محکم بست و تندی به خرج داد. امور مالی در دست خود پیرایه خانم بود و انسان ابداً احساس تنگدستی نمی‌کرد. او دست و دل‌باز بود و گاه اضافه بر حقی که به فرود تعلق می‌گرفت، مزد اضافی هم به او می‌رساند.

زمانی در دخانیات دزدی کلانی برملا شد. صبح زود هنوز خانم نرسیده زنگ تلفن صدا کرد. فرود خوب صدای برادر را شناخت:

آقای فرود، همین که همشیره تشریف آوردند خواهش کنید که فوری به من زنگ بزنند.

هنوز گوشی را از دست نداده، خانم وارد شد چند روزنامه را از روی میز برداشت، رو به فرود کرد و گفت:

«خبر تازه چیه؟»

«همهٔ روزنامه‌ها، از جمله اخبار روز، ستاره و عصر امروز مفصل راجع به دزدی سیاوشان در دخانیات نوشته‌اند. من داشتم از روی آنها دنبالهٔ مقالهٔ دیروزم را راجع به همین موضوع می‌نوشتم که آقا تلفن کردند.»

فرود در اطاق مدیر بود که مذاکره با برادر شروع شد. چند کلمه‌ای بیشتر رد و بدل نشد که خانم گوشی را به چنگک آویخت کرد و گفت:

«حالا امروز مقاله راجع به دخانیات رابگذارید باشد، ببینیم چه می‌شود.»

چه می‌خواهد بشود. آن روز فرود را قبل از معمول مرخص کردند. با این شیوه فرود آشنا بود. جلسهٔ شبانهٔ تشکیل می‌شد. آقایان و خانم‌ها می‌آمدند و می‌نشستند و جلسه با نوش نوش به زبان خارجی پایان می‌یافت و روز بعد اعلامیهٔ آقای وزیر دارائی اول از همه در روزنامهٔ «صبح» منتشر می‌شد حاکی از اینکه آقای سیاوشان از هرگونه اتهامی مبراست اینها درس‌هائی بود که فرود طی چند ماه خدمت در روزنامهٔ «صبح» گرفت.

این مقاله را خود آقای سخنور نوشته بود و هیچیک از کارمندان از جمله فرود نمی‌دانستند که کی این مقاله به روزنامه داده شده و کی آن را تصحیح کرده و همهٔ آنها آن را در روزنامهٔ صبح خوانده بودند. می‌شد فهمید که کاسه‌ای زیر نیم کاسه است. عجیب این بود که مطبوعات دیگر هم در این باره خاموش ماندند و گوئی اصلاً در دخانیات هیچ اتفاقی نیفتاده. در بعضی از روزنامه‌ها در صفحات آخر صحبت از شهرت‌های گوناگونی دربارهٔ آقای سیاوشان خوانده می‌شد که برای خرید ماشین و ابزار یدکی کارخانه‌های دولتی به کشورهای متحد امریکا سفر کرده و یا قرار است به سرکنسولگری ایران در دهلی نو منصوب شود.

فرود که کنجکاوی و پژوهش خواهی‌اش او را وادار می‌ساخت بی‌گدار به آب نزند در ضمن صحبت با سخنور یکی دوبار اشاره‌ای به این انتشارات کرده بود و قصدش همین بود که به مافوق خود حالی کند آنقدرها هم او هالو نیست؛ اگرچه نادان است اما ابله نیست. همین باعث شد که روزی آقای بشیر که در محیط اداره همه او را آقا می‌نامیدند در حضور پیرایه خانم او را به سالن دعوت کرد و خیلی گرم پذیرفتش. آقای

بشیر از روی صندلی کنار یک میز پایه کوتاه برخاست، خم شد و دستش را به سوی فرود که چند ذرع از او هنوز فاصله داشت دراز کرد و او را به سوی صندلیِ راحتی کشید و کنار خود نشاندش.

آقای بشیر مردی بود بلند اندام، خوش ریخت، چابک و خنده‌رو با ابروهای پرپشت و چشم‌های مشکی. ظاهری آرام و با صلابت داشت و می‌توانست با چند کلمه فضای گرم و گیرائی با همنشینان خود فراهم آورد:

«خیلی میل داشتم با شما آشنا شوم. نوشته‌های شما را مرتب می‌خوانم و به بعضی اشاراتی هم که حاکی از تمایلات و عقاید شخصی خودتان است توجه کرده‌ام.»

فرصت نمی‌داد که فرود چیزی بگوید و یا تشکر کند.

پیشخدمتی که چای آورد عرض کرد: «آقای مدیر دفتر خواهش کرد گوشی را بردارید. کسی با شخص شما کار دارد.»

«ببخشید آقای فرود، سر خر همیشه پیدا می‌شود.»

پای تلفن گفت: «عرض کنید تا نیم ساعت دیگر خدمتشان شرفیاب می‌شوم.» و گوشی را آویزان کرد.

«ببخشید آقای فرود، من البته به تمایلات شخصی شما احترام می‌گذارم، خوشبختانه ما داریم پایه‌های یک دموکراسی را استوار می‌کنیم و این تنها در صورتی ممکن است که تنوع افکار و اراده‌های فردی و گروهی نشو و نما کنند...»

به نظر فرود همهٔ این مقدمات به این قصد بود که چیزی از دهان او بپرد که مطلب اساسی‌اش را بگوید. فرود ابتدا از کنایه‌های او چیزی درک

نکرد امّا با اصطلاح «پرتقال فروش» شستش خبردار شد که به کجا می‌زند. طولی نکشید که آشکار شد چند مرده حلاج است. فرود با نمونهٔ تمام عیار دولتمردان ایران روبرو بود. اینها در باطن بی‌رحم و خشن و خونخوار و در ظاهر نازك نارنجی و مهربانند. دروغ مصلحت آمیز ورد زبانشان است، از راست فتنه‌انگیز هم باکی ندارند. فرود وحشت کرد وقتی یقینش شد که از ته و توی کار او با خبر است:

«من خدمت پدرتان ارادت دارم. از محضرشان استفاضه نکرده‌ام اما ذکر خیرشان همه جا هست. بی‌مقدمه از جایش بلند شد، دستش را در جیب چپ شلوارش کرد، از گنجه کوچکی یك بطری زردرنگ درآورد. برای خودش گیلاسی ریخت. به خواهرش که روزنامه‌ها را ورق می‌زد، تعارف کرد و روبه فرود گفت:

«شما میل دارید برایتان بریزم.»

فرود جواب داد: «ببخشید، من نمی‌خورم.»

«در هر صورت هر وقت میل داشتید این گنجه برای شما باز است.»

فقط یك اشارهٔ فرود که من جزو هیچ گروه و جمعیتی نیستم او را تهییج کرد که هرچه قصد گفتن دارد روی دایره بریزد:

«می‌دانم آقای فرود، شما هنوز عضو هیچ حزبی نیستید. امیدوارم که نیرو و طبع و استبداد و هوش خود را در راهی به کار اندازید که به نفع کشورتان باشد. از بازی‌های دانشگاه هم بی‌خبر نیستیم. شما تا آنجا که من اطلاع دارم ناظر بیطرف هستید، اما نمی‌توان بیطرف باقی ماند. می‌ترسم که شما را هم به میدان بکشند. همهٔ این الم شنگه زیر سر این گروه است که از زندان درآمده‌اند و پرتقال‌فروش‌هائی که روس‌ها از

سال‌ها پیش برای چنین روزی ذخیره کرده بودند.

«ببخشید آقای بشیر، من هیچ ارتباطی با این حزب ندارم.»

«می‌دانم آقای فرود، اما از تمایلات شما در ظرف این دو سه ماهه که افتخار همکاری با شما را دارم چنین استنباط کرده‌ام که به قول خودشان سمپات هستید. در شهرتان هم فعالیت می‌کرده‌اید.»

«جناب آقای بشیر، من فقط یک شب در جلسه‌ای شرکت کردم که نمی‌دانستم جنبهٔ حزبی دارد.»

«کافی است آقای فرود، یک شب کافی است تا آدم برای همیشه گرفتار شود. آقای فرود، من جای پدر شما می‌توانم باشم. دلم می‌خواهد بی‌پرده با هم صحبت کنیم. بنده دموکرات هستم، طرفدار تجدد و ترقی. اما ترقی و پیشرفت و آزادی و عدالت فقط برای طبقهٔ منزه و مرفه مفید است نه برای همه. وای از آن روزی که توسری‌خورها و فرودستان، و به قول دوستان شما، پرولت‌ها چشم و گوش باز کنند و هر سدّی را بشکنند، تمام آنچه را که ما روشنفکران و آزادگان در طی سال‌ها ساخته‌ایم و پرداخته‌ایم له و لورده می‌کنند. نیروی عظیمی در این گروه بزدل زار و نزار نیم‌گرسنه و وحشی نهفته است که خدا نکند روزی بجنبد. اینها فقط به درد آن می‌خورند که در مقابل دشمن خارجی نفله و کشته شوند. با این نیرو هخامنشیان دنیای آن روز را گشودند، با همین گروه صفویه جلوی ترک‌ها را گرفتند و نگذاشتند که آسیا را فتح کنند. فقرشان، نادانی‌شان، توسری‌خوریشان، حرف‌شنویشان سرمایه‌های ما منورالفکرهاست. اینها باید دست نخورده بمانند. به مسجد و زیارت بروند، سینه و قمه بزنند، نماز بخوانند، روزه بگیرند، عرق بخورند و مست کنند، سفرهٔ حضرت

فاطمه بیندازند و به هم فحش خواهر و مادر بدهند. یارب مباد آنکه گدا معتبر شود، هرچه ابله تر، خودپسندتر، وقیح تر و مطیع تر بهتر. حالا این دوستان شما..»

فرود با یک حرکت سر به این «دوستان شما» اعتراض کرد و آقای بشیر ادامه داد:

«ببخشید، این آقایان آمده اند اینها را بیدار کنند. آدم دلش به هم می خورد وقتی می شنود که فلان پرتقال فروش نامزد انتخابات مـجلس شده است. آقایان از تاریخ هم درس نمی گیرند. دلیل ناکامی مشروطهٔ ما که رضاخان قزاق را سرکار آورد همین بود که امثال صنیع الدوله با چقال و بقال دور یک میز نشستند و گفتگو کردند. اگر همان روز به صراف و ضرّاب تودهنی می زدند گرفتار پاچه ورمالیده های ایـن بـیست سـاله نمی شدیم این واقعیت است آقای فرود. واقعیت قوی تر از ارادهٔ من و شماست. خواهید گفت: پس عدالت و آزادی و برادری و برابری و قوانین اخلاقی چه می شود؟ اینها همه اش به قصد باز کردن راه کـامیابی است. آخر چه عدالتی می توان میان پرتقال فروش بادکوبه ای کـه هـر را از بـر تشخیص نمی دهد و امثال شما و من برقرار کرده بزرگ ترین خیانتی که این روشنفکران چپ دانسته یا نادانسته دارند مرتکب می شوند، همین است که نه فقط به این توسری خورده ها زبان یاد می دهند بلکه می خواهند آنها را با شئون انسانی مجهز کنند. این سلاحی است که عاقبت علیه خود آنها به کار برده می شود. آزادی، برابری، برادری فقط برای شما و من است. اصلاً این چه فکر ابلهانه ای است که ما امروز زجر و درد و بـدبختی و گرسنگی تحمل کنیم به این امید پوچ که در آینده بهشت برین برایمان

فراهم خواهد آمد. ایمان به آینده یعنی چه؟ یعنی کورکورانه به چیزی دل بستن که وجود ندارد و شاید هرگز هم به‌وجود نخواهد آمد. آخر کدام یک از پیغمبرها موفق شدند که چپ‌های ما موفق شوند...»

بیش از یک ساعت آقای بشیر صحبت کرد. دوگیلاس کنیاک خورد، چشم‌هایش قرمز شد. از فرط هیجان لپ چپش گهگاه ورمی‌جست رو به بالا. پیرایه خانم به بهانهٔ اینکه می‌خواهد گیلاس برای خودش پر کند، بلند شد و بطری کنیاک را برداشت و اشاره کرد که بس کند.

«بسیار دلم می‌خواست با شما به گفتگو ادامه بدهم. بدبختانه وقت تنگ است، یک شب تشریف می‌آورید به بنده منزل و با هم بیشتر گپ می‌زنیم.»

از جا برخاست. دست فرود را سخت فشار داد و از او خداحافظی کرد و سوار شد و رفت.

فرود دریافت با چه کسانی روبرو است. فوری به ضعف خود پی برد. زودتر باید بساطش را جمع کند و گلیم خود را از آب بیرون بکشد.

در این روزنامه هرگز اسمی از دخالت خارجی‌ها در امور ایران برده نمی‌شد. اصلاً مثل اینکه ایران را فقط روس‌ها اشغال کرده‌اند و نیروهای انگلیس و امریکا هرگز پا به کشور ما نگذاشته‌اند. سه ماه و ده روز بیشتر فرود در این روزنامه کار نکرد و دریافت که روزنامه‌نویسی و اصول اخلاقی و جهان‌بینی ناخواهرانی هستند که هیچ وقت با هم اخت نمی‌توانند باشند.

این شکست دیگری بود که نصیب فرود شد. اما درس هم بود. شکست؟ نه، دانا شد. فهمید که دنیا در دست کیست. امور کشوری

چگــونه فــیصله مــی‌یابد. عــنان را کــه مــی‌کشد و کــی رهــا مــی‌کند. روزنامه‌نویس چه نقشی دارد. بی‌پشتوانه نباید کــار کــرد. از ستیهندگی کاری برنمی‌آید. اینها که آن بالاها نشسته‌انـد اصـلاً گـوششان بـه ایـن حرف‌ها بدهکار نیست. حرف‌های روزنامه‌نویس حرف‌های صد تا یک غاز است. باید برد، غارت کرد، چاپید و یک قلپ بالاش. این درسی بود که فرود از خانم روزنامه‌نویس و برادرش و آقای سخنور گرفت.

اسم‌نویسی در دانشکدهٔ حقوق فرود را برعکس، هر روز بیشتر مفتون می‌کرد. آنجا جوانان آزادتر دربارهٔ مطالب روز بـحث مـی‌کردند. آقـا معلمی نبود که از رئیس شهربانی و میجر راس هراس داشته باشد. موافق و مخالف به جان هم می‌افتادند. هر کدام به هواخواهی حزبی داد سـخن می‌دادند. گاهی کار به نزاع می‌کشید. بحث‌ها در خانه‌ها ادامه می‌یافت. آنجا بیشتر موافقین جمع می‌شدند.

یک روز ناگهان در خیابان پشت دانشگاه فرود به نرگس برخورد؛ دانشجوی سال دوم پزشگی شده بود. با نمک‌تر از همیشه. زلف‌هـای سیاهش را پشت گوش شانه کرده بود. جعدی روی پیشانیش تـلو تـلو می‌خورد و جلوه می‌فروخت. پالتوی پائیزی تنگی طبق مد روز اندام بلند و باریک او را برازنـده‌تر مـی‌ساخت. یک آن مکث کـرد، از حـرکت بازماند. نمی‌توانست تصور کند که برخورد ناگهانی با نرگس تا این اندازه به حیرت و شگفتی‌اش وامی‌دارد، هیچ به اندیشه‌اش نرسید که او را ندیده بگیرد و دنبال کار خود برود. می‌خواست آشنائی، کسی را پیدا کند و با او چند قدمی راه برود و گردش کند. اما کنار پیاده‌رو ایستاد و دستش را به درخت اقاقیا گرفت و منتظر ماند تا نرگس متوجه او شود. شکی نداشت که

نرگس همراهانش را رها خواهد کرد و به او می‌پیوندد. با دو دختر دیگر و جوانکی با یک نیم‌تنهٔ یخه بسته، از کنار او نزدیک بود رد شوند. با هم جدال می‌کردند. بلند بلند با هم حرف می‌زدند. یکی از آنها به نرگس گفت: «ببین چطور به تو چشم دوخته و می‌خواهد با نگاهش ترا بخورد.»

«کی را می‌گوئی؟»

«پشت سرت را نگاه کن، دارد عقب تو می‌آید.»

«چه فضولی‌ها؟» گفت و برگشت و فرود را دید. از همراهانش جدا شد و با عجله پیش آمد و دست در بازوی او انداخت و گفت: «چه شیک شده‌ای؟ آدم دیگر ترا نمی‌شناسد.»

فرود احساس کرد که مانند سابق پرده‌ای میان آنها حائل نیست. تمام ملاحظات گذشته فراموش شدند. اکنون صحبت از چشم و همچشمی نبود.

«من شیک شده‌ام؟ ترا بگو که اینقدر خوشگل شده‌ای.»

«اوه، خوشگل شده‌ام؟ حالا دیگر اینطور چیزها را هم می‌بینی؟ خیال می‌کردم از من بدت می‌آید.»

«کی همچین حرفی زد؟ کی گفت من از تو بدم می‌آید؟ اگر ازت بدم می‌آمد که آنقدر اذیتت نمی‌کردم. از تو خوشم هم نمی‌آید. منتها اگر معقول باشی و خودت را لوس نمی‌کنی حاضرم برویم با هم در کافه‌ای بنشینیم و یک خرده با هم گپ بزنیم.»

«خیلی لطف می‌فرمائید آقا پسر.»

«کجا می‌خواهی برویم؟»

«خوش خوشک پیاده برویم تا کافه نادری.»

راه افتادند. فرود دست راستش را زیر بازوی نرگس انداخت و با وجودی که بسیار دلش می‌خواست صورت او را از نزدیک براندازکند جرأت نکرد، بخصوص که همراهانش چند قدم جلوی آنها در حرکت بودند و پسرک گاه‌گاه برمی‌گشت و مراقب آنها بود. اما نرگس اصلاً به او توجهی نداشت و دائماً از پهلو به فرود نگاه می‌کرد و می‌خندید و هزار پرسش بر لب داشت و نمی‌دانست از کجا بیاغازد. پسر همسایه داشت مرد می‌شد. فکل و کراوات به او مزیتی بخشیده بود که تصورش دشوار می‌نمود. دو سال بزرگتر بودن دیگر ارزشی نداشت. حالا آقای فرود روزنامه‌نویس شده بود. با رجال آمد و شد داشت. از بدری و منیر شنیده بود که از کار در روزنامهٔ «صبح» خوشش نمی‌آید و دنبال کار دیگری می‌رود.

نرگس دلش می‌خواست هرچه در دل دارد بگوید: از دانشگاه، از جدال میان دانشجویان، از اینکه برخی از آنها به زور می‌خواهند آدم را وارد سیاست کنند. به زور به آدم روزنامه می‌فروشند. سر به سر آدم می‌گذارند. اما جرأت نکرد. شیفتهٔ لحظه‌ای شد که تصادف نصیبش کرده بود:

«تو چند وقت است در دانشگاه هستی؟»

«از کجا می‌دانی که من در دانشگاه اسم‌نویسی کرده‌ام؟»

«خبر دارم، منیره و بدری برایم نامه می‌نویسند، دیگران هم. می‌دانم که در روزنامه‌ای کار می‌کردی. گاهی روزنامهٔ «صبح» را می‌خریدم. یک بار زیر شعری اسم ترا دیدم. همیشه قلاغ سیاهت را چوق می‌زدم.»

نرگس هیچ اشاره‌ای نکرد به اینکه با فیروز هم مکاتبه می‌کند و بیشتر

اطلاعش راجع به فرود را نه از منیره و بدری بلکه از فیروز می‌گیرد. اتفاقاً چقدر نرگس میل داشت دربارهٔ فیروز با فرود صحبت کند. می‌خواست به او اعتراض کند چرا فیروز را وارد سیاست می‌کند؟ می‌ترسید که با اعتراض پسر بداخم روبرو شود که به تو چه به کار مردم دخالت می‌کنی؟ چه علاقه‌ای به او داری؟ نخواست چند ساعتی را که با هم می‌گذرانند مختل کند. ملاقات دوستانه شروع شد. واکنش «همه جا قلاغ سیاهت را چوق می‌زدم» این بود که پرسید:

«پس چرا به سراغم نیامدی؟»

«می‌ترسیدم باز آن روی سگت بالا بیاید و مرا اذیت کنی.»

«نه بابا، دیگر در خانه نیستیم که با هم دعوا کنیم.»

هر دوشان خیلی چیزها داشتند به هم بگویند اما دلواپس از اینکه یکدیگر را برنجانند مانع شیرین‌زبانی بود. پس از آنکه کمی راه پیمودند و هریک دزدکی نگاهی به دیگری می‌انداخت و او را ورانداز می‌کرد، نرگس پرسید:

«چطور در این روزنامهٔ صبح کار پیدا کردی.»

و فرود زبانش باز شد:

«روزنامه مال یک زن از فرهنگ برگشته است، بزک دوزکی...»

نرگس به حرف‌های او گوش نمی‌داد: فرود دارد مرد می‌شود. پشت لبش سبز شده. چقدر میل داشت با انگشت آن را لمس کند که آیا مثل سبیل پدرش زبر است یا نه. کت به تنش می آمد وگوئی برای تن او دوخته شده بود. حیف که شلوارش کمی کوتاه بود و جوراب‌هایش را نمی‌پوشاند. چند دقیقه کنار همدیگر راه رفتند و بالاخره نرگس پرسید:

«امسال حاجی آقا سفر نکرد؟»

«نه، دیگر تو نیستی که مراقب بدری و منیره باشی.»

«مراقب لازم ندارند. بدری خودش یک پا خانه‌دار شده.»

کمی سکوت کردند و به راه خود در جهت کافه نادری ادامه دادند.

یخ آب شد و دل‌ها شکفته. خیابان‌ها شلوغ بود و کافه‌ها پـر از آدم.

سربازان خارجی همه جا ولو بودند. آب تیره رنگی نهر کنار خیابان را پر

کرده بود. زن‌های هرجائی دنبال مشتری می‌گشتند و آنها را تا کوچه

پس‌کوچه‌ها همراه خود می‌بردند و آنجا توی تاکسی و جیپ ارتشی جیم

می‌شدند.

نرگس گفت: «توی کافه نادری جا پیدا نمی‌کنیم. اینجا هم بد جائی

است. کجا برویم؟»

هوا داشت تاریک می‌شد. فرود پیشنهاد کرد:

«بیا برویم به مهمانخانهٔ قصر. آنجا شام بخوریم.»

«اوهو، مگر پول مولی به هم زده‌ای؟ معلوم می‌شود در روزنامه چیز

میزی گیرت می‌آید»

«نه، خبری نیست. آنجا دیگر نمی‌روم.»

«پس حاجی آقا پول می‌فرستد.»

از کجا؟ او همین قدر دارد که هی سفر کند. همه‌اش در این فکر است

کی جنگ تمام می‌شود که باز خودش را به نجف و کربلا برساند. پس از

جنگ خیال دارد از کربلا یک سفر به بیروت برود و نفسی تازه کند.»

«چه بکند بیچاره؟»

هرگز این دو نفر آنقدر گرم و نزدیک به هم به گفتگو ننشسته بودند.

مانند دو دوست قدیمی با هم درد دل کردند. فرود شـمه‌ای از زنـدگی خودش در روزنامهٔ «صبح» گفت. اگر او آدم خرفتی بود و چشم و گوش بازنداشت، خیلی آسان می‌شد پول درآورد. بسیار آسان می‌شد قاب خانم و برادرش را دزدید، با آقای سخنور شریک شد و کلان دزدیـد. فایده‌ای که از این چند ماه کار برده گذشته از جنبهٔ مادی آن که توانسته چند ماهی مخارج زندگی خود را تأمین کند این است که کمی انگلیسی را یاد گرفته و دلش می‌خواهد این زبان را تکمیل کند. آرزویش این است که انگلیسی و فرانسه را آنقدر بیاموزد که کتاب بخواند و بفهمد.

نرگس صحبت را به وصف پیرایه خانم کشاند: «از کجا می‌آید؟ اگر در فرهنگ بوده پس چه درسی خوانده؟»

«اینها را من نمی‌دانم. هیچ خبری ندارم. از برادرش شنیدم که مصیبت دیده، و هرکس رنج برده باید «چپ» باشد. از این و آن پرسیدم، گفتند: شوهر داشته و طلاق گرفته است. پدرش می‌گویند از قربانی‌های رضاخان است. پس از آنکه باباش مورد غضب قرار گرفته در زندان چیزخورش کرده‌اند. شوهر از این زن جدا شده و نامه نوشته که اجداد مـا هـمه خدمتگزار شاهان بوده‌ایم و حالا او نمی‌تواند تحمل کند که نام پر افتخار چند صد سالهٔ خانواده‌ای لوث شود. خیلی چیزها گفته‌اند که من دیگر یادم نیست.»

«حالا «چپ» هم هست؟»

«نه بابا، چه چپی، چه راستی. می‌آید روزنامه‌های فرانسه و انگلیسی می‌خوانَد و با این و آن گپ می‌زند و سوار اتومبیل برادرش می‌شود و به خانه می‌رود.»

«همه کار روزنامه را تو می‌کردی؟»

«نه جانم. همه کاره سخنور بود. همه‌اش موس موس می‌زد و شاید هم امیدوار بود که در نتیجهٔ عروسی با پیرایه خانم به نوائی برسد. من و دیگران فقط پادو بودیم. گاهی تا نصف شب سگ‌دو می‌زدیم تا روزنامه درآید.»

نرگس از گرفتاری‌هائی که در زندگی دانشجوئی داشت حرف می‌زد. پسرها زیاد پررو هستند. مگر او می‌تواند با این ریخت سر درس یا در سالن تشریح برود و عطر بزند. دست از سر آدم برنمی‌دارند. حتی از شوخی‌های رکیک نیز خودداری نمی‌کنند. از این بچه‌بازی‌ها گذشته کار در دانشکده مشغول‌کننده است. آدم هر روز با اوضاع و احوال تازه‌ای مواجه می‌شود. قبل از آنکه منزل تازه‌اش را پیدا کند نزد خانوادهٔ آقای ترشیزی به‌سر برده است. آقای ترشیزی امروز استاد دانشگاه است و فقه و عربیات درس می‌دهد. با حاجی آقا و پدرش در قم طلبگی کرده و همراه آنها پیش آخوند ملا شریف در نجف به تکمیل معلومات خود پرداخته و لیسانسیه معقول و منقول هم شده است. شانس آورده که زنی خانواده‌دار نصیبش شده و در نتیجه توانسته است یک کرسی دانشکده را اشغال کند. خانوادهٔ خوبی هستند و تا به حال همه وقت با کمال مهربانی از نرگس پذیرائی کرده به یاری او در محیط دانشکده برخاسته‌اند. زندگی او همین است. حالا از همنشین خود خواست که بیشتر دربارهٔ آینده‌اش صحبت کند.

فرود از تجربیاتی که در چند ماه خدمت در روزنامهٔ «صبح» اندوخته بود، حرف زد. از وقایع دورهٔ بیست سالهٔ گذشته، از واگذاری آرارات به

ترک‌ها، از اینکه تمام درآمد نفت باز به کیسهٔ اسلحه‌فروشان واریز شده، از خشکسالی در سیستان و از کمبود محصول کشاورزی، از ثروت هنگفتی که برخی کسب کرده بودند و از این قبیل نکته‌ها کسی چیزی نمی‌گفت کسی حق نداشت در روزنامه اشاره‌ای کند. از این جهت فرود نتوانست زیردست آنها کار کند. آخر آدم نمی‌تواند استعداد خودش را به این آسانی بفروشد.

نرگس علاقه‌ای به این موضوع‌های سیاسی نداشت. او میل داشت اطلاعات بیشتری دربارهٔ زندگانی پسر همسایه به دست آورد: کجا درس می‌خواند؟ کجا منزل کرده؟ خوشحال است که دارد درس می‌خواند یا پشیمان شده؟ چه رشته‌ای را انتخاب کرده؟ می‌خواهد قاضی بشود و یا وکیل دادگستری و یا اداری؟

فرود موقتاً در خانهٔ یک همشهری مهمان است. تا به حال دو سه جا عوض کرده و می‌خواهد اگر بشود در نزدیکی دانشگاه اطاق کوچکی در خانه‌ای و یا حجره‌ای در مدرسه و یا مسجدی پیدا کند. کلهر در تهران است. همدیگر را گاهی می‌بینند. هنوز هم به روزنامه‌نویسی علاقه دارد امّا تاکنون کاری پیدا نکرده. بیشتر با همشهری‌هائی که در تهران به‌سر می‌برند حشر و نشر دارد. با دانشجویان تهرانی هنوز اخت نشده و دوستی با آنها که در خانه‌های پدر و مادرشان زندگی می‌کنند گران تمام می‌شود. مجبور نیستند هر سکه‌ای را چند بار لای انگشت‌هایشان بچرخانند و بعد خرج کنند. امثال فرود باید حساب هر یک ریالی را داشته باشند. به پای آنها نمی‌شود برجست. کتاب هم بسیار گران است. دیگر کتابخانهٔ آقا معلم در دسترس نیست که آدم هردم بتواند یک جلد بردارد و بخواند.

درست نمی‌داند چه شغلی اختیار کند. بیشتر دانشجویان حقوق دوست دارند وکیل دادگستری شوند. در این رشته خوب می‌شود پول درآورد. اما فرود اهل این حرف‌ها نیست. هرچه پیش آید خوش آید. تا به حال تصمیم نگرفته در حزبی یا دسته‌بندی شرکت کند.

کم‌کم به مهمانخانه رسیدند. فرود با حفظ ادب متعارف صندلی نرگس را از میز عقب کشید و او را نشاند و خود نشست. دختر بسیار تعجب کرد. این چنین مهربانی را از فرود انتظار نداشت.

با هم شام خوردند. نرگس پرسید: «دلت می‌خواهد گاهی همدیگر را ببینیم.»

«اگر تو حرفی نداشته باشی عیبی ندارد.»

در گوشهٔ دیگر مهمانخانه چند دانشجو نشسته بودند و چشم به آنها می‌دوختند. یکی از آنها نرگس را شناخت و از دور با چشم و اشاره سلام کرد. بعد نزدیک آمد و پرسید:

«ما امشب می‌خواهیم برویم برقصیم. با ما می‌آئی؟»

نرگس سرش را تکان داد و رو کرد به فرود و گفت:

«چه حرفی داشته باشم؟ خیلی هم دلم می‌خواهد.»

«مگر اهل رقص هم هستی؟»

«گاهی بدم نمی‌آید، اما نه‌چندان. بد نیست آدم با این زندگی هم آشنا بشود.»

«حالا این بچه‌ها نمی‌گویند این پسره را از کجا آورده‌ای؟»

«اولاً که به آنها چه مربوط است، دوم اینکه دانشجویان آنقدر امّل نیستند و سوم اینکه به همه می‌گویم که تو همشهری و پسر همسایه هستی

و من او ستا چسک لازم ندارم و پدر همه‌شان را هم درمی‌آورم.»

این طرز صحبت یک دختر نازنازی ولایتی نبود، شخصیت پیداکرده بود. میان یک مشت پسرهای هرزه و دریده ناچار بود از خود دفاع کند. جائی را که در زندگی به او تفویض شده بود بایست نگاه داشت. طرز آرایش و نگاه رخنه‌گر چشم و زینت لباس و همهٔ ادا و اطوار زنانه از آن دختر بااراده‌ای بود که از تعرضات دیگران نمی‌هراسید بلکه پایداری در مقابل دشواری‌ها را فریضه‌ای می‌دانست. این نرگس در نظر فرود همان دختر همسایهٔ سابق نبود که به او بزرگی و برتری می‌فروخت. این نرگس تحول یافته‌ای بود که جوجه دانشجو می‌بایست او را در رفتار و کردار خود به حساب بیاورد.

وقتی او را با پیرایه خانم مقایسه می‌کرد احساس می‌کرد که این دختر خوشگل از برخی جهت‌ها بر او برتری دارد. هنوز دست در صورتش نبرده بود. حسن خداداده‌اش دست نخورده بود. پیرایه خانم معلوم بود که بزک کرده است. زیر ابرویش را برداشته، بند انداخته، زیر چشم‌هایش را رنگ کرده، صد جور بامبول زده است تا خود را بلندبالا جلوه دهد. جز پیرایه خانم زن دیگری را فرود نشناخته بود که با نرگس مقایسه کند. دختران دانشجو زیاد بودند، بعضی‌هایشان هم خیلی نازی نوزی. اما فرود هرگز به چشم خریداری به آنها ننگریسته بود. خوب، از یکی به اسم مصی بدش نمی‌آمد اما مصی از آنهائی بود که دنبال یک شوهر پولدار می‌گشت و حاضر نبود با فرود ندار ولایتی سرکند. آخر از اینها گذشته مصی تو دل برو نبود. پس می‌ماند نرگس و پیرایه. نرگس دختر بود ترگل و ورگل، اما پیرایه زن بود. فرنگ رفته و دنیا دیده و سرد و گرم روزگار

چشیده. فرود باور هم نمی‌کرد که به سخنور دست بدهد.

ناگهان یکه خورد. نرگس دختر آقای پایدار است و نباید به چشم بد به او نگاه کرد. خواهرش است، خواهر بزرگترش است. قباحت دارد. چه گفت؟ «پدرشان را درمی آورم؟»

«من هم اگر کسی به تو تعرض کند پدرش را درمی آورم.»

«حالا چرا یکهو اخم‌هایت تو هم رفت. کسی که تا حالا به من چیزی نگفته.»

فرود متوجه شد که از عالم خیال به واقعیت جسته است و حرفی زده که نباید زده باشد.

قرار گذاشتند هر دو هفته یکبار در همین مهمانخانه و یا در کافهٔ روبرو ــ اگر اینجا جای خالی نباشد ــ همدیگر را ملاقات کنند.

اما این ملاقات‌ها آن اندازه که نرگس امیدوار بود سودمند نیفتاد. فرود سرش جای دیگر بند بود. بچه ولایتی هنوز آب ندیده بود که شنا کند. که به دختر دیگری به نام مهری دل داد. شور و تکاپوی این دختر گاهی گیرا و گاهی زننده بود. اما بعد از مدتی متوجه شد که از او آبی گرم نمی‌شود. او و برادرش پرویز کی‌تبار سراپا حزبی بودند. شب و روزشان در جلسه و قرار و روزنامه‌فروشی و کار در اتحادیهٔ کارگران می‌گذشت. از خط جبههٔ جنگ آلمان و شوروی خوب باخبر بودند. هر پیروزی ارتش سرخ وسیله‌ای برای شادی و شعف آنها بود. ستالین و حکومت شوروی جای خدا و پیغمبر و دین و مذهب راگرفته بود. دخترک و برادرش پرویز کی‌تبار و کسانشان هرجا بودند، در خانه و در دانشگاه، در مجلس مهمانی و در تنهائی، همه‌اش از موفقیت توده‌های وسیع و پیروزی قطعی

کارگران بر ارتجاع و امپریالیسم دم می‌زدند. راستش این است که علاقۀ
فرود به مهری بیشتر جنبۀ افلاطونی داشت، اما همین قدر بود که راه او را
به اتحادیۀ کارگران که در آن زمان در خیابان فردوسی حیاط کوچکی
اجاره کرده بودند باز کرد.

در حیاط محقر این خانه در جهت شرق و غرب چند اطاق و زیرزمین
پر از جمعیت بود. این جا می‌شد همه جور آدمی را دید. کارگرانی را که
مشتاق بودند در اثر اتفاق و اتحاد به وضع رنجبار خود خاتمه دهند و یا
اقلاً بهبودی در زندگانی آنها فراهم شود. حق هشت ساعت کار در روز
یکی از آمال آنها بشمار می‌رفت. جوجه روشنفکرانی که هدف و معنائی
برای زندگانی خود می‌جستند، دل به دریازدگانی که دنبال ماجرا
می‌گشتند، مردان زندان دیده‌ای که ایمان داشتند با آغاز جنگ جهانی
دوم راه تازه‌ای به سوی دنیای تازه‌ای و به سوی یک دموکراسی به سود
مردم گشوده شده است. گزمه‌های وازده‌ای که لای جمعیت می‌لولیدند و
قیافۀ آنهائی را که صدایشان همه جا بلندتر از همه است به ذهن
می‌سپردند. یک شازدۀ کورمکوری با عینک سیاه هر روز آنجا ولو بود.
دو سه نفر هالو را دور خود جمع می‌کرد و با به کار بردن چند لغت
انگلیسی که در امریکا به گوشش خورده بود، تلاش می‌کرد حالیشان کند
چه مزیت‌هائی نصیب کارگران می‌شد آنها به یونیون بگروند و سندیکا
تشکیل دهند. طلبه‌ای عبا و عمامه‌اش را بغچه‌وار زیر بغل می‌گرفت و با
شبکلاه و لباده خودش را قاطی جمعیت می‌کرد و راست راستی
می‌کوشید دریابد گروه کارگران چگونه جلب می‌شوند. تک و توک
زنهائی هم سری توی سرها می‌آوردند. یک زن ترک زبان آبله‌رو و

چکمه‌پوش همیشه در شتاب بود و از این زیرزمین به آن اطاق می‌رفت. گوئی بی‌یاری و همدستی او همهٔ دستگاه می‌خوابید. حزبی‌ها اینجا و آنجا سردمدار بودند و فهمیده‌هایشان ادای آقا بالا سرها را درمی‌آوردند.

این اتحادیه یک جای بی‌در و پیکری بود. هرکس دلش می‌خواست می‌توانست آنجا سر بکشد. هر دسته در گوشه‌ای روی زمین و روی صندلی در حیاط و در اطاق و در زیرزمین‌ها ایستاده و یا نشسته بودند و کسی برای آنها به زبان فارسی یا ترکی صحبت می‌کرد. اغلب آنها کارگران کارخانه، عمله‌های ساختمان وگاهی نیز تک و توک فکلی‌هائی بودند که با تکه کاغذی پشت میزی می‌نشستند گاهی اسم‌های کسانی را که به آنها رجوع می‌کردند، می‌نوشتند. روزنامهٔ «پیروزی» وسیلهٔ ارتباط اتحادیهٔ با کارگران بشمار می‌رفت. مهری و پرویز کی‌تبار راه فرود را به این روزنامه باز کردند و چیزی نمانده بود که وی مقاله‌نویس دائمی این اتحادیه شود که راه او به حزب، که در همان نزدیکی خانهٔ بزرگی در اختیار داشت باز شد.

یک چیز در روزنامهٔ «پیروزی» توجه نویسندهٔ جوان را جلب کرد و آن یک‌پارچگی همهٔ مقالات بود، اخبار و تصویرها و اظهارنظرها متمرکز بر سرکوبی ارتجاع و افشای تحریکات خارجی‌ها و حفظ حقوق کارگران بود، البته به نحوی که سرکردگان آنها صلاح می‌دانستند و می‌فهمیدند. اگرچه فرود با نحوهٔ قضاوت آنها موافقت نداشت اما این را تشخیص داد که منافع شخصی در میان نبود و برادر بزرگتری وجود نداشت که صبح به خانم خواهرش تلفن کند که مثلاً دربارهٔ اختلاس در

دخانیات چیزی ننویسد ـ چیزی که فرود را از آنجا راند همین بود که تصمیم‌ها پشت پرده گرفته می‌شد ـ با او گاهی دربارهٔ مقاله‌ای که باید نوشته شود مصلحت می‌کردند اما نظر قطعی همیشه گفته می‌شد که از طرف حزب گرفته شده است.

گاهی گزارش یک کارگر کارخانه که مثلاً به او از طرف سرکارگر یا مدیر کارخانه توهین شده بود، تصمیمی گرفته می‌شد، بی آنکه تحقیقی دربارهٔ حقانیت ادعا به عمل آمده باشد. آن وقت یک روشنفکر همراه چند کارگر می‌ریختند سر فرود و الدرم بلدرم می‌کردند که باید پدر این مدیر کارخانه را درآورد، اله کرد، بله کرد. فرود گیج می‌شد، دستش به قلم نمی‌رفت. بعد یک حزبی می‌آمد، عضو شورای مرکزی اتـحادیهٔ کارگران و با یک قیافهٔ جدی به او دستور می‌داد مقالهٔ شدیداللّحنی علیه مدیر ضد کارگر بنویسد و نکته‌هائی را که او روی تکه کاغذی یادداشت کرده، در آن بگنجاند. البته گاهی پیش می‌آمد که این مقاله در دقیقهٔ آخر حذف می‌شد و یا به چاپ نمی‌رسید و یک روزنامهٔ ضد حزبی و ضد «شورا» تحریفی از همان خبر را منتشر می‌کرد. از این گرفتاری‌ها همیشه پیش می‌آید. خبری راجع به وزارت راه منتشر شد که بر اثر آن نزدیک بود فرود را به محاکمه بکشانند. در آن ادعا شـده بـود کـه مـدیر کـل وزارتخانه با مقاطعه کاران بند و بست دارد و کار را در ازای رشوه تنها به همدستان خود می‌دهد. فرود در نوشتن این مقاله هیچ دستی نداشت اما وقتی در محفل دوستانه از مدیر روزنامه پرسیده بودند خبر را از کجا به دست آورده‌اند نامی از فرود برده شده بود. این گرفتاری‌ها بود، اما از جانب دوستان و هـمشهری‌ها هـیچ کـمکی بـه او نـمی‌شد. آنـها فـقط

می‌توانستند عیبجوئی کنند. نرگس دلخور بود از اینکه پسر بی‌تجربه آلت دستِ جمعی شده است که اصلاً نمی‌شناسد.

«شترسواری که دیگر دولا دولا نمی‌شود.»

«مثلاً می‌گوئی چکار کنم؟»

«هیچ چیز. خودت برو با کسانی که سر نخ در دستشان است حرف بزن.»

«یعنی خودم بروم تو حزب؟»

«رفتی هم رفتی»

«تو می‌گوئی من عضو حزب بشوم؟»

«من هیچ چیزی نگفتم. اما دلم نمی‌خواهد آلت دست بشوی»

کلهر این عقیده را نداشت:

«شتاب نباید کرد. کمی خودش را کنار بکشد تا ببینیم چه می‌شود.»

ارتباط با حزب دیگر امر دشواری نبود. حزب همه جا وجود داشت؛ در دانشگاه و در خیابان، در محفل مهری و برادرش پرویز، در ملاقات با کلهر و همشهری‌ها، که گاه در حضور نرگس و گاه در غیاب او دست می‌داد.

در دانشکدهٔ حقوق نزاع میان دو دستهٔ موافق و مخالف به منتهای شدت می‌رسید. استادان نیز در این جدال شرکت می‌کردند. اگر فرود نامرتب سر درس می‌رفت یک دلیلش همین بود که ساعت‌ها سر و کله زدن با استدلالات گروه دشمن و دوست سر او را به ونگ ونگ می‌انداخت.

سرگردانی‌اش روز به روز تشویش آورتر می‌شد. نمی‌توانست همیشه

کنار دعوا بایستد و دست از پا خطا نکند. نیروئی که در او می‌جوشید، مفرّی می‌جست. چاپ شعر و مقاله در «پیروزی» خشنودش نمی‌کرد. نرگس حق داشت، سرنخ در دست کسان دیگری بود. خودش دربارهٔ این دوره از زندگیش می‌گوید: «من خودم نبودم. آنجا کس دیگری از زبان من شعر می‌گفت و چیز می‌نوشت. نمی‌دانستم به کی پناه ببرم. نرگس گوشش به این حرف‌ها بدهکار نبود. همشهری‌های من هرکدام جزو دسته‌ای بودند. مهری دانشجو هم با من بازی می‌کرد. قرار ملاقات می‌گذاشتیم و نمی‌آمد. اگر می‌خواستم او را ببوسم می‌گفت شیطانی نکن. بوسه به دیگران می‌داد. بیش از یک سال با خودم در جدال بودم. گاهی در خواب با خودم دعوا می‌کردم. عده‌ای را به حزب کشاندم اما خودم می‌خواستم آزاد باشم، آزاد بمانم، خودم باشم، اگر بخواهم عضو حزب بشوم باید خودم را نابود کنم. احساس هم می‌کردم که دارم نابود می‌شوم. بی‌هدفی سرگیجه می‌آورد. به فکر خودکشی هم افتادم، نرگس به دادم رسید. مرا به خانهٔ خود برد. یک شبانه‌روز در اطاق محقرش خوابیدم. مرا تنها گذاشت و رفت در خانهٔ آقای ترشیزی مهمان شد.»

موضوع از این قرار بود: فرود پهلوی خودش فکر می‌کرد وقتی آدم با هدف‌های حزب موافق است پس همه چیز حل است، یا اقلاً مخالفتی ندارد. دیگر کار تمام است. می‌تواند عضو حزب بشود، عضو حزب می‌شود. فرود معطل مانده بود. حزب مانند ریگی که در آب اندازی هر آن دائره‌های وسیع‌تر نقش می‌کرد، تا آن اندازه که دیگر حدودی برای آن مشخص نمی‌گردید. وقتی کارگران روز اول ماه مه نمایش می‌دادند چشمگیر می‌نمود که دست‌کم از هر خانوادهٔ مقیم پایتخت یک

نفر در این جشن عمومی کارگران شرکت دارد. مخالفت و مبارزه با حزب بیشتر از سوی کسان و روزنامه‌هائی بود که داغ رسوائی به پیشانیشان خورده بود. دیگران، بیشتر مردم، یا بیطرف مانده بودند یا به دلائلی سکوت اختیار کرده یا پی فرصت می‌گشتند تا به ریشهٔ نهضت بزنند. آرای کمی که حزبی‌ها در انتخابات ۱۳۲۲ در تهران به دست آوردند نشان داد که شمارهٔ مخالفین بیش از آن است که به نظر می‌آید. اما در مقابل سروصدای حزب این مخالفت مشهود نبود. در مجلس ۸ نفر نمایندگان حزب بیش از صد و چند نفر دیگر، توجه همگان را به خود جلب می‌کردند. آنقدر سروصدا راه انداخته بودند که دیگر حرف کسی فهمیده نمی‌شد. آنهای دیگر از عنعنات و یونجهٔ ویتامین‌دار کلاه پوستی نغمه‌سرائی می‌کردند و اینها از حریم امنیت و املاک واگزاری، سپردهٔ رضاشاه در بانک‌های خارجی، اصلاحات ارضی، استخدام مستشاران امریکائی، کمک مالی دستگاه دولتی به حزب مخالف طبق دستور انگلیس‌ها دم می‌زدند.

حیرت‌آور این است که فرود زمانی عضو شد که با مسئلهٔ دشواری مواجه بود، یعنی مسئلهٔ ملیت و تمامیت کشور ایران پس از ۲۱ آذر و قیام فرقه در آذربایجان. برای پیدا کردن جوابی به این سؤال به حوزه‌ها رفت. صریحتر بگوئیم او خود را به حزب تفویض کرد. اگر نمی‌رفت معلوم نیست کارش به کجا می‌کشید. عاقبتش معلوم نبود. سرنوشت دوروبرش تار می‌تنید. دست و پای او در بند بود. تصور می‌کرد از فعالیت در گروهی که روز به روز بیشتر جوانان مملکت را فرامی‌گرفت می‌تواند راهی به سوی زندگی بیابد. اقلاً خودش این جور فکر می‌کرد. در ازای

این نعمت خود را به حزب تسلیم کرد، مانند فاوست که امیدی و مقصودی یافت و خود را تسلیم مفیستوفلس کرد. در این زمان زاهدنمایی صدراعظم ایران بود که پس از کودتای محمد علیشاه در باغشاه با استخاره حکم مرگ صادر می‌کرده. در همان روزها فرود در حزب اسم‌نویسی کرد، در همان روزهائی که «دموکرات‌ها» در آذربایجان قدرت را به دست آورده بودند، در یک‌چنین موقع بحرانی فرود وارد حزب شد. مثل اینکه کسی او را هول داده باشد. شلپی در دریای مواجی افتاد که یا باید غرق شود و یا شنا کند و خود را به ساحل رساند. از پرویز کی‌تبار برادر مهری، که فرود دیگر از او سرخورده بود، خواست که معرفش در حزب بشود.

مسئلهٔ ملیت و آذربایجان در هوا پرپر می‌زد. همه از خود می‌پرسیدند کار به کجا منتهی می‌شود؟ اگر آذربایجان از ایران جدا شود چه سودی به ملت ایران می‌رسد؟ اصلاً چرا جدا شود؟ آیا دولت شوروی پشت سر این سیاست ایستاده یا قفقازی‌ها؟ اگر صحبت از وحدت ملت‌هاست چرا قفقاز جزو ایران نشود؟ هواخواهان می‌گفتند جنبشی در ایالتی بوجود آمده، ضعف حکومت را باعث شده، مسئلهٔ جدائی نیست. صحبت از به رسمیت شناختن حقوق اقلیتی و خودمختاری است. فرود می‌خواست بداند خود حزبی‌ها چه می‌گویند؟ در حوزه‌ها چگونه بحث می‌شود؟

توأم با آن مسئلهٔ دکتر مصدق بود. ایرادهائی به سیاست او گرفته می‌شد. روش سیاسی او برای بسیاری مفهوم نبود. اما این دلیل اتخاذ یک سیاست خصمانه علیه او نبود. فرود در حقانیت این سیاست شک داشت. می‌خواست بداند به چه جهت روزنامه‌های حزبی به او می‌تازند، این همه

هارت و پورت به چه سبب است. همین چندی پیش روزنامه‌های حزبی و سران او را یکی از بزرگترین عناصر ملی و مظهر ارادهٔ ایران و یکی از رجال سیاسی وطن‌پرست و ملی ایران خوانده بودند که با رژیم منحوس بیست ساله دلیرانه مخالفت کرده است، و روزی نوشتند که حق‌بینی، حمایت دلاورانه از حق و مبارزهٔ آشکار با ارتجاع دکتر مصدق را دکتر مصدق کرده است. حالا یک مرتبه عامل ارتجاع و مدافع منافع امپریالیسم نامیده می‌شود.

همهٔ این ایرادها را دیگران هم از رهبران می‌گرفتند و به بحث می‌گذاشتند و جدال می‌کردند. هرکس از دیگری می‌پرسید: آیا این رویه با سیاست دولت شوروی که خود را حامی منافع مردم ایران می‌داند تطبیق می‌کند؟ آیا کسانی در دستگاه رهبری حزب رخنه کرده‌اند که می‌کوشند به هر قیمتی شده آبروی حزب را بریزند و آن را تبدیل به آلت فعل کنند. فرود ازکی تبار می‌پرسید، با کلهر بحث می‌کرد و با فیروز سر و کله می‌زد، اما در حوزه رسماً و علناً نمی‌شد دربارهٔ آن گفتگو کرد.

همان روزها بود که کارگران منطقه‌های نفت خوزستان هم اعتصاب کرده بودند. عزل استاندار، انحلال دستگاه سیاسی کمپانی نفت اجرای قانون کار و بهبود وضع اقتصادی، از جمله پرداخت دستمزد روز جمعه و اضافه مزد و خانه به جای مسکن در کلبه‌هائی که با حلبی برای خود ساخته بودند خزو خواست‌های آنها بشمار می‌رفت. قبیله‌های عرب به کمک سربازان و ژاندارم‌ها بسیاری از آنها را کشتند. با وجود این دولت ناچار شد برخی از مطالبات کارگران را بپذیرد.

در نخستین حوزه‌ای که در آن نظیر این مسائل مطرح شد، گوینده

یک استاد دانشگاه بود. همهٔ افراد حوزه، ۱۵ نفر، بیشتر دانشجو و یک مرد آذربایجانی، که او نیز استاد بود، در خانه‌ای نه‌چندان دور از دانشگاه تدریجاً در عرض بیست دقیقه جمع شدند. آذربایجانی صدر جلسه بود و فرود را به عنوان عضو تازه شناساند و بعد گوینده موضوعی را که در جلسهٔ قبل مطرح شده بود و اغلب عقیده داشتند که به نتیجه‌ای نرسیده است بار دیگر به میان کشید، با صدای بلند، تهدیدکنان، تند و بیشتر عاطفی تا منطقی. نه فرود و نه دانشجوی همراه او و پرویز کی‌تبار معرف او یادشان می‌آید چه چیز مهمی گفت که آنها تا آن وقت نمی‌دانستند. آیا سران فرقه در تبریز برای رهائی ایران و ایرانیان از جور و ظلم دستگاه حاکم مبارزه می‌کنند و یا پشت سر آنها قوای خارجی و یا چند تن از رجال آذربایجان شوروی با تمایلات توسعه‌طلبی کمین کرده‌اند و فقط انتزاع این قسمت از خاک ایران را خواهانند؟ نتیجه‌ای که کارگران در ازای این همه کشته از این اعتصاب گرفتند چیست؟ آیا اعتصاب با تصویب حزب و «شورا» بوده و یا به خودی خود انجام گرفته؟ آیا نتایجی که از این اعتصاب و خونریزی به دست آمده ارزش تلفات و قربانی‌ها را داشته است یا نه؟ آیا صلاح هست که حزب در چنین وضعی در دولت شرکت کند یا نه؟ از کجا می‌توانست استاد دانشگاه به این پرسش‌ها جوابی بدهد. او اسیر احساساتش بود و صادقانه تصور می‌کرد که همهٔ کارها و اقدامات به خوبی و به سود همهٔ مردم ایران انجام خواهد یافت.

وقتی فرود و کی‌تبار از جلسه خارج شدند و هوای تازهٔ آخر شب را فرودادند و تصمیم گرفتند پیاده به خانه بروند هیچ کدام حرفی نداشتند به هم بزنند. فرود به محلهٔ عرب‌ها رفت. آنجا اطاقی برای خود اجاره کرده

فرود از خود می‌پرسید نتیجهٔ این بی‌آبروئی در اثر شرکت فقط سه ماه در هیئت وزیران، در حالی که همین دولت و وزیران این دولت مقدمات سقوط آذربایجان را فراهم می‌آوردند، چه بود؟ جوابی نداشت بدهد. نتیجه این شد که مهری به کلی خودش را از حزب و کار سیاسی کنار کشید و شوهر کرد و دیگر فرود او را ندید، و کی‌تبار را پدرش به امریکا فرستاد تا از شر کمونیست‌ها در امان باشد.

٦

حادثه‌ی مهمی در زندگی او در دوره پیش آمد و به مثابه‌ی پـرش بشمار رفت.

هر از چندی نرگس و فرود همدیگر را مـی‌دیدند. اغـلب روزهـای جمعه ناهار مهمان هم می‌شدند. بیشتر دختر پسر را به خانه‌اش دعوت می‌کرد. برای او پلو و آبگوشت و غذاهائی که حاجیه خـانم بـلد بـود خوشمزه بپزد، تهیه کرد. هربار از او می‌پرسید چه میل داری برایت بپزم. کوفته، شامی، مسمای بادنجان، کاچی، حلیم، سمنو هم بلد بود بپزد. اینها همه را از حاجیه خانم آموخته بود. این اداهای دختر فرود را به خـنده می‌انداخت، ته دلش ناراحت می‌شد. این اطوارها از آن زنـی بـود کـه داشت نقش مادر را بازی می‌کرد نه عروس خانمی که آدم میل داشت دست به لُپ‌هایش بکشد، ببوسدش و تنگ در آغوشش‌گیرد. دوتائی خواهر برادرانه با هم بـودند، مـی‌گفتند و مـی‌شنیدند، خـاطرات مـبادله می‌کردند. نـامه‌هائی کـه از خـویشان دریـافت کـرده بـودند بـرای هـم می‌خواندند، بعد اگر هوا خوش بود، نه گرم و نه سرد، با هم به‌گردش می‌رفتند. سوار اتوبوس می‌شدند و در شمیران‌گشتی می‌زدند. در تابستان

گردوی تازه و چاقاله می‌خریدند و در راه می‌خوردند و در زمستان به کافه‌ای سر می‌زدند و چائی و قهوه می‌نوشیدند. هنوز عرق‌خوری باب طبعشان نبود. سر شب فرود نرگس را به خانه می‌رساند و از هم جدا می‌شدند. این ملاقات‌ها برای فرود هم خوش‌آیند بود: گوارا، سرگرم‌کننده و شادی‌بخش، و هم تلخ و آزاردهنده. هر دفعه فرود بیشتر احساس می‌کرد که در چنین روزهائی این نرگس همان دختر همسایهٔ پریروزی یا دانشجوی پزشگی دیروزی نیست. در محیط دانشگاه پیراهن ساده یا کت و دامن معمولی چند سال پیش را که داشت برایش تنگ می‌شد، می‌پوشید اما در روزهای دیدار حسابی خودش را می‌آراست. سیاهی پشت چشم، خط نازک و قوس ابروها، سرخی لب‌ها، سینهٔ باز و سینه‌بند مروارید که از جهاز مادرش به او رسیده بود، خلاصه همه چیزش برای هر مردی فریبنده بود. از همه افسونگرانه‌تر عطر مست‌کننده‌ای بود که از این زن تراوش می‌کرد و محیط را چه در خانه و چه در خیابان‌های شمیران پر می‌کرد.

کششی در درون فرود به این موجود لطیف داشت نطفه می‌بست. دیگر این زن زیبا برای او علی‌السّویه نبود. سابقاً وقتی هردوشان بچه بودند همه‌اش در این فکر بود که چگونه به دختر بزرگتر از خودش به شوخی و جدی آزاری برساند که از حرف تجاوز نکند. از زمانی که سینه‌های او آماس کرده بودند و لب‌های نازکش بوسه می‌طلبیدند. گاهی که به رسم دوران بازیگوشی در گوشهٔ حیاط و باغچه سر کول هم می‌پریدند هوس‌هائی در او زنده می‌شد که خودداری از آن خارج از ارادهٔ او بود. همیشه هر وقت از او جدا می‌شد به خود سقلمه می‌زد و می‌گفت فایدهٔ این روزهای جمعه چیست؟ روز پنجشنبه که می‌شد،

شوقی در خود احساس می‌کرد و به سوی او می‌شتافت و خوب می‌دانست که او را یا در خانهٔ آقای ترشیزی و یا در سر راه به خانهٔ خودش خواهد یافت.

اگر فرود این دختر را از بچگی نمی‌شناخت حتماً می‌کوشید او را در آغوش گیرد و ببوسد. آمادگی از جانب نرگس حتماً وجود داشت. گاهی از برق چشم و از تپش دل و لبخندهای مهرانگیز و کرشمه‌های زنانه آشکار بود که در وجود او عشق نیز همراه هوس دارد زبانه می‌کشد. در ذهن فرود چیزی نقش می‌بست که خودش بعدها از آن آگاهی یافت. هر وقت از هم جدا می‌شدند از خود می‌پرسید عاقبت این برخوردهای روز جمعه به کجا منتهی می‌شود.

هر دوی آنها در این ملاقات‌ها از زندگی خود یکدیگر را مطلع می‌کردند. از آنچه در سر درس و در محیط دانشجوئی و در برخورد با مردان دیگر می‌گذشت باخبر بودند. فرود حتی بی‌رودرواسی اشاره‌ای هم به تمایل خود در گذشته به مهری کرد. در این زمینه نرگس چیزی نداشت بگوید. او همهٔ کوشش‌های دانشجویان و حتی استادان را که راهی به دل او بگشایند خنثی کرده بود.

فرود صادقانه از ورود به حزب، از کشمکشی که درونش برای یافتن راه حل دشواری‌های اجتماعی و سیاسی رخ می‌داد به تفصیل برای نرگس حکایت می‌کرد. به تنها کسی که می‌توانست درد دل کند نرگس بود. باکی نداشت که سفرهٔ دلش را پیش او باز کند.

شکست فرقهٔ دموکرات آذربایجان، تذبذب حزب در این مسئله که با سرنوشت ایران بستگی داشت، راندن مفتضحانهٔ سه وزیر از هیئت دولت و فرار چند تن از سران به خارجه دیگر رازهائی نبودند که بتوان پنهان

کرد. «از یک طرف می‌نشینند و در کنگره کلاه خود را قاضی می‌کنند و تصمیم می‌گیرند تا زمانی که یک دولت ملی و دموکراتیک سر کار نیاید از شرکت در دولت خودداری کنند و از طرف دیگر یکی از دریده‌ترین ملاکین آنها را فریب می‌دهد و سه وزارتخانه در اختیارشان می‌گذارد و پس‌از سه‌ماه آبرویشان رامی‌برد. آقایان ازذوق حلیم توی دیگ می‌افتند.»

نرگس می‌شنید و خاموش می‌ماند و دم نمی‌زد. این بیعلاقگی او بیشتر حرص فرود را درمی آورد. «آخر تو هم یک چیزی بگو.»

«چرا تشر می‌زنی؟ چه دارم بگویم؟ چرا سر من داد می‌زنی؟ مگر من گفتم برو تو حزب؟ دست از این کارهایت بردار، برو درسَت را بخوان، دانشگاهت را تمام کن و به زندگی‌ات...»

فرود دوید تو حرفش: «بله، پول دربیار، زن بگیر، بچه پس بینداز، آش و پلو بخور، شکمت راگنده کن! تو این را می‌خواهی هان.»

«مگر تو از همهٔ مردم دنیا بهتری؟ مگر تو تافتهٔ جدا بافته‌ای؟ زندگی همین است. بله، من می‌گویم برو آدم بشو، مثل همهٔ مردم دنیا. اما تو خیال می‌کنی از فلان فیل افتاده‌ای.»

نرگس در نظریهٔ خود پابرجا بود، بخصوص پس از تجربه‌اندوزی در جلسه‌های زنان شهرشان و حرکات جلف آن بیوه‌زن و هرگز تمایلی ابراز نکرد که در حزب یاگروه زنان و یا در اتحادیهٔ دانشجویان فعالیت کند، با وجودی که خبر داشت آقا معلم پدرش در شهرستان نقش سیاسی مهمی به عهده گرفته و «جبههٔ آزادی» را اداره می‌کند.

پس از یک سال و نیم اقامت فرود در تهران هر دوشان تصمیم گرفتند به اتفاق هم تعطیل تابستان را در شهرشان بگذرانند و شادی فراوان برای پدر و مادر خود فراهم سازند.

۷

حاجی آقا دیگر به پسرش فخر می‌کرد. به همه کس می‌گفت که فرود فعالیت سیاسی دارد و برای روزنامه‌ها شعر می‌گوید و مقاله می‌نویسد. این خبر حتی به گوش امام جمعهٔ شهر هم رسید. در محفل علما اعتصاب کارگران شرکت نفت و کامیابی آنها علیه دولت غاصب انگلیس به منزلهٔ پیروزی ملی تلقی می‌شد. نرگس برای پدرش مقالاتی را که فرود در روزنامه‌ها منتشر کرده بود، می‌فرستاد. این مقاله‌ها اغلب با اسم‌های جعلی و زمانی هم با امضای فرود نشر می‌یافت. این نوشته‌ها توسط حاجی آقا برای دیگران هم خوانده می‌شد. پیش آمد کرده بود که حاجی آقا بعضی از جملات آنها را بالای منبر نقل کرده بود. خبر ورود فرزندان برای تمام خانواده بسیار فرح‌بخش بود. حاجیه خانم دیگر دست از پا نمی‌شناخت. چند تن از طلبه‌ها به باغچه آمدند، آب حوض را کشیدند و از نو آب انداختند و اگر می‌دانستند که فرود از قربانی دلخور نمی‌شود گوسفندی جلوی پای او می‌کشتند. حاجی آقا که در نظر داشت در همان اوان به نجف اشرف مشرف شود این زیارت را به بهار سال آینده محول کرد. همان دمِ در، به محض اینکه فرزندش را در آغوش کشید کمرش خم

شد، گریه‌اش گرفت و فرود و آقا معلم او را به اطاق بردند و طولی نکشید که حالش جا آمد و در مهمانی دسته جمعی که هر دو خانواده به کمک منیره و بدری فراهم کرده بودند شرکت کرد.

اما این شادی و خوشی به زودی تبدیل به اضطراب شد و چیزی نمانده بود به بدبختی منجر شود.

در شهرشان جنب و جوشی برپا شده بود. از تهران یک نفر را به اسم مسئول حزب فرستاده بودند. این جوانک آدم خوشمزه و کم‌عقلی بود ـ نصف بیشتر وجودش تصنّع بود. ادای لنین را درمی‌آورد. گاهی هم سبیل کلفت می‌گذاشت و چکمه می‌پوشید. آنگاه به خیال خودش همهٔ کارگران را می‌توانست مثل موم در چنگش نرم کند.

این جور آدم‌ها دست‌پروردهٔ «شورا» بودند. برخی به کار خود ایمان داشتند و برخی هوچی بودند. شمعی پسری بود که زیر دست یک مهاجر بزرگ شده بود. از بچگی زندگی پدر چلاق و ننه‌اش را با پرتقال‌فروشی، خرکچی‌گری، پینه‌دوزی و بالاخره سیگارپیچی در کارخانهٔ دخانیات تأمین کرده بود. خیال می‌کرد این کارگران عضو «شورا» بورژو هستند ـ اصطلاحی که از پدرش آموخته بود ـ و باید با تحکم و داد و فریاد آنها را به فعالیت واداشت. مقصود او از بورژو چه بود؟ خودش هم نمی‌دانست و فقط وقتی با روشنفکران حزب، که او را به ملایمت در رفتار و ملاطفت بیشتر توصیه می‌کردند این اصطلاح را به کار می‌برد. نرگس از این اصطلاح خوشش آمده بود و روزی به فرود گفت نکنه خودت هم بورژو هستی و خودت نمی‌دانی.

این شمعی را از تهران فرستاده بودند که کارگران را سازماندهی کند.

برای او در کارخانهٔ توتون‌بری کاری پیدا کرده بودند. زرنگ بود و کاری و بِبُر و بدوز. تصمیم می‌گرفت و اجرا می‌کرد، اما اقرار به گناه و خطا نمی‌کرد. تیرش که به سنگ می‌خورد دیگران را مقصر می‌دانست. دستهٔ شمعی خود را حزبی می‌دانستند. در مقابل آنها هم دسته‌ای از آزادیخواهان قدیمی برای خودشان حزبی تشکیل داده بودند و خود را طرفدار سام میرزا و سوسیالیست می‌دانستند. جبههٔ آزادی هم وجود داشت که زیر نظر آقا معلم بود. جبههٔ آزادی با روزنامه‌های «خاورزمین» و «ستاره» در تهران ارتباط داشت و اجرای قانون اساسی را هدف اساسی خود می‌دانست و آقا معلم می‌کوشید در روزنامهٔ «پایدار» از تندروی‌های امثال شمعی در شهرستان جلوگیری کند و نگذارد که کار به جدال علنی و زد و خورد خیابانی بکشد. فرود هم می‌کوشید دو حزب را با هم آشتی دهد.

در هر صورت تا مدتی یک حزب بالای شهر، در محلهٔ اعیان‌نشین وجود داشت و یک خزب در کوی فقیر بیچاره‌ها. فرود هنوز به آن مرحله نرسیده بود که هر عیبی را ندیده بگیرد و خیال کند که همه چیز روبه‌راه است. از تهران مسئول شهرستان‌ها به او توصیه کرد در سازماندهی حزب دخالت کند تا یک نفر مسئول از مرکز فرستاده شود. اولین اصلاحی که به نظرش رسید این بود که مردک «ادای لنین دربیاور» را از اتحادیه دک کند، تا او در این دستگاه هست این دو گروه نمی‌توانستند با هم جوش بخورند. کلمات قصار او که «اسب آزادی را در آذربایجان جو دادیم و یکراست باید تا خلیج فارس بتازیم و آنجا مال‌ها را آب بدهیم» دیگر مسخره شده بود. بدین طریق یارو قضیهٔ ملیت را حل

کرده بود. قصدش از این جمله این بود که قیام آذربایجان هدفی جز زیر و رو کردن اوضاع ایران به زیان شاه و دربار و همپالکی‌هایش و به سود مردم ایران ندارد. آنهائی که در بالای شهر زیر علم آقای سربلند سینه می‌زدند پشت این هیاهوی آذربایجان خروش و پرخاش تندروهای آذربایجان شوروی را می‌شنیدند که منظورشان جدا کردن این استان و الحاق آن به حیطهٔ قدرت باکونشینان بود.

فرود تصمیم گرفت شمعی از خر شیطان پائین بکشد و اگر نتواند عذرش را بخواهد. روزی یخه‌اش را گرفت و سخت با او درافتاد:

«رفیق، بیا بنشینیم با هم صحبت کنیم. با داد و بیداد کار پیشرفت نمی‌کند... تو از کی دستور می‌گیری؟ از شورا یا از حزب؟»

شمعی می‌خواست از زیر جواب صریح در برود. شروع کرد به من و من کردن:

«من از کسی دستور نمی‌گیرم. کاری که به نظرم درسته می‌کنم.»

«نه، این جور نمی‌شه، در کارهای حزبی ما تابع دستورات حزبی هستیم... خانهٔ خاله که نیست.»

«من از شورا دستور می‌گیرم.»

«کی به تو گفته زیر گذر کتک‌کاری راه بیندازی؟ بیخودی مردم را به اتهام اینکه گرانفروشی کرده‌اند در زیرزمین حبس کنی. برای چه با ناظم مدرسه سر اینکه بچهٔ بداخلاقی را از سر درس بیرون کرده دربیفتی.»

«پس هرچه ارباب‌ها می‌کنند قبول کنیم و جیک نزنیم.»

«کی گفت هرچه ارباب‌ها می‌کنند بپذیریم. ناظم مدرسه اربابه؟ میرزا حسین خرازی‌فروش اربابه؟ شلوق‌بازی در بازار علیه ارباب‌ها بوده.»

«در تهران هم اسماعیل آقا را حبس کردند.»

«آن پسرهٔ لاتی را که چنین دستوری داده بود از شورا بیرون کردند. او سرمشق تو بوده است؟»

«نه‌خیر، من از تهران می‌پرسم.»

«ببین چه می‌گویم. اگر دست از خرابکاری برنداری اینجا یا جای تو است یا جای من. همین حرف را هم به شورا فوری خبر بده. من هم همین کار را می‌کنم.»

این بگو مگوها در حضور آذر آقا صابون‌پز و علی جابر و چند کارگر دیگر و یکی دو تا از شاگردان آقا معلم صورت گرفت. شمعی تو لب رفت و چند روز بعد به تهران عزیمت کرد که با دستورات تازه از مرکز به کارش برسد و دیگر برنگشت.

در چنین اوضاع و احوالی تصمیم گرفته شد پس از وحدت دو گروه میتینگی تشکیل شود. با تظاهرات همگانی مردم قرار بود نوک مرتجعین و لاستیک‌دزدان و محتکرین، که توطئهٔ بزرگی داشتند زمینه‌چینی می‌کردند، چیده شود. چو انداخته بودند معلمی سر کلاس گفته بشر از نسل میمون است و همهٔ معلمین حزبی باید از شهر بدر شوند، آن هم با هو و جنجال و بی‌آبروئی.

فرود با این میتینگ موافق نبود. او می‌دانست در زمانی که حزب با دستگاه دولتی در بند و بست است منافقین بیکار ننشسته‌اند. حاجی آقا هم از این در و آن در شنیده بود که دارند توطئه‌ای می‌چینند. اما دیگر مقدمات آن فراهم شده بود. تهران هم مخالفتی نداشت. همه‌اش از احتیاط دم می‌زد.

میتینگ در سبز میدان می‌بایست برپا شود. آنجا مسجدی بود و در آن کسی آمد و شد نداشت. درگنبدش دختران دم بخت هاون می‌بردند و می‌کوبیدند که شوهر پیدا کنند. این تشریفات در ماه رمضان و روزهای پس از احیا انجام می‌یافت. جلوی مسجد جمعیت مخالف حزب موضع گرفته بود. امام جمعهٔ شهر از اینگونه توطئه‌ها که آنها را زیر سر انگلیس‌ها می‌دانست بیزار بود. قناعت و پرهیزگاری و پارسائی او در تمام شهر شهره بود. در هر امری به مؤمنین توصیه می‌کرد دقت کنند که به دست خارجی به حرکت درنیایند. خودش را به کلی از سیاست برکنار می‌داشت. عقیده‌اش این بود که اگر او در زمان محمد علیشاه به هواخواهی دو سیّد برخاسته، تخت محمد علیشاه را واژگون کرده، باز هم نادانسته آلت فعل بوده و از خود اختیاری نداشته است. از این جهت باید هر توطئه‌ای را قبل از آنکه بیگانگان به سود خود از آن بهره‌برداری کنند خفه کرد.

حاجی آقا ذهن او را روشن کرد که بلوائی دارد زمینه‌چینی می‌شود و خوبست که از آن جلوگیری شود. سپس آقا معلم خدمت حجت‌الاسلام رسید و از او خطّی گرفت حاکی از اینکه او هرگز چنین ادعائی نکرده که حزبی‌ها بابی هستند و یا کافرند. لعنت بر کسی که چنین ادعائی کرده است، به‌علاوه معلمی که به او نسبت کفر داده می‌شود از اولاد پیغمبر است. اگر هم کفر گفته و ائمه را سبّ و لعن کرده باشد باید او را به راه راست دعوت کرد. با این اعلامیه حزب قوام پیدا کرد. روز به روز بر شمارهٔ کسانی که در بالاخانه و حیاط حزب جمع می‌شدند افزوده شد. این موفقیت را همه کس نتیجهٔ ابتکار و پشتکار فرود دانست. تهران از این پیشامد حداکثر استفاده را کرد. آنها بل گرفتند. به فرود دستور دادند در

شهر موطنش بماند. او را وادار کردند در همان روزنامهٔ «پایدار» که در آن سابقاً کار کرده مقاله بنویسد.

خانوادهٔ او از این رخداد خوشحال شدند. تنها آقا معلم دلخور بود. اما کسی که از این وضع تازه رنج می‌برد نرگس بود بدون اینکه هیچ به روی خود بیاورد.

وقتی خواستند از هم جدا شوند نرگس نفس نفس می‌زد. صورت ظاهر علت ناراحتیش این بود که فرود یک سال از درسش عقب می‌افتد. اما این نقص به عقیدهٔ فرود خدشه‌ای در کارش وارد نمی‌آورد. یقین داشت که تابستان به تهران برمی‌گردد و در شهریور امتحان می‌دهد و عقب‌افتادگی‌اش را جبران می‌کند. به قول خودش بیدی نبود که از این بادها بلرزد. نرگس گفت:

«نمی‌دانم. با وجود این غصه‌ام است، خودم هم نمی‌دانم چرا.»

«غصه نخور، من درنمی‌مانم.»

«نگفتم تو درمی‌مانی، اما من غصه‌ام می‌شود.»

«از کجا معلوم است، شاید تا چند هفتهٔ دیگر باز هم به تهران آمدم.»

نرگس طاقت نیاورد. دستش را از دست فرود بیرون کشید و هنوز بغضش نترکیده گفت:

«برو بابا، با دلداریت. دلت غنج می‌زند که مسئولیتی بهت واگذار کرده‌اند.»

فرود باز هم دو سه ماه آزگار روزنامه‌نویس شد. اما وظیفهٔ عمدهٔ او کار تشکیلاتی بود. جمع‌آوری کارگران و متشکل کردن آنها در اتحادیه‌ها وظیفه‌اش بود. گاهی تا نصف شب با مردم سر و کله می‌زد.

تشکیل شود و سربلند رئیس آن باشد و در هر امری همه با هم شور کنند. از همین هیئت چندی بعد کمیتهٔ ایالتی بوجود آمد. سربلند پس از تشکیل هیئت به فرود گفت: «تو با یک وجب قد و بالا خوب سر مرا شیره مالیدی و کلاه سرم گذاشتی.»

«آقای سربلند، ما مخلص شما هستیم.»

از این راه دو گروه با هم یکی شدند و آبروئی برای حزب فراهم آوردند.

خلاصه، فرود دانشکده را ترک کرد تا جشن اول ماه مه سال ۱۳۲۵ پیش آمد. چند نفر، از جمله آقا معلم و آذرآقا به نمایندگی از طرف اتحادیه پیش رئیس شهربانی رفتند که از او اجازهٔ درمونتسراسیون بگیرند. سرهنگی که چند روز قبل از تهران آمده و مسئولیت حفظ و حراست شهر را به عهده گرفته بود نمی‌توانست چنین اجازه‌ای بدهد:

«امنیت عمومی مختل می‌شود. مخالفین هم صف آرائی کرده‌اند. صلاح کشور نیست. تظاهرات شما موجب آشوب در شهر خواهد شد. آقایان خوب است صرف‌نظر کنند. مصلحت در این است.» و بهانه‌هائی از این دست.

نمایندگان با لب‌های آویزان برگشتند، نشستند و مشورت کردند. آقا معلم صلاح دید کوتاه بیایند. بهتر است که با رئیس شهربانی تازه‌وارد درنیفتند. آذرآقا معتقد بود که اگر جشن اول ماه مه برازنده‌گرفته نشود جماعت کارگران دیگر از آنها حرف‌شنوی نخواهند داشت. قرار شد بار دیگر به شهربانی بروند و رئیس را متقاعد کنند. این بار فرود هم همراه آنها رفت. گفتگو به اوقات تلخی کشید. فرود پرخاش کرد آیا همین

رفتار خشن جوان بی‌تجربه باعث شد که رئیس شهربانی برای او خط و نشان بکشد. حرف آخر مأمور دولت این بود: «ما دستور داریم نگذاریم تظاهراتی در شهر برپا شود. بد می‌شود.»

بد هم شد. حزبی‌ها با مرکزشان در تهران تماس گرفتند. جواب بسیار سربسته بود و دوپهلو: «احتیاط کنید. مسئله پیچ دارد.»

آنگاه به پیشنهاد آقای پایدار قرار شد جمعیت فقط در سالن سینما جمع شود و آنجا کسی دربارهٔ تاریخچهٔ اول ماه مه صحبت کند و در پایان جلسه تقاضاهای کارگران اعلام شود. قرعهٔ فال به‌نام فرود زده شد. تا نصف شب فرود در کتابخانهٔ کوچک حاجی آقا نشست و نطق خودش را حاضر می‌کرد. نیمه شب حاجیه خانم به سراغش آمد، به تصور اینکه پسرش بیمار است. پس از چند دقیقه حاجی آقا سری به او زد. دلش می‌خواست ساعتی با فرزندش خلوت کند. فرود آنچه نوشته بود برای پدر خواند. حاجی آقا نظریاتی داشت که پس از بحث مورد موافقت قرار گرفت. پدر توصیه می‌کرد طوری سخن‌رانی‌اش را تنظیم کند که نه‌فقط کارگران و حزبی‌ها برای او دست بزنند بلکه بازاری‌ها و حاشیه‌نشینان نیز آزرده نشوند تا اگر اتفاقی افتاد اینها در صف منافقین قرار نگیرند. مدتی پدر و فرزند در این باره با هم مشورت کردند و فرود اقرار کرد که او داوطلب این نطق نبوده منتها به او حالی کرده‌اند که صحبت یک دانشجو که از تهران آمده و آن هم از جانب حزب بیشتر برای مردم جاذبه دارد تا حرف‌های یکی از اهل محل.

جمعیت از فرود استقبال کرد. برایش دست زدند. تهییج شدند. می‌خواستند او را روی دست بلند کنند و به خیابان‌های شهر بریزند. دهن

به دهن گشت که دانشجو اهل شهر خودشان است و چیزی نمانده که قاضی بشود. بعید هم نیست که با سمت دادستانی به شهرشان برگردد. آن وقت کارگران دادستانی از خودشان خواهند داشت و کسی به آنها زور نخواهد گفت. بدری و منیره این خبرها را می‌شنیدند و به دیگران منتقل می‌کردند.

فرود حس می‌کرد که اختیار دارد از دستش درمی‌رود. ندائی درونی به او نهیب می‌زد: «اگر رهبر است ـ خودش می‌دانست که نیست ـ باید اینجا عرضه به خرج دهد. باید بتواند جمعیت عنان‌گسیخته را با قدرت بیان مهار بکند. خطری دور سرش پرپر می‌زد. گفتۀ آخر رئیس شهربانی یادش آمد: «من مسئول حفظ امنیت در این شهر هستم. هر حادثه‌ای رخ دهد که موجب اخلال نظم شود از چشم شما می‌بینم.» خطاب به هیئت نمایندگی می‌کرد اما چشم به فرود دوخته بود.

فرود بار دیگر پشت تریبون رفت. مردم را به آرامش دعوت کرد. از آنها به خاطر شور و شعفی که نشان داده بودند تشکر کرد. شوق آنها را به آزادی و برادری ستود. از وجود احتمالی آشوبگرانی که ممکن بود در میان آنها باشند، سخن گفت و از آنها خواست و اصرار کرد که دسته دسته بی‌هیچ‌گونه نمایشی به خانه‌های خود بروند و متفرق شوند. خودش دم در ایستاد، با کارگران خوش و بش کرد. هر گروهی را به کسی که مورد اطمینان آذرآقا و سربلند و مقنی و خودش و شاگردان مدرسه بودند سپرد و روانه ساخت که هیچ جا نایستند و ازدحام نکنند و بیخودی تحریک نشوند و شعار ندهند و سرود نخوانند. تا خارج شدن نفر آخر خودش دم در ایستاده بود. در لحظۀ آخر سربلند خبر آورد که جمعیت دارد به

طرف کلوب حزب می‌رود. دیگر از تفرقه خبری نبود. هرچه آذرآقا و آقا معلم کوشیدند که مردم را به راه‌های گوناگون بکشانند سودی نداشت. جعیت سیل‌وار در مسیر کلوب افتاده بود. کسی یا کسانی پچ‌پچ می‌کردند دانشجو گفته است همه به سوی کلوب هجوم آورند. بعد از این زمزمه بلندتر و شنواتر می‌شد. بلندگوئی دستور می‌داد که به کلوب بروند.

سربلند می‌گفت: «چه کنیم؟»

«باید جلوشان را گرفت.»

«حالا فقط از تو حرف‌شنوی دارند. رهبرشان هستی.»

«آقای سربلند، حالا جای زخم زبان نیست. کمک کنید، نگذارید حادثه‌ای رخ دهد.»

هر دوشان دنبال جمعیت دویدند. می‌کوشیدند چند تا چند تا، دسته دسته گروه هیجان‌زده را به کوچه‌ها و پس‌کوچه‌ها بکشانند. یکی را فرستادند پیش آذرآقا که بلندگو را از دست تحریک‌کننده بگیرد و مردم را به آرامش دعوت کند. فرود هر آشنائی را می‌دید به سوئی می‌فرستاد. دستور می‌داد، امر و نهی می‌کرد، تشر می‌زد. برخی او را می‌شناختند و اطاعت می‌کردند، بعضی او را به جا نمی‌آوردند و راه خود را دنبال می‌کردند. سربلند خسته شده بود، صدایش گرفته بود. عرق می‌ریخت. نا نداشت بدود. خود را به درختی تکیه داده بود و با دستمال چرکتابی پیشانیش را پاک می‌کرد. آقای پایدار را دید. او را صدا زد. از او خواست که جمعیت را متفرق کند. در این میانه یکی شعار داد: «زنده‌باد اول ماه مه روز جشن کارگران». یکهو از جانب سبزه میدان صدای گرمبی شنیده شد. پاسبان‌ها و ژاندارم‌ها تیر انداخته بودند. صدای تیراندازی هر آن نزدیکتر

به گوش می‌رسید. تمام حوادث در عرض چند دقیقه رخ داد. با در کردن نخستین گلوله، فرود که خود را هراسان به صف اول جمعیت رسانده بود، دید که یک پسر ۱۷ ـ ۱۸ ساله تفنگ پاسبانی را از دستش ربوده و می‌خواهد آن را علیه مهاجمین به کار برد. خودش نمی‌داند چه شد. بی‌اختیار خود را به وسط جمعیت انداخت. چند نفر دیگر از جمله آذرآقا همراه او می‌آیند. فریاد می‌کشد، به آشنایان دستور می‌دهد که پراکنده شوند. برخی که او را از نطق در سینما شناخته بودند از او تبعیت می‌کنند و به کوچه‌های فرعی می‌دوند و عده‌ای را همراه خود می‌برند. برخی خون چشمشان راگرفته و کور و کر صدای تیر را می‌شنیدند و می‌خواستند خود را به صف اول برسانند. در این هیر و ویر فرود پرید و تفنگ را از دست جوان هیجان‌زده گرفت و به پاسبان رد کرد، باکمال خونسردی. در یک چشم به هم زدن دو سه نفر دور و بر او به زمین غلطیدند.

تیراندازی پی در پی ادامه می‌یافت. فرود خود را به کنار دیوار کشید و می‌دید که چند نفر تیر خوردند و فرار کردند. ناگهان احساس کرد که سنگی به پهلویش خورد. مثل اینکه یک دست غیبی چنگ انداخت و پوست صورتش را جمع کرد. به نظرش آمد که اتفاق مهمی رخ نداده چیزی نشده، تیری به او اصابت نکرده. اما دستش تر شد. خون بود. خونسرد رو به کلوب روانه شد. خونسردیش غیر طبیعی به نظر می‌آمد. منگ شده بود. مضحک به نظر می‌آمد. هیچ هیچی، غوره نشده مویز شده بود. تازه‌وارد حزب نشده، رهبر شده بود: «روز اول ماه مه نطق می‌کند، جمعیت را به هیجان می‌آورد. پهلوی خودش خیال می‌کند

آدمی شده و می‌خواهد به گروه تهییج شده صبر و حـوصله بیاموزد.»
خودش را مسخره می‌کرد، به خودش لیچار می‌گفت، این عادتش بود. در
لحظه‌های فوق‌العاده متلک‌گوئی به خودش او را دلگرم می‌کرد.

در کلوب وحشت حکمفرما بود. چند نفر زخمی آنجا بودند و یک
پزشک متمایل به حزب به کمک پرستاری مـجروحین را زخم‌بندی
می‌کرد. گریه و ناله و داد و فریاد و فحش و لعنت. فرود غیرتش نیامد به
پزشک رجوع کند. از کنار او رد شد و گفت: «آقای دکتر خسته نباشی.»
جواب شنید: «خوشا به حالت که هنوز زنده‌ای، والاّ اگر فرصتی بود
خودم حالت را جا می‌آوردم.»

«آقای دکتر با سر کچل ما می‌خواهی اوستا بشوی؟»

فرود دنبال آذرآقا می‌گشت. به او گفتند در بالاخانه است. از آنجا
می‌شد هجوم مردم را به کلوب مشاهده کرد. پاسبان‌ها می‌کوشیدند که
نگــذارنـد جـمعیت وارد مـحوطه شـود. امـا زن‌هـا زاری‌کنـان دنبال
مردهایشان آمده بودند و هرآن بر عدهٔ آنها افزوده می‌شد. ولوله بـود.
جمعیت در حیاط کوچک می‌لولیدند. برخی لب حوض آب به صورت
خود می‌زدند. چند نفری به دکتر راد کـمک مـی‌کـردند. پیراهـن‌های
خودشان را از تن می‌کندند و با آن زخم‌های مجروحین را می‌بستند. راد
چند نفر را روی نیمکتی نشانده و روی زمین خوابانده بود و چشم به راه
بود وسیله‌ای پیدا کند که آنها را به بیمارستان بفرستد. آقای پایدار خود را
به حیاط رساند. در جستجوی آذرآقا و فرود بود. روانهٔ بالاخانه شد. وی
را مطمئن کردند که زخم فرود جزئی است و فقط بازوی راست و پهلوی
فرود خراش برداشته و به زودی خوب خواهد شد. رفت تلفن کند که

پرستار و دوا و بیمار بربیاید. آقای پایدار با راد چند کلمه‌ای حرف زد و رفت وسیله‌ای برای فرستادن زخمی‌ها به بیمارستان پیداکند. فرود از او شنیدکه آقای سربلند هول کرده و در خانه‌اش خوابیده است. آقا معلم که رفت فرود رو کرد به آذرآقا:

«ببین چی میگم. داد و فریاد راه نینداز. یک تکه کهنه را خوب بسوزان و بتپان روی زخم پهلوی من. چیزی نیست، کمی خراش برداشته»

مثل اینکه بیخ دستش گلوله کمانه کرده بود، یا شاید تیری از تفنگ ساچمه‌ای به دستش خورده باشد. خراشی هم کنار صورتش دیده می‌شد. اما آنقدر خونین و مالین در حیاط کلوب فراوان بودکه کسی نمی‌توانست به زخم صورت او توجه کند. کت فرود سوراخ شده بود تکه‌ای از آن را آذرآقا سوزاند و با آن خون را بند آورد.

پزشک در اطاقی دم در مشغول زخم‌بندی بود. آنجا آمده بودکه ازدحام مانع کارش نشود. به او رساندندکه فرود هم تیر خورده است.

«بگیر بیاد پائین.»

به او گفتند آذرآقا دارد کهنه پاره می‌سوزاند و توی زخم می‌تپاند. دکتر جواب داد: «خیال نمی‌کردم اینقدر ابله باشد.»

کارش را تمام کرد و به بالاخانه رفت. همین که چشمش به آذرآقا افتاد که دارد کهنه‌های خونین را بار دیگر روی زخم می‌گذارد داد زد:

«برو کنار، این کارها را از وسترن‌های امریکائی یادگرفتی. هان.»

آن وقت رو کرد به فرود:

«راستی که خیلی خری. می‌دانی چه کار داری می‌کنی؟»

هرجوری بود با وسائل مختصری که داشت زخم را با الکل از نو

شست و گفت:

«فوری خودت را برسان به بیمارستان تا زخمت را حسابی شست و شو کنند. یک چیزی بینداز روی دوشت. اگر تا شب نفله نشدی صدا کن تا خودم بیام و با یک انژکسیون کلکت را بکنم.»

آذر آقا فریاد کرد:

«بچه ها کی یک کت زیادی داره بیاد بندازه رو دوش داش فرود.»

یکی کت خودش را به او داد. فرود لبخندی زد و گفت:

«باشه، شب عروسیت برات یک دست لباس می خرم.»

«لباس عروسی مال خودت. من دو تا پسر دارم.»

«پس یک سوغاتی عالی سر ختنه سوران پسرت می آورم.»

«انشاءالله.»

دیگر در حیاط کلوب سوزن می انداختی پائین نمی آمد. آنقدر جمعیت آمده بود که بسیاری روی بام رفته بودند. آذر آقا از ترس اینکه بام فرو ریزد دستور داد که یکی دم راه پله بایستد و مانع از عبور مردم شود. فرود نگاهی به خیابان انداخت. جمعیت هنوز پراکنده نشده بود. پاسبان ها دیگر جرأت نمی کردند جلوی زن ها را بگیرند. ژاندارم ها به کمک آنها شتافته بودند. یکی از آنها هقّی، زد به سینۀ زنی. آذر آقا از جا در رفت. فریاد کرد: «مردم هجوم نکنید. اینها هار شده اند. اوی، امینه چی، اگر راست می گوئی و مردی به دست من بزن.» ژاندارم هم نامردی نکرد. راستی هم سینۀ او را هدف قرار داد. شوخی یا جدی؟ معلوم نشد. می خواست بترساند و یا در حال غیظ و غضب اختیار از دستش در رفته بود. آذر آقا سینه اش را سپر کرد و مشتش را روی پستانش فشار داد و

چنین به نظر می‌آمد که با مرگ خود آماده است انتقام این گستاخی امروز را از نامردان بگیرد. ژاندارم نشانه گرفت. فرود تر و چسب آذرآقا را هول داد به طرف درگاه اطاق و گلوله انگ به دیوار ایوان خورد و گچ‌های آن را ریخت. همین که صدای تیر بلند شد باز عده‌ای فرار کردند و برخی به سوی ژاندارم هجوم بردند و اگر رئیس ژاندارمری سرهنگ جمال با جیپ نرسیده بود شاید جمعیت غیظ‌زده کلک او را می‌کند. فوری دستور داد ژاندارم را توقیف کنند.

سرهنگ جمال یکراست آمد به بالاخانه. همین که چشمش به فرود افتاد در حال دریافت که چیزیش هست: رنگش پریده بود. کت گشاد روی شانه‌های او می‌رساند که به او هم آسیبی رسیده است. زخم روی صورت چنین گواهی می‌داد.

سرهنگ جمال به فرود گفت: «چرا برخلاف دستور شهربانی دسته‌جمعی در خیابان‌های شهر تظاهر کردید..»

چند نفر که دور و بر سرهنگ و فرود و آذرآقا ایستاده بودند دویدند توی حرفش. از حیاط جنجالی برپا شد که گوش را کر می‌کرد.

فرود و آذرآقا جمعیت را آرام کردند. سکوت برقرار شد. فرود گفت:

«جناب سرهنگ آمده‌اید ما را مقصر قلمداد کنید یا حقیقت را دریابید؟»

صدا از کسی برنخاست. همه گوش شدند.

آذرآقا جواب داد: «ما داشتیم به سوی کلوب می‌رفتیم که پاسبان‌ها تیراندازی کردند.»

فرود رو به آذرآقا: «بس کن. ما اینجا استنطاق پس نمی‌دهیم. اگـر محکمه‌ای شد همه چیز را خواهیم گفت.»

سرهنگ گفت: «بفرمائید در این اطاق تا با هم صحبت کنیم.»

در طاقچه‌های اطاق چندتا کتاب چیده بودند. نمدی کـف اطـاق را پوشانده بود. تصویرهائی از سران مشروطیت و سلیمان میرزا به دیـوار آویزان بود. سرهنگ دنبال صندلی می‌گشت و نـیافت. آرنـجش را بـه طاقچۀ گچی تکیه داد، پای چپش را عقب کشید، سرش را خم کرد و با لحن دیگری، کمی خودمانی گفت:

«آقای فـرود، مـن بـرای بـازپرسی نیامده‌ام. آمـده‌ام از خـونریزی جلوگیری کنم. به آدم‌هایتان دستور بدهید هرچه زودتر پراکنده شوند.

کمی آهسته‌تر افزود: «آمدم به شما بگویم که مـن هـیچ مسئولیتی ندارم. من دستور تیراندازی ندادم. بعداً البته معلوم خواهد شد که کـی مسبّب این حادثه بوده است.»

فرود گفت: «یا مثل معمول هرگز معلوم نخواهد شد. جناب سرهنگ، چه فایده دارد که به مـن بگـوئید. آیا حـاضرید هـمین گـفته‌تان را در محکمه‌ای اقرار کنید؟»

«اگر لازم شود اعتراف خواهم کرد. اما به شما گفتم تا اقلاً بدانید که من مقصر نیستم.»

وقتی فرود اسم سرهنگ جمال را می‌آورد غمی صورتش را درهم می‌فشرد. من کاتب متوجه شدم و علت ناراحتی‌اش را پرسیدم. این است آنچه او در نوار حاشیه رفته: «این قیافه را دیگر هرگز ندیدم. همین چند لحظه بود. اسمش را بعدها زیاد خواندم. عجیب است که حالت چهره‌اش

در آن لحظه در ذهن من حک شده و تا عمر دارم زدوده نمی‌شود. اسمش جزو اسامی افسران تیرباران شده درآمد. می‌دانید کدامیک؟ همان که نگذاشت چشم‌هایش را موقع تیرباران ببندند و گفت می‌خواهم ببینم چگونه وقتی فرمانده‌تان تیر آخر را می‌اندازد دستش می‌لرزد. این همان سرهنگ جمال بود. چند لحظه بیشتر ندیدمش اما اغلب جلوی چشمم است...»

«متشکرم. تا به حال چندین نفر زخمی شده‌اند که باید به بیمارستان فرستاده شوند. یک نفر تیر به شکمش خورده. بالاخره باید معلوم شود که کی مسبّب این تصادم بوده است. خدا کند که کسی نمیرد. ببخشید، من باید بروم و جلوی تحریکات را بگیرم.»

«شما سوار جیپ من بشوید و کارتان را انجام دهید. من اینجا می‌مانم.»

فرود سوار جیپ شد. همین که کارگران او را سوار جیپ دیدند به سوی او هجوم آوردند. یک افسر شهربانی داد زد:

«بگید جمع نشوند والاّ دستور تیراندازی می‌دهم.»

پاسبان‌ها دستفنگ کردند و چیزی نمانده بود که رگبار گلوله بغرد. از بالاخانه صدای سرهنگ جمال بلند شد:

«کی گفت تیر بیندازید؟»

«پدرسوخته‌ها» را یواش گفت به طوری که فقط دور و بری‌های او شنیدند.

فرود سوار جیپ از مردم خواهش کرد متفرق شوند.

سر راه در سبز میدان در کتابخانه‌ای که اغلب پاتوق روشنفکران حزبی

بود، توقف کرد. حال و احوال پرسید. به او گفتند که عده‌ای را به بیمارستان برده‌اند. چند نفر هم کشته باید داشته باشیم. شمارهٔ زخمی‌ها بسیار زیاد است. فرود با جیپ خودش را به بیمارستان رساند. آنجا غوغائی برپا بود. چند پزشک و پرستار سخت تلاش می‌کردند. کسی را دنبال دارو و وسائل زخم‌بندی فرستاد، خودشان هرچه داشتند به کار می‌بردند. در راهرو مرد تنومندی با سینهٔ گوشتالو نفسش درنمی‌آمد که بلند ناله کند، خرخر می‌کرد. دختری سربندش را روی زخم گذاشته بود که خون را بند بیاورد. گلوله از روی سینه رد شده تکه‌ای از سینهٔ مرد تنومند را برده بود. دخترک وقتی دید که فرود به سوی او می‌آید سربندش را از روی زخم برداشت و آن را نشان داد. عاقل مرد دستش را تکان داد، نوک شلوار فرود را گرفت و گفت: «این هم بالای تو، این هم بالای آزادی.»

این مرد حسینعلی رانندهٔ کامیون بود که اول بار او را در جلسهٔ خانهٔ سربلند دیده بود. کونهٔ تفنگ به پشتش زده بودند. از درد می‌نالید. چند روزی او را در زندان نگه داشتند. گفتند به پاسبانی در حین انجام وظیفه توهین کرده، او را نوکر اجنبی خوانده و تهدیدش کرده است. در حزب ماند و تا دم آخر وفاداری کرد. تا ناامید شد و دنبال کارش رفت و گاراژدار شد و پولدار. دوستانش هنوز همان حزبی‌های سابق هستند.

فرود احساس سستی کرد، انگار کسی قلبش را در مشت می‌چلاند. غیظش گرفت. در دل به خودش پرخاش کرد. خودش را گناهکار می‌دانست. حتماً تقصیر او بوده است. بیش از اندازهٔ لازم به تودهٔ مردم اعتماد کرده بود. فقط تذکر اینکه دسته دسته بی‌هیچ نمایشی به خانه بروند

کافی نبود. آنهائی که در خون غلطیدند از کجا می‌توانستند خبر داشته باشند که پشت پرده چه اتفاقی افتاده که رئیس شهربانی اکیداً قدغن کرده، که حزب دستور رعایت احتیاط داده و قرار شد که مردم فقط در سینما جمع شوند و در خیابان‌ها تظاهرات نکنند. چرا او برایشان نطق کرده و آنها را به هیجان آورده؟ چرا فقط به تذکر قناعت کرده و به خاطرش نرسیده کارگران را همراه افراد شورا چندتا چندتا به خانه‌هایشان بفرستد و یا اقلاً برایشان توضیح دهد که چرا نباید در شهر ازدحام کنند. آری «رهبربازی» کردن به نظر بسیار آسان می‌آید اما رهبری کردن چیزکی بیش از نطق کردن می‌خواهد.

این جدال درونی او را از پا درآورد. روی صندلی نشست. ناگهان رنگش سفید شد و داشت از حال می‌رفت. وقتی نوبتش رسید جراحت مختصر او را شست و شو دادند و بستند.

فرود به خانه رفت و به بهانهٔ اینکه خسته است خود را در رختخواب انداخت و ظاهراً کسی نفهمید چه اتفاقی افتاده. به بهانهٔ اینکه شب پیش کم خوابیده سر ناهار نرفت. البته همه تعجب کردند. منیره و بدری از مدرسه شنیده بودند که شهر شلوغ شده و عده‌ای زخمی و کشته شده‌اند اما از کجا می‌دانستند که به برادرشان تیر خورده است. کنار صورتش خراشی دیده می‌شد اما هر وقت حاجیه خانم به او سر می‌کشید خود را به خواب می‌زد و جای زخم را پنهان می‌کرد. آنقدر بیحال شده بود که سر شام هم نرفت. حاجی خبردار شده بود که چه بر سر فرزندش آمده اما به روی خود نمی‌آورد. خواهران مظنون شدند و هر دم به بهانه‌ای به اطاق سر می‌کشیدند و کنجکاو بودند ته و توی کار را درآورند.

برخلاف تصور فرود که خانواده‌اش از ضربتی که به او رسیده بی‌خبر خواهند ماند، حاجی آقا و آقای پایدار چند دقیقه پس از درگیری اطلاع حاصل کردند. از بیمارستان بهشان گزارش داده بودند که بلائی از سر فرزندشان گذشته است و به همین جهت تصمیم گرفتند به سبب آسایش خاطر حاجیه خانم موضوع را بی‌اهمیت تلقی کنند. به روی خودشان نیاوردند ولی دائماً مراقب بودند و حاجی آقا بدری را که حالا سری توی سرها می‌آورد پنهانی به اطاقش می‌خواند و از حال فرود جستجو می‌کرد. بدری هم دودوزه بازی می‌کرد. از یک‌سو تلاش کرد و دریافت چه بر سر برادرش آمده و از جزئیات معالجهٔ او چه در حیاط کلوب و چه در بیمارستان خبردار شد و چنین وانمود کرد که به هرچه برادرش می‌گوید باور دارد و بدین وسیله می‌تواند مادرشان را مضطرب نسازد.

آنقدر دو خواهر آمدند و رفتند که فرود صداشان زد: «مبادا به حاجیه خانم و حاجی آقا چیزی بگوئید. چیزی نیست. خوب، سنگی به پشتم خورده و تا فردا صبح خوب خواهد شد. برید شام منو بیارید اینجا. اما جیک نزنید.»

صبح‌ها فرود از همه زودتر برمی‌خاست. پدر و مادر در یک اطاق می‌خوابیدند و منیره و بدری در اطاق دیگر. رختخواب فرود را معمولاً در جائی که نمازخانه و محل مطالعه و پذیرائی حاجی آقا بود، می‌انداختند. سابقاً هرسه تا بچه در یک اطاق می‌خوابیدند اما تا وقتی که فرود به تهران رفته، دانشجو شده بود، پدر و مادر صلاح نمی‌دانستند که همه‌شان در یک اطاق بمانند.

هنگام صرف صبحانه حاجیه خانم متوجه پیراهن خونی پسر شد.

مادر فرزندش را بسیار دوست داشت، بیش از آنکه تظاهر می‌کرد. از آنهائی نبود که اشکشان در مشکشان است. خودش را پنهانی می‌خورد. شعارش این بود: «قسمت همین است. خدا خودش داده، خودش هم می‌گیرد. پرودگار یار مؤمنین است. اگر رفتنی بود دیگر خدا آنقدر زجرش نمی‌داد. باید توکل به خدا کرد.» می‌توانست ساعت‌ها خودش را بخورد و تسلیت بدهد. حاجیه خانم می‌خواست کسی را دنبال پزشک آشنای خانواده بفرستد. اسفند دود کرد، دعا خواند، به سراپای پسرش فوت کرد. تخم‌مرغ شکست بداند کی میوهٔ دلش را نظر زده. دست به دامن در و همسایه می‌زد که چاره کنند، مبادا پسرش فلج شود. دیگر رازی نبود که قابل پنهان کردن باشد. تمام اهل محل از رادیو، و مریدان حاجی آقا تمام حوادث دیروز را جزءِ به جزءِ شنیده بودند. امام جمعه نیز طلبه‌ای راگسیل داشته بود که از پسر حاجی آقا احوالپرسی کند. در این حیص و بیص آمدند و گفتند پاسبانی دم در است. یکی از مریدان حاجی آقا بود، می‌خواست حال آقازاده را بپرسد. او خبر آورد که چند نفر از مسئولان حزب و شورا راگرفته‌اند، از جمله آذرآقا را به اتهام توهین به مأمور دولت در حین انجام وظیفه. یکی از حبسی‌ها فیروز بود که پاسبان خیال می‌کرد داماد آقا معلم است. این پسر بیچاره هیچ خطائی ازش سر نزده بود جز اینکه اسمش میان نام‌های دوستان نزدیک و همکاران فرود برده شده بود. برعکس فیروز از کسانی بود که پیش از دیگران متوجه سرازیر شدن جمعیت به کلوب و شعار دادن شده بود و تا آنجاکه از دستش برمی آمد کوشیده بود از ازدحام و تظاهر جلوگیری کند اما بی‌فایده، وقتی عدالتی‌ها به گروه تاختند فیروز جزو اولین کسانی بود

که چوب به پایش خورد، لنگان لنگان خود را به سبزه میدان به کتابخانه رساند و آنجا ماند تا خراش قلم پایش را با دستمال ببندد. فرود تـصور می‌کرد که چون نتوانسته‌اند به او دست یابند، فیروز را گروگان گرفته‌اند تا فرود خودش را معرفی کند. گزارش پاسبان سخت او را ناراحت کـرد. می‌خواست برخیزد و خود را به شهربانی تسلیم کند.

پاسبان که می‌خواست بدین وسیله اظهار ارادتی به مراد خود کرده باشد پیغامی هم از طرف آقای پایدار آورده بود: آقای فرود خوب است امروز آفتابی نشود و در خانه بماند. بهتر است اگر می‌تواند شرح حوادث دیروز را برای روزنامهٔ «پایدار» همین امروز بنویسد و توسط آدم مطمئنی به کتابفروشی برساند. آقای پایدار توصیه کرده بود در گـزارش واقعه قلمفرسائی نکند و ادبیات نبافد، عین حادثه را بی‌شاخ و برگ خلاصه و منجّز بیان کند، به کسی نتازد. به رئیس شهربانی کلمه‌ای که از آن بوی توهین آید گفته نشود. باید گزارش محکمه‌پسند بـاشد و یک بـازپرس عادل همین متن را بتواند سند قرار دهد.

فرود چاره‌ای نداشت جز اینکه از استادش حرف‌شنوی داشته باشد. اگر آن جور که دلش می‌خواست گزارش را می‌نوشت حماسه‌ای می‌سرود که در دل هر انسانی کارگر افتد. او یادی از حسینعلی راننده می‌کرد که گفت: این هم بالای تو، این هـم بـالای آزادی. یادش رفت اعتراف سرهنگ جمال را ذکر کند و چه خوب بود که فراموش کرد. اما تازه اگر اشاره‌ای هم به گفتگوی سرهنگ می‌شد، شکی نیست که آقای پایدار آن را حذف می‌کرد. مقاله را نوشت و تردید داشت که آن را توسط بدری یا منیره به کتابفروشی بفرستد.

برای نخستین بار فرود از وجود خواهر کوچکترش بدری استفاده و یا به قول خودش سوء استفاده کرد. منیره ترسو بود و به درد این کار نمی‌خورد. خواهر کوچکتر سیزده ساله بود و هنوز هر وقت به مدرسه نمی‌رفت و اجباراً پیراهن اُرمک تنش نمی‌کرد با چادر به کوچه می‌رفت. اگر منیره را مأمور رساندن مقاله می‌کرد ممکن بود مورد سوء ظن قرار گیرد و باعث گرفتاریش بشود، آن وقت از بد بدتر می‌شد اما بدری هنوز بچه سال بود و کسی به او توجهی نداشت. به کتابفروشی رفته که برای پدرش روزنامه بخرد. به او گفت:

«من این مقاله را می‌نویسم و تو ظهر که از مدرسه به خانه می آئی، همین که ناهارت را خوردی مقالهٔ منو می‌بری میدی به آقای پایدار که در کتابفروشی منتظر است. خوب فهمیدی، بهت پول میدم یک روزنامهٔ تهران را می‌خری و نوشتهٔ منو میدی به دست خود آقا معلم. می‌کنی این کار رو برای داداشت؟»

آقای پایدار تصور می‌کرد او را توقیف خواهند کرد اما دستگیر نشد. هنوز غروب نشده مقالهٔ فرود با عکس یک کارگر زخمی درآمد. کلیشهٔ آن را خود فرود از روزنامهٔ «صبح» خریده بود. نویسنده از خوشحالی در پوست نمی‌گنجید. اتهاماتی که روز پیش به خودش زده بود از یادش رفت. باز هم رهبری بود و روزنامه و مقاله‌نویسی و شهرت و آقا معلم را راضی کردن. از همه چیز حظ می‌کرد، از اینکه حاجی آقا به او اعتراضی نداشت. وقتی حاجیه خانم به رویش آورد که پسرش زخمی شده گفت: بازی اشکنک داره، سر شکستنک داره. امام جمعه هم احوالش را پرسیده بود. اینها همه او را سر شوق می‌آورد. مقاله و عکس کارگر

سرشکسته را در روزنامه روی لحاف قهوه‌ای رنگ روی زانویش گذاشته چندین بار آن را خواند و سوزش زخم به کلی از یادش رفت. فقط در فکر آذرآقا و فیروز بود و اینکه چگونه باید آنها و دیگران را از زندان بیرون آورد.

طرف‌های غروب چاپ دوم روزنامهٔ دوصفحه‌ای، بار دیگر، فروش رفت. این بزرگ‌ترین موفقیت نویسندگی فرود بود، اقلاً تا آن زمان. شب آقا معلم به خانه آمد، فرود را بوسید:

«عجب قلم روانی داری، زنده باد.»

پس فردا همان مقاله در روزنامهٔ حزبی به چاپ رسید. و چهار روز از حادثهٔ خونین شهر نگذشته نرگس هم سراسیمه وارد شد. وقتی از در حائل میان دو حیاط چشمش به حاجیه خانم افتاد پرید او را در بغل گرفت، سرش را روی سینهٔ او گذاشت و گریه کرد.

«چیزیش نشده؟»

«نه جانم، هیچ چیزیش نیست.»

«کجاست؟»

«تو اطاق باباش. برو تو، خوابیده.»

«نرگس آهسته وارد اطاق شد. بعدازظهر بود و فرود خوابش برده بود. او را بیدار نکرد. مدتی چشم به زخم صورت دوخت. اشک‌هایش را پاک کرد. دولا شد که آن را دقیق‌تر تماشا کند. فرود غلتی خورد. زن از جا پرید. وحشت کرد. چیزی نمانده بود صورت او را ببوسد. تکان بیمار او را به خود آورد. آن وقت منیره و بدری سر رسیدند. نرگس همراه آنها از اطاق خارج شد. مدتی با هم صحبت کردند.

خواهران اصرار داشتند چنین وانمود کنند که آنها زودتر از همه از گلوله خوردن برادر خبردار شدند. چیزهای دیگر هم داشتند که از آن نرگس را مطلع سازند. حاجیه خانم یک گوسفند نذر کرده.

«می‌دونی وقتی تخم مرغ شکستند اسم کی آمد؟»

منیره کوشید بدود تو حرف خواهر کوچکترش.

«اسم هرکه آمد آمد. مگر شماها هم به این خرافات اعتقاد دارید؟»

«نه، خوب، حاجیه خانم که اعتقاد داره.»

منیره گفت: «حالا بگو اسم کی آمد. حاجیه خانم گفته اسمش را به کسی نگوئیم.»

بدری طاقت نیاورد: «به هیچکس. به نرگس هم نگیم. من که میگم. اسم ملافیروز آمد. همچین که گفت فی تخم‌مرغ وَقی شکست و توی پیراهن داداش پخش شد.»

نرگس خنده‌اش گرفت:

«عجب شما دو تا سر نگهدارید!»

«آنقدر مردم احوالپرس آمدند که نگو. آنقدر کاغذ آمده. اگر بدانی که مردم این شهر چه کردند.»

از نرگس می‌پرسیدند: راست است که روزنامه‌های تهران هم خبر تیر خوردن او را نوشته‌اند؟

نرگس می‌بایست هرچه در تهران در این باره شنیده است نقل کند. دو خواهر روزنامه‌هائی را که همراه آورده بود، از دستش قاپیدند. می‌خواستند ببرند توی مدرسه به همه نشان بدهند. از این بیشتر خوششان می‌آمد که روزنامه‌های تهران به عدالتی‌ها حمله می‌کردند و بلوا را زیر

سر آنها می‌دانستند.

هیجان بچه‌ها به حدی شورانگیز بود که حاجیه خانم هم بدان‌ها ملحق شد. دختر آقا بار دیگر سرش را در سینهٔ مادرشان پنهان کرد و اشک شوق ریخت.

وقتی نرگس داستان تخم‌مرغ را برای فرود نقل کرد هر دو غش غش خندیدند. بیچاره فیروز چه گناهی کرده که همهٔ شرها باید سر او بشکند. نرگس از حال او پرسید:

«اگر تا امروز تا همین ساعت مرخص نشده حتماً تا فردا مرخص خواهد شد. بازپرس وجه‌الضمان خواسته و چندین نفر خود را معرفی کرده‌اند و قرار است هر وقت بیرون آمد سری به آقا معلم بزند.»

گفتگوی آذرآقا با ژاندارم تیرانداز را برایش پیراهن عثمان کرده بودند. مردک گزارش داده بود که صابون‌پز گروه را تحریک می‌کرده است و او باعث ازدحام و زد و خورد شده است. اما فرود اطمینان داشت که او هم به زودی مرخص خواهد شد. این اطمینان را آقای پایدار از جانب سرهنگ جمال می‌داد: «بازپرس قول داده است قرار منع تعقیب صادر کند.»

قریب یک هفته فرود در خانه ماند و تمام وقت نرگس دور و بر او می‌پلکید. دیگر شرم آنها را از هم جدا نمی‌کرد. صبح آفتابه لگن برایش می‌آورد که سر و صورتش را بشوید. صابونش می‌زد. پیشامد کرد که دو سه بار نادانسته پسر همسایه را ناز کرد تا آنجا که روز آخر فرود به او گفت:

«نرگس، تو دختر خیلی خوبی هستی. به من زیاد محبت نکن. می‌ترسم

که بی‌اجر بمانی.»

«بی‌ربط نگو. من که از تو چیزی نخواسته‌ام. چه اجری؟»

«همین که گفتم. آخر مهربانی تو باید حدی داشته باشد.»

«بس کن!» این را گفت و از اطاق بیرون رفت.

راستی که محبت‌های نرگس برای فرود یک مسئلهٔ بغرنجی شده بود. نه می‌توانست از او دل بکند و نه دلبستگی خودش را به او نشان دهد. نرگس را تصور می‌کرد مثل یک خواهر دوست داشت. آن وقت از خود می‌پرسید آیا راست می‌گوید و او را خواهروار دوست دارد. آیا همیشه چنین بوده و یا فقط این روزها که در بستر بیماری افتاده به این چشم به او نگاه می‌کند. در تهران روزهای جمعه چه بسا اتفاق می‌افتاد که نزدیک بود هوس بر او غلبه کند و عنان گسیخته بر میوهٔ نورسی دست انداز د. ناراحت می‌شد از اینکه این دختر به این زیبائی را از خود رانده است، اما رویش نمی‌شد که باز دل او را به دست آورد.

اینک اما باز سایهٔ آقای پایدار، معلم و مربی و سازندهٔ اندیشه‌های او، مثل مرغی دور سر نرگس پرپر می‌زد. مهربانی‌های این دختر به مرزی رسیده بود که دیگر نمی‌شد تاب آورد. نه می‌شد او را گرفت و در آغوش کشید و نه ممکن بود او را از خود راند. در این گونه لحظات نرگس بود که بر جوشش احساسات خود غلبه می‌کرد و می‌گریخت و از او دست برمی‌داشت و در بیغولهٔ تنهائی خودگوشه‌نشین می‌شد و با هزاران خیال جور واجور ورمی‌رفت و یأس و شکست را جزو جورهای عشق می‌دانست. هرگز تاب نمی‌آود که معشوق از او بیزار است اما شوق وصل را نیز باورکردنی نمی‌دانست. بدتر از همه این بود که رنج خود را به کسی

آشکار نمی‌توانست بسازد. این جرأت را نداشت سرش را روی زانوی حاجیه خانم بگذارد و راز دل گوید. مادری نداشت که همراز او باشد. خواهری نداشت که با او همدم باشد. دوستی هم نه. دوستش و معشوقش هر دو فرود بودند. جز گریز چه چاره‌ای داشت.

نرگس دو سه روزی کمتر به اطاق فرود سر می‌زد. همه‌اش در خانه پیش حاجیه خانم بود، حتی ناهار و شام، و شب‌ها پیش پدرش می‌رفت. اما این قهر و آشتی طولی نکشید. فرود بهبودی یافت و به کار خودش پرداخت و نرگس به تهران برگشت. کار فراوان بود و فرود خود را به کار سپرد و نرگس را از یاد برد.

هیئتی از مرکز برای تحقّیق دربارهٔ علل حوادث آمده بود. یکی از آنها از سران و عضو کمیتهٔ مرکزی بود به اسم مهندس عالی که به زودی با فرود دوست و رفیق شد. همکاری با این مرد پس از تجربه‌هائی که در این مدت اندوخته بود، بسیار سودمند افتاد. دلیل عمده این بود که این حزبی اهل تظاهر و ریا نبود. روزی فرود به او گفت: «خوشحالم که با شما آشنا شده‌ام. امیدوارم کمی با شیوهٔ کار حزبی آشنا شوم.»

مهندس عالی خنده‌اش گرفت:

«زکی! خیال می‌کنی من و دیگران داناتر از تو و امثال تو هستیم.»

با وجود این فعالیت در اتحادیه‌ها و تشکیلات حزبی به جریان افتاد. کارگران، عمله‌های طرق، کسبهٔ خرده‌پا، رانندگان می‌آمدند شکایت‌های خودشان را ابراز می‌کردند، پی چاره‌جوئی بودند. یکی که حرّاف‌تر بود برایشان موضوع سیاست روز را شرح می‌داد و توجیه می‌کرد. صرف وقت در کلوب اتحادیه برایشان سرگرمی بود. زن‌ها هنوز جرأت

موارد با هم همفکر و هم‌خوی و همداستان و یکسان شدند. در برخی موارد یکی بر دیگری برتری داشت و در غالب موارد می‌کوشیدند به هم برسند و نمی‌رسیدند. این معاشرت با یک عضو کمیتهٔ مرکزی دریچهٔ دیگری از زندگی سیاسی را به روی فرود گشود و آن این بود که به زودی دریافت حزب به آن یکپارچگی که دیگران در خارج تصور می‌کردند و به خیال افراد سادهٔ امثال فرود می‌رسید نیست. در پنهان و گاهی هم علناً دسته‌بندی‌هائی وجود داشت که مانند کرم از درون مغز میوه را می‌خورد و آن را پوک می‌کرد.

همین که تندرستی فرود باز روبه‌راه شد و کار شورای متحدهٔ مرکزی کارگران ــ این اسم تازه‌ای بود که به اتحادیه‌ها پس از همبستگی آنها با یکدیگر داده بودند ــ سر و صورتی پیدا کرد، مهندس عالی به مرکز برگشت و قرار شد که فرود هم پس از یک هفته برای گرفتن کمک مالی به تهران برود و هر دوشان این مشکل را فیصله دهند.

کسی که بیش از همه از این پیش‌آمد خوشحال شد نرگس بود که در تعطیلات تابستانی چند روزی پیش آقا معلم به‌سر می‌برد. تابستان سال ۱۳۲۵ بود که در تهران حوادث سرنوشت‌سازی در حال تکوین بودند. حزبی‌ها به فلک هم اعتنا نمی‌کردند. رسیدن به «قلهٔ عظمت و افتخار توده» را وعده می‌دادند. سران حزب سوار بر اسب مراد می‌تاختند و از «برنامه‌های اصلاحی» دم می‌زدند و هیئت دولت را «مقتدرترین کابینهٔ» سال‌های اخیر می‌شمردند. چه شده بود؟ نخست‌وزیر سه وزیر حزبی را برای فریب دادن آنها وارد کابینهٔ خود کرده بود. مهندس عالی خوب به نکته پی برده بود: «سر ما را شیره می‌مالند و دارند در شهرستان‌ها، در

اصفهان و خوزستان اساس حزب ما را به هم می‌زنند.» حتی کسانی را که روزنامه‌های حزبی را می‌خواندند زندانی می‌کردند. آقا معلم سر تکان می‌داد و می‌گفت: «تمام زحمات ما دارد به هدر می‌رود. حاجی آقا هم صدایش درآمده بود: «چطور می‌شود فریب این گرگ باران دیده را خورد.» آقای سربلند دیگر از «حزب شما» حرف می‌زد. به فرود می‌گفت: «خوب حزبتان دارد نقشهٔ امپریالیسم را اجرا می‌کند.» از این اعتراضات همه جا در تهران و در ولایات به گوش می‌رسید اما سردمداران پنبه درگوش داشتند و نمی‌شنیدند.

فرود و نرگس همسفر شدند. در یک اتوبوس پهلوی همدیگر جا گرفتند و قرارگذاشتند موقتاً چند روزی که فرود خیال دارد در تهران بگذراند در اطاق اجاره‌ای نرگس بماند و دختر آقا مهمان خانوادهٔ آقای ترشیزی باشد به این بهانه که هنوز جائی برای خودش پیدا نکرده است.

مهندس عالی فرود را با سوزنبان، عضو کمیتهٔ مرکزی،که امور مالی و سرنخ کلیهٔ کارهای حزبی، اگرچه نه به طور رسمی، اما عملاً در دستش بود، آشنا کرد. قدرت این مرد ماورای کلیهٔ اختیارات کمیتهٔ مرکزی بود. در شیطنت، دو به‌هم زنی و دسته‌بندی استاد بود و شاخک‌های حسابی داشت که همه جا بو می‌کشیدند. دستش توی کار بود و گرهی نبود که با سرانگشتان او باز نشود.

پس از آنکه سررشته‌دار ته و توی کار را درآورد، هر دوشان سوزنبان و مهندس چند کلمه به زبان آلمانی با هم صحبت کردند و عاقبت سوزنبان گفت:

«چند روزی صبر کنید تا ما تصمیم بگیریم.»

۸

فرود در تهران ماند. چند هفته، چند ماه، اصلاً ماندنی شد. همه وقت با مهندس عالی به‌سر می‌برد. وی هر وقت فرصت داشت رفیق جوان را همراه خود می‌برد و با آدم‌های جور واجور آشنا می‌کرد.

آبان ماه سال ۱۳۲۵ بود. دوران کرّ و فرّ فرقه و حزب بود، برای شورای کارگران هم از همه جا مهمان می‌آمد. آدم‌های گوناگون، سرشناس و گمنام. معاون نخست‌وزیر به آذربایجان می‌رفت. سران فرقه با اونیفورم نظامی به تهران می‌آمدند و با دولت مرکزی قرارداد می‌بستند. مهمانی می‌دادند، سور می‌چراندند. در باغ سبز بود که نشان داده می‌شد. جلوی حزبی‌های غرورزده را دیگر نمی‌شد گرفت. به همان اندازه هم گروه‌بندی‌های مخالف کمیتهٔ مرکزی تمام این باد و بروت‌ها را پفکی می‌دانستند و چشم به راه بلیّه‌ای بودند.

یکی از از سران فرقه مصاحبهٔ مطبوعاتی تشکیل داده بود. چند تن از سران حزب آمده بودند. بیشتر روزنامه‌نویسان خود حزبی‌ها بودند که به عنوان خبرنگار روزنامه‌های جبههٔ آزادی پرسش‌هائی مطابق سیاست روز می‌کردند. فرود ناشیانه سؤالی کرد و ناگهان همه به او رو کردند.

پرسید: «اگر دولت به شما حملهٔ نظامی کرد چه می‌کنید؟» همه فهمیدند که گوشی دستش نیست. جواب این سؤال بیجا هم همین بود که هر وقت چنین پیشامدی شد تصمیم می‌گیریم.

وقتی که از مجلس مصاحبه بیرون آمدند دانشجوئی از دوستان فرود از او پرسید:

«مگر تو هم جزو دار و دستهٔ سوزنبان شده‌ای که امروز اینجا پیدایت شد.»

فرود پرسید: «مگر این جلسه را دستهٔ سوزنبان تشکیل داده بود؟»

«خیلی ناشی هستی. مگر ندیدی که یک نفر از دار و دستهٔ افلاکی حضور نداشت.»

افسار حزب در دست این مرد توخالی خوش‌صحبت باهوش و بی‌ایمان بود. فرود او را مخرّب حزب می‌دانست. تئوری‌ها می‌بافت که در قوطی هیچ عطّاری پیدا نمی‌شد. عکس آنچه را که دیروز می‌گفت می‌توانست روز دیگر با بیانی شیرین‌تر به کرسی بنشاند. ظاهراً شسته و رفته بود، خوش‌صورت، بدسیرت، ترسو و مفلوک. هرگز در حزب مسئولیتی به عهده نگرفت اما اگر امور مالی از زیر دست سوزنبان رد می‌شد افلاکی قالب‌گیر افکار و تمایلاتی بود که روزمرّه در مطبوعات حزب اشاعه می‌یافت.

فرود به باطن این مرد چاپلوس زود پی برد در حالی که همه جا در سرتاسر حزب از ذکاوت و هوش او تمجید می‌کردند ولی او در باطن به بی‌ایمانی و راحت‌طلبی او ناسزا می‌گفت. برای فرود توهین بود که از مریدان چنین وازده‌ای باشد.

«ببینم تو جزو کدام باند هستی؟»

«من جزو باند بی‌باندها هستم. بیخودی هم اینجا ول‌معطلم. مگر بوی به هم خوردن اوضاع را نمی‌شنوی؟»

در همین روزها بود که پس از جولان بی‌امان حزب و فرقه باد صرصری وزید و شمارهٔ زیادی از روشنفکران فلنگ را بستند، و جویای نام‌ها دنبال سوراخ دعای گم شده رفتند. وزارت حضرات به آنها نمی پس نداد. مگر می‌شد در طی سه ماه حکومت بیش از آنچه که نصیبشان شد از اینها بهره‌ای برد. دوتا همشهری فرود زیر پایش نشستند که بیا گلیم خود را بیرون بکشیم و عطایشان را به لقایشان ببخشیم. اما فرود خطر را دوست داشت و به این آسانی شانه خالی نمی‌کرد. امیدوار بود که ائتلاف حزب با گروه‌های دیگر به اسم «احزاب آزادیخواه» و «ملی» راهی به سوی خروج از بحران باز کند. مهندس عالی تجربه‌دیده از سرگردانی فرقه‌ای‌ها در تهران سیاست قدیمی ارتجاع ایران را حس می‌کرد که می‌کوشید تا هق‌هق جغد را به عنوان چه‌چه بلبل جا بزند و در باغ سبز نشان می‌داد تا رقیب را به چاه ویل پرت کند. رئیس دولت وعدهٔ افتتاح مجلس را می‌داد که کلیهٔ امور معوّق را از تصویب مجلس بگذراند. حزبی‌ها تصور می‌کردند در مجلس آینده حزب‌های آزادیخواه، از جمله فرقه‌ای‌ها، اکثریت را به‌دست آورده پیروزی را در بر خواهند گرفت. زیرا متکی به «حسن نیّت» رئیس دولت بودند. اما طولی نکشید که همه دریافتند که تا قضیهٔ آذربایجان حل نشود انتخاباتی در میان نخواهد بود و این کار هم بدون هجوم ارتش شاه به آذربایجان میسر نمی‌شد. این بود که برخی گلیم خود را از آب بیرون می‌کشیدند. به دنبال کار و زندگی

خود می‌رفتند. اما فرود ماند و طبق معمول به نرگس پناه برد.

آن شب فرود در اطاق نرگس خوابش نبرد. هر وقت جائی برای سر به زمین گذاشتن پیدا نمی‌کرد به این زن پناه می‌برد و دختر سر به زیر مهمان ناخواندهٔ ترشیزی می‌شد. در هر گوشهٔ این پناهگاه نشانه‌هائی از دختر همسایه به چشم می‌خورد. همه‌اش در این فکر بود که چه باید کرد. در رختخواب غلتید، بلند شد، کتاب‌های پزشکی نرگس را باز کرد. عطر او همه جا پراکنده بود. جزوه‌های درس او را ورق زد، لباس‌های او را از صندوق درمی‌آورد و تماشا می‌کرد. صفحه گرمافون می‌گذاشت. از پنجره به آسمان کبود چشم می‌دوخت و فکر می‌کرد. بوی به هم خوردن اوضاع را او هم می‌شنید. وزیران حزبی از کار برکنار می‌شوند، این را مهندس عالی دیگر یقین داشت. چه بلائی سر حزب می‌آورند، این را خدا می‌دانست. حالا گیوه‌ها را ورکشیدن و دررفتن نامردی است. جواب آذرآقا را چه بدهد؟ چگونه به روی عاقل مردی نگاه کند که یک طرف سینهٔ او را گلوله برده بود؟ خیلی آسان است که آدم پا به فرار بگذارد و به جائی بگریزد که آذرآقا و مرد سینه‌چاک نیستند اما امثال آنها همه جا وجود دارند. به آدم دهن‌کجی می‌کنند و زهرخندشان کشنده است. این سوزنبان از کجا پیدایش شده که او را از ولایت به تهران می‌کشاند و در حضور فرود، که نزدیک بود توی هرج و مرج نفله شود، به زبان آلمانی صحبت می‌کند. این اداها توهین‌آمیز بود. چرا حقش را کف دستش نگذاشتی و تف به صورتش نینداختی؟ دلیلش آشکار است. بالاخره او که از خود اراده نداشت، از جانب حزب صحبت می‌کرد ــ آیا واقعاً از جانب حزب حرف می‌زد؟ عالی عقیده نداشت و می‌گفت: اینها همه

مزدور هستند. طوطی‌وار از صدای اربابشان تقلید می‌کنند. بـاز پیـرایـه خانم، پدرش را کشته‌اند، شوهرش از ترس اینکه مبادا بستگی با رجل مورد غضب رضاخان مانع پیشرفت و مال‌دوستی او در زندگی شـود، طلاقش می‌دهد، و این زن حالا با یک ورق کاغذ به مبارزه با ارتجاع می‌رود. اما آخر این سوزنبان و امثالش از کدام گور سـر درآورده‌انـد. می‌آیند و می‌نشینند و قطعنامه صادر می‌کنند که فقط در یک صورت، یعنی هر وقت دولت صالحی یعنی ملی واقعی روی کار آید می‌توان در دولت شرکت کرد آن وقت برای سه ماه وزارت رسوائی بار می‌آورند.

روزی از مهندس عالی پرسید: «تو که نـظر خـود را بـه مـن صـریح می‌گوئی چرا در کمیتهٔ مرکزی با شرکت حزب در دولت و تمام کارهای خلاف منافع ایران، حرف خود را پیش نمی‌بری...»

«اولاً از من قهرمان نساز. از کجا فهمیدی که هنگام طرح مسئله در کمیتهٔ مرکزی من همین نظر را داشتم که این روزها به تو گفته‌ام. از کجا معلوم که من آن روز می‌توانستم پیش‌بینی کنم که کار به این افتضاح می‌کشد. از این گذشته کسان دیگری هم در کمیتهٔ مرکزی بودند که با من هم‌عقیده بودند. به‌علاوه همهٔ اسرار را نمی‌شود امروز فاش کرد.»

«این از آن حرف‌های بی‌ربط است.»

«بلی، حرف بی‌ربطی است اما واقعیت همین است. دو سه نفر در کمیتهٔ مرکزی امثال سوزنبان بودند که تر و چسب دیگران را بـه ارتـجاع و فاشیسم متهم می‌ساختند و مـنافع عـمومی ایـران در جنگ بـه رخ مـا می‌کشیدند و چوب ضد شورویگری را بلند می‌کردند. از همهٔ اینها گذشته همهٔ ما تصور می‌کردیم در آستانهٔ انقلابیم و سلطنت واژگون خواهد شد و

نگـذاشـتند. تـمام عـیب‌ها، خـطاها، بـی‌دقتی‌ها، سـودجوئی‌ها، جاه‌طلبی‌هایشان را روی دایره ریختند. گفتند نخست‌وزیر، این روباه پیر کهنه کار خوب گولشان زد. چند تکه استخوان جلویشان ریخت دمشان را برید. شرکت در هیئت دولت را جاه‌طلبی و خیانت دانستند. یکی یکی شمردند:

مبارزهٔ حزب با دکتر مصدق خیانت بود. سیاست حزب دربارهٔ نفت شمال خیانت بود. اول می‌آیند و می‌گویند: ما با هرگونه امتیاز به بیگانگان مخالفیم اما وقتی سر و کلهٔ شـوروی‌ها پیدا مـی‌شود در خیابان‌ها راه می‌افتند و هورا می‌کشند که چرا نفت بهشان نمی‌دهند. انحلال حزب در تبریز و الحاق آن به فرقهٔ دموکرات آذربایجان که معلوم نشد سرنخ در دست کیست، خیانت بود. با تشکیل دولت ائتلافی رهبران ضربه به پیکر حزب زدند.

هریک از گویندگان از فرط آشفتگی و برافروختگی مـی‌لرزیدند، صداهایشان دورگه می‌شد، رگ‌های صورتشان ورم می‌کرد. یکی در حین صحبت گریه‌اش گرفت و نزدیک بود ضعف کند. آب به صورتش زدند تا سرحال آمد. یکی دو نفر همان جا از حزب استعفا دادند. دیگران مأیوس سر تکان مـی‌دادند. وقتی خوب دق‌دلی‌شـان را درآوردنـد آن وقت موضوع محکومیت همهٔ رهبران، دسته جمعی پیش آمد. داشتند قطعنامه صادر می‌کردند. به نظر فرود این اقدام جنبهٔ حزبی و تشکیلاتی نداشت، آخر بـاید بـه مـتهم اجازهٔ دفاع داد. تـازه‌ترین عـضو حـوزه درخواست صحبت کرد: باید به مجرم و یا متهم هم فرصت داد که مطالب خودش را بگوید. شاید همهٔ رهبران در ارتکاب این خـطاها کـه گـفتید

شریک نبوده‌اند. شاید میان آنها هم کسانی بودند که همین موضع ما را اتخاذ کرده‌اند. مگر می‌خواهید همهٔ حزب را به هم بزنید که همهٔ رهبران را یکجا محکوم می‌کنید. با غلو احساسات نمی‌توان دربارهٔ واقعیت‌های سیاسی قضاوت کرد. بکوشیم بر غیظ و غضب خودمان مسلط شویم، آن وقت رأی بگیریم. ما که از پشت پرده خبر نداریم. بگذارید تورج خان خودش بیاید. هوار سرش کشیدند: اگر علاقه داشت که آمده بود.

بدین طریق دو ساعت وقت حوزه گرفته شد. اغلب رفتند. تنها چند نفر از جمله ناظم حوزه ماندند. ساعت ده و نیم شب بود. تورج خان با ماشین وزارتی سر رسید. چه گفت؟ فرود هیچ یادش نیست. فقط این کلمه یادش مانده: «کاتاستروف!» و باز همان ژست‌های معمول خودش را تحویل داد. دیپلمات چاخان حاضرالذهن خوش‌صحبت ترسو و جاه‌طلب. با همان ماشین وزارتی رفت که رفت و دیگر هرگز کسی او را ندید.

فرود با یک همشهری که همدوره‌اش بود هم‌خانه شد. در حیاطی که در آن چند خانوادهٔ دیگر هم زندگی می‌کردند، اطاقی کرایه کردند و آلونکی ترتیب دادند. چندان دور از بازار نبود.

همان شب ۲۱ آذر ۱۳۲۵ که نیروهای دولتی به آذربایجان دموکرات حمله کردند، دو همخانه داشتند طبق معمول به کلوب حزب در خیابان فردوسی می‌رفتند که ناگهان متوجه شدند جماعتی آنجا گرد هم آمده‌اند. از همان میدان سپه حزبی‌ها دو تا سه تا با هم پچ پچ می‌کردند. با چهره‌های اخمو، گرفته و برافروخته. هرچه به کلوب نزدیکتر می‌شدند بر شمارهٔ گروه‌های دو سه نفری افزوده می‌شد. در پیاده‌روها سربازان مسلح و پاسبانان کشیک می‌دادند. کنار خانه‌ها مأمورین آگاهی و مردم

از همه جا بی‌خبر نظاره می‌کردند. برخی گه‌گاه زخم زبان می‌زدند. نزدیک غروب بود. کاسبکاران دکان‌هایشان را بسته جلوی در ایستاده چشم به راه حادثه‌ای بودند. روبروی کلوب جمعیت چند صد نفری را پاسبان‌ها پراکنده می‌کردند. برخی به زبان خوش «آقایان متفرق شوند!»، گاهی با خشونت و تندی: «مگر خر داغ می‌کنند! رد شو! رد شو آقا، رد شو جانم.» تابلوی حزب نبود، آن را شکسته بودند. تکه‌ای از آن را کسانی برداشته بودند. دو سرباز دم در با سرنیزه جلوی مقداری خاک و کلوخ، که در نتیجهٔ شکستن تابلو روی زمین ریخته شده بود، ممانعت می‌کردند از اینکه کسی به درون حیاط برود. مردم ازدحام کرده بودند، برخی گریه می‌کردند.

مسخره‌بازی فرودگل کرد. شوخی‌اش گرفت. همشهری ازش پرسید دیگران گریه می‌کنند تو چرا شادی؟ دست خودش نبود. عادتش نیست. با این واکنش تنها کسانی آشنا بودند که می‌دانستند چگونه غم و غصه مانند ارهٔ تیز تکه‌هائی از گوشت تنش را می‌کند. یک‌هو صورتش پر از دندان‌های سفید می‌شد، جز دندان هیچ چیز در صورتش دیده نمی‌شد. با هر گرفتاری می‌توانست درافتد، ولی وقتی کار به شکست قاطع در زندگی، به از دست دادن آمال و آرزو و عشق می‌کشید، بیچاره می‌شد. می‌خندید که بر سوزش دل چیره شود.

با همخانه‌اش به منزل رفتند. در راه یک بطری عرق خریدند، از آن عرق‌های مردافکن. خودش هم نفهمید چه شد. سابقاً همیشه از شرابخواری و مستی و بدمستی دوری می‌جست. بهش مزه نمی‌داد، گرمش نمی‌کرد، کرخت نمی‌شد. بی‌نتیجه بود. اما این بار چطور شد که

عرق خریدند؟

رفتند دو نفری دم پنجره نشستند و به آسمان پر ستاره نگاه کردند و تا جرعهٔ آخر بطری را سر کشیدند. برای اولین دفعه سستی گوارائی در وجود خود احساس کرد. «هرگز چنین غمی را احساس نکرده بودم، مگر وقتی که سربازان هندی را لخت دم رودخانه دیدم. توهینی بود جبران‌ناپذیر.»

همشهری‌اش هنوز هم از دانشگاه یوتا با فرود مکاتبه می‌کند. اسمش را فرود در نوار ذکر نمی‌کند. می‌گوید: «چه کارش دارید؟ رفت، کاری هم به کار کسی نداشت. در پاریس با امنیتی‌ها نتوانست کنار بیاید. درسش را خواند. به ایران برگشت. پستی به او دادند. آبش با دوستان پاریسی که به مشروطه‌شان رسیده بودند، در یک جو نرفت. برگشت به اروپا و بعد به امریکا رفت، و امروز یکی از دانشمندان سوسیولوژی دنیاست که در دانشگاه یوتا درس می‌دهد و هنوز هم عقیده دارد که پیروزی با مردم است.» او تنها کسی است که تصویری دقیق از تحول روحی و کشمکش درونی فرود تا زمان گرفتاریش می‌تواند نقش کند. هر وقت به یاد این رفیق می‌افتد از خود می‌پرسد که آیا ترس و هراس آن روز جلوی در کلوب و عرق‌خوری و تماشای آسمان شفاف او را به گریز واداشت و یا هوش و ذکاوت و عقل و منطق او را به راه دیگر برد. در این باره مکرر با کلهر بحث کرد. این همشهری زیرک و باایمان که هرگز هیچ شکستی را به آن شدت احساس نمی‌کرد که زانو به زمین بزند دوست و رفیق‌گریز پا را مرتد می‌خواند. بسیار آسان است که آدم در امریکا صاحب کرسی و رفاه و اعتبار باشد و دم از پیروزی «توده‌های عظیم» بزند.

فرود می‌کوشید عاقلانه قضاوت کند. در زمانی که او گریخت فقط قهرمانان می‌توانستند مقاومت کنند. اما او هرگز ادعا نداشت مرد میدان است. آرزوئی بر باد رفت. بادکنکی بود که با یک سوزن متلاشی شد. فرود خودش را با او مقایسه می‌کرد. نه، او نمی‌توانست بگریزد. بر سر دوست امریکا رفته‌اش آن چیزی نیامده بود که او به‌گوشت تن خود حس کرده بود. راهشان از هم جدا شد اما دوستی هنوز در وجودش رسوب داشت و نمی‌شد آزادانه آب پاکی و یا ناپاکی را بر سر او ریخت.

فرود نتوانست شانه خالی کند. به‌کار چسبید. از ساعت هفت تا ده شب و گاهی دیرتر درس خواند و مطالعه کرد. شعار تازه‌ای یافت. گرفتار بیکاری شدن اسیر شکست شدن است. او می‌خواست همیشه پیروز باشد منتها پیروزی از او می‌گریخت، با وجود این کوتاه نمی‌آمد. کارها کرد که اگر شکست نبود هرگز پی آنها نمی‌رفت. باز با خود می‌گفت حزب را باید نجات داد، علی‌رغم سوزنبان و تورج خان که پا به فرار گذاشتند و به دیار فرنگ رخت بربستند.

در این دوران فعالین حزب به جنب و جوش افتاده بودند و هرکدام می‌کوشیدند به هر طریقی شده از انحلال حزب جلوگیری کنند. جلسه تشکیل می‌دادند و به فراکسیون بازی افتاده بودند و به قول خودشان هیئت اجرائیهٔ موقت می‌ساختند و اینجا و آنجا در حوزه‌هائی غیر از حوزه‌های رسمی حزبی جمع می‌شدند و فرود اما خلبازی‌هائی بروز می‌داد که چیزی نمانده بود دیگران تصور کنند به سرش زده است.

بعدها، سال‌ها بعد که زجر فراوان در زندگی کشید تصور کرد که اگر آن روزها دسترسی به نرگس می‌داشت و می‌توانست با او درد دل کند

شاید بعضی حوادث در زندگی‌اش رخ نمی‌داد. اما نرگس هم موجودی بود مانند همهٔ زن‌های دیگر که انتظار داشت نازش را بکشند. او هم مثل همه غرور و عزت نفس داشت. نمی‌خواست که پسر همسایه به پای او بیفتد و عشق او را بطلبد. نه، آنقدر پر توقع نبود، اما تاکی باید بی‌تفاوتی او را تحمل کند. فرود حتماً از علاقهٔ او به خودش خبر داشت و می‌دانست که در خانه‌اش همیشه به روی او باز است. آخر نباید او هم یک بار سراغش را بگیرد؟ تنها وقتی شنید که تابلوی حزب را پائین آورده‌اند و عدهٔ زیادی راگرفته‌اند و سران یاگریخته و یا دارند می‌گریزند سراغ او راگرفت. اما دیگر دیر شده بود.

به فرود حوزه‌ای دادند. مسئولیت به او واگذار کردند. فرود از رخوت درآمد. بازار اعتراض گرم شده بود، ترس افراد ریخته بود. جنب و جوشی مشاهده شد که سابقه نداشت. هرکسی هرچه دلش می‌خواست می‌گفت. بحث و انتقاد اسمی بود که سرپوشی روی پرخاش همگان می‌توانست باشد. کسی به اسم خلج قد علم کرد و توانست جائی در این هیاهو در دل‌های غیظ‌زده‌ای برای خود باز کند. ایرادها و اعتراض‌های او جالب بود، به دل می‌نشست. معجونی بود از نیّت پاک وجاه‌طلبی و خودخواهی. تحلیل روحیهٔ او دشوار می‌نمود. ترکیبی بود از خودگذشتگی، پیگیری، دلیری و هدف‌جوئی، آثاری هم از لج‌بازی و خودپسندی در او بود. از جان دادن در راه مقصود باکی نداشت. از همه شگفت‌انگیزتر قهر و آشتی اعیان‌منشانه‌اش بود. قهر می‌کرد، می‌رفت. با استدلال تازه و پذیرنده‌ای سر درمی‌آورد. عده‌ای می‌رفتند دنبالش... را می‌گذاشت طاقچه بالا و مدتی محبوب جمعی می‌شد. آدمی نبود که

بتوانـد مـدتی دوسـت و یـا دشـمن کسـی بـاشد. مـردی بـود بـاهوش، خوش‌صحبت، جذاب، عصبانی. وقتی جوش مـی‌آورد، رگ‌هـای صورتش برجسته می‌شد. برتری‌خواهی او حد و حصری نـداشت، از چشم و دهانش می‌تراوید. این خصلت به حدی شدید بود که با تیزهوشی خارق‌العاده‌اش از عهدهٔ پنهان کردن آن برنمی‌آمد.

اگر فرود دنباله‌رو بود حتماً از او پیروی می‌کرد. اما فرود بیزار بود از اینکه به ارزانی دنبال پیروزی برود. نه، اصلاً اهل تقلید او نـبود. وقتی سران حزب را با هم می‌سنجید می‌دید هیچ‌یک بر دیگری برتری ندارد. سگ زرد برادر شغال است. شاید یکی دو نفر استثنا بودند که باید پیغمبر خدا و یا مجتهد جامع‌الشرایط شده باشند و آمده بودند در حزب و بـا کمال فروتنی و قناعت به آرمانشان خدمت می‌کردند. اینها سبزی پاک‌کن نبودند و کاسه‌لیسی نیاموخته بودند. بدبختانه از دو طرف هدف ارتجاع و انقلاب قرار گرفته بودند. هم این دسته هم آن دسته آنها را مـی‌زدند و می‌کوبیدند.

در یک چنین وضع بحرانی فرود تصور می‌کرد که به او رسالتی محول شده. محیط پر آشوبی بود و حوادث داغی در پیش داشت. کـم‌کم درمی‌یافت که معلومات مدرسه و اطلاعاتی از نوع کتاب پل و ویرژینی کفاف جدالی را که او در پیش گرفته ندارد. افتاد به مطالعه. تاریخ گذشتهٔ ایران، تاریخ شاهان و جنگ‌ها او را خشنود نمی‌ساخت. سـرگذشت مبارزات اجتماعی او را بیشتر می‌فریفت، با شکست‌ها همیشه تیر به سنگ نمی‌خورد. چه بسا که شکستی مـایهٔ ادامهٔ تـدریجی مبارزه بود و بـه پیروزی منتهی می‌شد. در اعماق ادبیات ایران چه دُرّها نهفته بـود کـه

می‌شد کشف کرد. شاهنامهٔ فردوسی را نخواند، بلعید. در راه و بیراه به بحر متقارب شعر می‌گفت. تدریجاً افسون شعرهای حافظ او راگرفت. در اطاقش راه می‌رفت، قر کمر می‌داد و قهقهه می‌خندید و این شعر را می‌خواند:

رسم عاشق‌کشی و شیوهٔ شهرآشوبی

جامه‌ای بود که بر قامت او دوخته بود

آنقدر مسحور غزل‌های حافظ شده بود که کلهر روزی به او گفت: «نکند داری صوفی می‌شوی؟» با حرص و ولع هرچه دستش می‌آمد می‌خواند. ناگهان متوجه شد که مغزش گنجایش همهٔ اطلاعات بدست آورده را ندارد. روی کاغذ پاره‌ای یادداشت و بعد در جزوه‌ای دسته‌بندی می‌کرد، برحسب موضوع. هفده غزل حافظ را از حفظ کرد. از این کتابخانه به آن کتابفروشی می‌رفت. با دستهٔ کتاب زیر بغل به خانه برمی‌گشت. اسیر و عبید فرهنگ ایرانی شده بود. ناگهان رو به معاصرین آورد. هم سیاحت‌نامهٔ ابرهیم‌بیگ را می‌خواند و هم اشعار عشقی و فرخی را. غور در کتاب‌های مارکسیستی، تا آنجا که به فارسی ترجمه شده و به زبان انگلیسی در اختیارش بود وظیفهٔ جداگانه‌ای بود. راجع به هر مسئله‌ای که پیش می‌آمد نظری داشت. دیگر آن اوضاع گذشته بود که تصمیم‌های کمیتهٔ مرکزی را بی‌استدلال بپذیرد. به حزب ایمان داشت و هدف‌های آن را انسانی می‌دانست و تبلیغ می‌کرد. نقش او روشن بود. در داخل حزب پافشاری و ایستادگی که از راه منحرف نشوند و در خارج سربازی و اطاعت.

از تبریز او را به مشهد و گرگان و بعد به شیراز فرستادند. تدریجاً داشت پیک حزب می‌شد که شانه خالی کرد. تجربیات اندوخته در این سفرها او را متوجه نکته‌ای کرد. آدم باید با بدِ حادثه و با خطاهای گذشته بتوانـد بستیزد. باید ستیختن را آموخت. پی‌آمد این آموزش می‌تواند مرگ یا زندگی باشد. یا باید به ساحل رفت و از هر تلاشی کناره‌گیری کرد یا باید با امواج درافتاد و جان بدر برد. فرود بار دیگر بر سر دوراهی بود. زمانه با تو نسازد تو با زمانه بساز را نمی‌پذیرفت.

در همین زمان بود که نرگس با دلهره دنبال فرود می‌گشت. یک بار وقتی به حوزه برگشت از یکی از رفقایش شنید که نرگس را دم در کلوب در خیابان فردوسی دیده و به او اطمینان داده است که پسر هـمسایه را نگرفته‌اند.

دکـانی نـبش خـیابان اسلامبول و لاله‌زار کـه سـرپائی شیرقهوه می‌فروخت، پاتوق دانشگاهیان شده بود. استاد و دانشجو، اداره‌ای‌ها که فقط دفتر حاضر و غائب را امضاء مـی‌کردند و بـقیهٔ روز در کـافه‌ها و خیابان‌ها پلاس بودند، و خوش‌گذران‌ها می‌آمدند با پنج ریـال و یک تومان قهوه‌ای می‌نوشیدند. گپ می‌زدند، با یـاران خـود قرار مـلاقات می‌گذاشتند و یا با هم به ناهارخوری و یا قرارگاه خود می‌رفتند. این دکان در عین حال مرکز ملاقات و پیغام‌رسانی دانشگاهیان حزبی هم بود که در روزهای بحرانی آسان می‌توانستند دستورهای کمیته را به هـمهٔ نـفرات برسانند. از این نظر جای امنی بود، بخصوص از این جهت که دور و بر این دکه همیشه دختران دانشجو هم ولو بودند و مأمورین شهربانی آنجا را یک نوع باشگاه دختربازی تلقی می‌کردند. به‌علاوه دستور حزب این بود

که در این محل به هیچ وجه بحث‌های حزبی نشود و هر پیغامی در خارج دکان از گوینده به شنونده منتقل شود.

همین جا بود که فرود متوجه شد یکی از اعضای کمیتهٔ دانشگاه قبض‌هائی آورده می‌خواست به سود انتشار یک مجلهٔ دانشگاهیان بفروشد. در حوزه این مطلب را مطرح کردند. فرود در همان خارج دکان قهوه‌فروشی سخت به این کار اعتراض کرد. کارهائی به اسم او می‌شود که او اصلاً از آن اطلاعی ندارد. استدلال او در این زمینه بود که از یک‌طرف می‌گوئید در نتیجهٔ بحران سیاسی فعال سازمانی کم داریم و از طرف دیگر فکر جمع‌آوری سرمایه برای انتشار مجله هستیم. این فقط شهرت‌طلبی است. چه می‌خواهید در این مجله بنویسید؟ همان مطالبی را که در روزنامه‌ها و نشریه‌های دیگر منتشر می‌کنید و یا چیزهای تازه‌ای؟ چه کسانی را می‌خواهید با انتشار مجله به سود خود جلب کنید؟ آیا پشت سر این مجله گروهی کمین نشسته‌اند تا خودخواهی خود را ترضیه کنند یا منظور سیاسی دیگری دارند؟ ابتدا اینها را علنی بگوئید، بعد راجع به آن تصمیم بگیریم.

خود فرود حدسی می‌زد اما یقین نداشت علیه چه کسی دارد درفشانی می‌کند و فقط بعدها فهمید علیه کجوری و کاظمی. بیش از یک ساعت در این باره صحبت کرد. کار داشت به پرخاش و بدگوئی می‌کشید که پیشنهاددهنده ناچار اعتراف کرد که چنین تصمیمی در کمیتهٔ دانشگاه گرفته شده است. در حال فرود تسلیم شد و نخستین کسی بود که اعانه برای انتشار مجله پرداخت. منتها ایرادش این بود که تصمیمی که گرفته شده باید اطاعت کرد، در این صورت بحث لازم نبود.

شده ولی به روی خودش نمی آورد، گفت: «رفقا می خواستند نامه‌ای به تو بنویسند و متذکر شوند که آمد و شدت را با انشعابیون قطع کنی. ترا اغلب در دکان قهوه‌فروشی با آنها دیده‌اند.» فرود آنقدر از این خاله زنک‌بازی‌ها بدش آمد که اصلاً لازم ندانست از خودش دفاع کند. قوز بالا قوز شد. چند روز بعد هم مهندس عالی او را پیدا کرد:

«به رفقا پیشنهاد کردم به تو مسئولیتی بدهند. حرف‌هائی درباره‌ات می‌زنند.»

فرود رویش به او باز بود، هرچه در دل داشت به او گفت:

«رفیق عالی، از این لوطی‌بازی‌ها بدم می آید. اهل دسته‌بندی هم نیستم. مبارزه بر سر مسائل خصوصی دلیل انحطاط یک حزب سیاسی است. برای امثال کاظمی هم به اندازۀ یک پول ارزش قائل نیستم. از حرف‌های گنده‌اش هم بدم می آید. اعتقاد به امامزاده هم هرگز نداشتم. باید دید کی دربارۀ من حرف می‌زند؟ چه می‌گوید؟ مگر من به این حزب آمده‌ام که از امثال کاظمی‌ها اطاعت کنم؟ نه رفیق عالی موضع من پس از انشعاب معلوم است. آنکه با او دوست بودم و گاهی در دکان قهوه‌فروشی می‌دیدمش، دیگر جزو انشعابیون نیست. او عاقلتر از من بود و باباش فرستادش به امریکا.»

مهندس عالی گوش می‌داد. بعضی گفته‌های اورا تصدیق می‌کرد. بر برخی ایراد داشت. نباید تصور کرد که همۀ این جدل‌ها و صف‌بندی‌ها ناشی از خودخواهی و برتری‌جوئی است. دوتا موش را که در یک سوراخ بگذاری با هم بازی می‌کنند وگاهی هم دعوا. یا آدم جز دسته و جمعیتی نمی‌شود و یا شرائط آن را می‌پذیرد. بسیاری از ناهمواری‌ها را

«کمی گلاب زدم به صورتم. می‌خواهی برای تو هم بیاورم؟»

«خودت زده‌ای کافیه، مرا کیفور می‌کند.»

«چته؟ چطور شده که اینقدر مهربان شده‌ای؟ این رویت را تا به حال ندیده بودم.»

فرود سکوت کرد.

راستی چه شده بود که آنقدر نیاز به مهربانی پیدا کرده بود. آیا یک تودهنی از آدمی مثل کاظمی او را آنقدر دگرگون کرده بود که باید دست به دامن دختری از قماش نرگس بشود. نه، این نبود. کار از جای دیگر عیب داشت. دلبستگی به نرگس بود. کاظمی‌ها نمی‌توانند او را از پا درآورند. از این گذشته چه خوش است که آدم در روزهای واماندگی و بیچارگی کسی را دارد که می‌تواند به او پناه ببرد. اگر نرگس نبود به کدام در می‌زد و ناگفتنی‌ها را به که می‌گفت؟ ترس و درد و زخم همراهان همیشگی آدمی هستند. باید افسارشان کرد. باید از آدم حرف‌شنوی داشته باشند و نه برعکس. نباید مطیع و منقاد آنها شد. از این تازه به دوران رسیده‌ها که به قصد یکه‌تازی به میدان آمده‌اند باید سواری گرفت. خیالات برق‌وار می‌گذشتند. چیزی که باقی می‌ماند لبخند پر از ناز نرگس بود. قند برایش در فنجان ریخت. با قاشق چائی‌اش را هم زد:

«اول چائیت را بخور، بعد بگو چه شده؟ می‌خواهند دستگیرت کنند؟»

«نه.»

«اگر بخواهی قایم بشی جا برات دارم. می‌تونم پنهانت کنم.»

این از خودگذشتگی فرود را تکان داد. باور نمی‌کرد. دختری که با

۱۰

پس از انشعاب فرود دیگر فعالیت گرمی نداشت. در سال ۱۳۲۶ بیشتر به درسش می‌رسید. مرتب در دانشکده بود. خود را برای امتحان نهائی آماده می‌ساخت. این را نیز یک وظیفهٔ حزبی می‌دانست. کجوری که امور دانشجویان را اداره می‌کرد توسط مهندس عالی به او پیغام داده بود زودتر کار دانشگاهش را به پایان برساند. حزب در دادگستری احتیاج مبرمی به قاضی و بازپرس دارد. آن روزها بیشتر در مطبوعات و در تشکیلات حزب کار می‌کرد. پس از انشعاب گاهی به مثابهٔ پیک از او استفاده می‌کردند. فلان روزنامه و یا فلان اعلامیه را به فلان شهر برسان. پس از سرکوبی شورای اتحادیه‌ها در زمستان دشمنی دستگاه دولتی با چپی‌ها بی‌پرده‌تر شد. همه جا ارتجاع در حال یورش بود. در فلان شهر میان اعضای کمیتهٔ ایالتی اختلاف شده، آدم فهمیده‌ای باید به اختلافات رسیدگی کند و حق به حق‌دار بدهد در شهر دیگری چند نفر از حزبی‌های سرشناس را دستگیر کرده‌اند، باید برایشان وکیل دعاوی گرفت و در رهائیشان کوشید در کارخانه‌ای در مازندران کارفرما به تحریک استاندار به کارگران فشار می‌آورد و چند نفر از عاملین شورا را از کار برکنار

طبق موازین اساسنامه. حالا هـمین حضرات آمـده‌انـد بـا ایـن رسـاله ضعف‌های خودشان را توجیه کنند. با این جزوه قصدشان این است دو سه نفری را هم که هنوز غیر از خودشان در هیئت اجرائیه باقی مانده‌اند بیرون بریزند و خودشان جای آنها را بگیرند. آن وقت اسم مـارکسیستی هـم روی آن می‌گذارند.

سر کلاس درس هم حسابی به جانشان افتاد. درس دربارهٔ اقتصاد بود. به شنوندگان میرزابنویسی دم حجره و فوت و فن آن را یاد مـی‌دادنـد. ندانم‌کاری داشت در کلیهٔ امور رخنه می‌کرد و تسلط می‌یافت.

روزی فرود در خیابان با ابراهیم دکـتر درس‌خـوانـده در انگـلستان مواجه شد. سعی کرد زیر زبانش را بکشد: «فرض کنیم که او هم جزو دستهٔ پیشتازان است. چه باید بکند؟»

روزهـائی بـود کـه دومـین کـنگرهٔ حـزب داشت تشکیل مـی‌شد. می‌خواستند بر شمارهٔ اعضای کمیتهٔ مرکزی به سود ناراضی‌ها بیفزایند. قرار بود که سردسته‌های گروه‌بندی‌ها چند کرسی اشغال کـنند. امـثال کجوری و کاظمی شاخه‌هایشان را تیز کرده بودند. فعالیت پیشتازان هم به همین نیت بود که آدم‌های خودشان را در هیئت اجرائیه بچپانند. سؤال و جواب فرود با دکتر اقتصاد در همین زمینه بود.

«کمیتهٔ مرکزی باید از آوانگاردها تشکیل شود.»

«یعنی تو و یارانت.»

«با هوچیگری نمی‌توانی مرا از میدان در کنی. یعنی می‌گوئی من از کبیری بدترم که عینک سیاه می‌زند تا خود را پنهان کرده باشد؟»

«بیخودی به آدم‌های باایمان نپر. همین کسی کـه جـرأت نـمی‌کنی

اسمش را بیاری ده سال در زندان با آب زیپو و آش گل گیوه سر کرده و هرگز پیش آژان‌ها و قزاق‌ها گردن خم نکرده. می‌خواهم ببینم تو چند روز طاقت چنین زندگی را میاری. شاید کبیری به اندازۀ تو درس نخوانده باشد اما از کجا که ایمانش محکم‌تر از تو نباشد. حالا از اینها گذشته بگو ببینم تو چه کسانی را قبول داری؟»

«تورج خان را که خودت بهتر می‌شناسی. همان بهتر که در فرنگستان بماند و پوکر بازی کند، کجوری و کاظمی که از خودمان هستند. آن یکی را بگذار دنبال تئاترش برود. بقیه را باید یواش یواش کنار گذاشت.»

«بعد یواش یواش پیشتازان بیایند سرکار.»

خوشبختانه کار به دست حضرات نیفتاد. کجوری و کاظمی داناتر از این بودند که تازه به دوران رسیده‌ها را پیش خودشان بنشانند.

مردم و سرمایهٔ داخلی می‌توان تمام منافع ثروت کشور را استخراج کرد ولی حالا که صدای مردم بلند شده و در شخص دکتر مصدق ملی کردن صنعت نفت را می‌پذیرند، حضرات گربه می‌رقصانند. آدم نمی‌داند به کدام سازشان برقصد.

حزب گرفتار دودلی دهشتناکی بود. به مصدق اطمینان نداشت. او را مانند همهٔ رجال کشور دربست عامل امپریالیسم و حامی شرکت‌های بزرگ نفت می‌دانست. ملی کردن شرکت نفت را می‌پذیرفت اما نه به دست مصدق و «جبههٔ ملی» که همه‌شان را جیره‌خوار استعمار می‌شمرد. این تردید و ندانم‌کاری بسیاری از حزبی‌ها را ناراحت می‌کرد. «در یک‌چنین وضع حساسی مردانی کارآزموده، دانا، مصمم و نترس می‌بایست زمام امور را در دست گیرند، اما بر تن گندهٔ حزب سر کوچکی چسبیده بود که سنگ شده بود و هراس داشت یک قدم مثبت بردارد مبادا در حق آنها اصطلاح «توده ــ نفتی» صدق کند، غافل از اینکه مخالفت با اقدامات مصدق و «جبههٔ ملی» برعکس، هواخواهان ملی کردن شرکت نفت را وادار می‌کرد به آنها چنین اتهامی بزنند.»

او و چند تن از دوستانش و همشهری‌هایش مانند کلهر و برزو و شهرنشین و بسیاری دیگر که این سیاست شل‌کن سفت‌کن صدرنشینان را نمی‌پسندیدند، نامه می‌نوشتند، اعتراض می‌کردند و توضیحی برای تظاهرات پی در پی حزب که اغلب علیه مصدق و «جبههٔ ملی» تمام می‌شد می‌خواستند، اما بالائی‌ها گوششان به این حرف‌ها بدهکار نبود و دنبال حلیله و ملیله و گرد ته خزینه می‌دویدند. به سود اعطای امتیاز شوروی و به زیان دکتر مصدق و جبههٔ ملی نمایش می‌دادند. راستی انسان حق

داشت از خود بپرسد: کی این نقش را در دستگاه رهبری حزب بازی می‌کرد.

دو سه ماه قبل از حادثهٔ بهمن دستگاه رهبری مثلاً خود را برای کار مخفی آماده می‌کرد. قرار بود حوزه‌های مخفی تشکیل شـود. روزی یکی از دوستان فرود اطلاع داد که باید تحت نظر کسی، که بعداً او را همان روزها دستگیر کردند، در حوزهٔ سه نفری شـرکت کـند. نـظم در حوزه‌ها به هم خورده بود و دیگر به این آسانی مرتب نمی‌شد. رهبران باقی مانده دسته دسته می‌گریختند. نـه، ایـن تـوصیف صـحیح نیست، برحسب تصمیم کمیتهٔ مرکزی چند تن، که بیم جان آنها می‌رفت، قرار شد از ایران خارج شوند. به نظر فرود این تصمیم نادرستی بود. ترس بود یا مصلحت اقتضا می‌کرد؟ به هـرحال کـار افـتاد در دست یکـی دو تـن بی‌عرضه و فاقد ابتکار و دو سه تن از جان‌گذشته و چند نفر که بعدها با دستگاه دولتی همکاری می‌کردند و جاسوسشان بودند و نفرات برجسته را لو می‌دادند. در سازمان جدید فقط افراد از خودگذشته می‌توانستند جزو عاملین حزب بشمار روند. حالا دیگر هر عضو حزب یک سرباز محسوب می‌شد که می‌بایست دستورهای حـزبی را در اخـتفای کـامل بی‌چون و چرا انجام دهد. شـدت وخـامت اوضـاع چـنین انـضباطی را ایجاب می‌کرد. تیراندازی به نخست‌وزیر وقت و کشته‌شدن او ثابت کرد که این دشواری به مرحلهٔ حادی رسیده است. او که یک سپهبد ارتشی زیرک و توطئه‌گر بود سعی داشت مسئلهٔ نفت را طوری حل کند که در عین حفظ منافع دولت انگلیس سهم بیشتری هم نصیب ایـران بشـود. اعتصابات کارگران در بندر معشور و آبادان در ماه‌های اول سال ۱۳۳۰

بردارند. البته فراموش نخواهید کرد که امپراطوری بریطانیا به این آسانی از منافع خود دست برنمی‌دارد. می‌گویند توده ـ نفتی در کار مصدق اخلال می‌کند. یقین دارم که تو جزو آنها نیستی... جناب آقای پایدار همیشه احوالپرس شما هستند. ته دلشان دلخور هستند از اینکه شما با ایشان مکاتبه نمی‌فرمائید. چه شده است؟ می‌فرمودند که در نظر دارند از «جبههٔ آزادی» استعفا بدهند، زیرا دیگر مقاصد این جبهه با مرامشان وفق نمی‌دهد. ما همه دلواپس هستیم...»

نخستین بار پدرش در پرده به او تهمت کارشکنی در یک امر ملی می‌زد. کاغذ به وسیلهٔ نرگس رسیده بود. خوشبختانه اوبه این اشاره پی نبرده بود. به فرود سخت برخورد. آنقد رنج برد که از تصمیم خود، که چند ساعتی با او به‌سر برد، چشم‌پوشی کرد و زود جیم شد.

تا اوائل سال ۱۳۳۰ افسر وظیفه بود. به محض اینکه آزاد شد توسط کلهر، که هنوز رابطهٔ گسسته‌ای با حزب داشت خبر داد که آمادهٔ کار است. خود را در اختیار حزب گذاشت.

دورهٔ جدید زندگی حزبی شروع شد. با او تماس گرفتند. از تجربهٔ او به مثابهٔ پیک و میل مفرط او به مسافرت به شهرها استفاده کردند. از این تصمیم، نرگس به وسیله‌ای، شاید توسط فیروز باخبر شد. دیگر آنها همدیگر را مرتب نمی‌دیدند. مسافرت‌های به خارج از تهران اجازهٔ ملاقات‌های مرتب را نمی‌دادند.

منیره و بدری به قصد دیدن برادرشان به تهران آمده بودند. چون او را نیافتند پیش نرگس رفتند و او توانست فرود را پیدا کند. یک روز جمعه بود. سه نفری با هم خوش گذراندند. مزد ناچیزی که حزب به فعالین

می‌داد دیگر جا برای سورچرانی باقی نمی‌گذاشت. هرچهار تا مهمان دو خواهر بودند. حالا هر دوشان معلم شده بودند، حقوق می‌گرفتند و می‌توانستند به تهران مسافرت کنند. شوق سفر از پدر به دختران سرایت کرده بود. منیره خوشگل بود و سر و گوشش می‌جنبید و از خواستگارهائی که برایش آمده بودند نقل‌ها می‌کرد و غش غش می‌خندید. اما بدری در فکر دیگری بود. او می‌خواست بداند برادرش در تهران چه می‌کند. حالا که دیگر حزبی در میان نیست به چه کاری مشغول است. کنجکاوی می‌کرد. علاقه به مسئلهٔ نفت داشت. آن را کلید کلیهٔ مشکلات ایران می‌دانست. از برادرش می‌پرسید. نظر او و حزب منحله دربارهٔ خلع ید از شرکت نفت چیست؟ آیا عملی می‌شود؟ آیا شنیده است که بازاری‌ها دربارهٔ سیاست حزب نسبت به نفت و مصدق چه می‌گویند؟

فرود چشم‌هایش گرد شده بود. زل زل به او نگاه می‌کرد و جواب نداشت بدهد.

نرگس خیره به بدری می‌نگریست و در انتظار پاسخ فرود بود. منیره همه‌اش می‌خندید:

«داداش، چرا جواب نمی‌دهی؟ خوب دارد ترا می‌پیچاند. خیال می‌کند تو هم حاجی آقا هستی که از ته و توی کار هیچ خبر ندارد.»

توجه غیر عادی بدری به مسائل سیاسی و اجتماعی برای فرود کشف تازه‌ای بود. مسئلهٔ نفت و جنبش ملی زیر رهبری دکتر مصدق دیگر داشت در اعماق جامعهٔ ایران رخنه می‌کرد. جای شگفتی نبود که مردانی کنارگود سیاست مانند حاجی آقا و امام جمعه پیروزی دکتر مصدق را

کلمه در تنهائی با بدری گفتگو کرده بود به این دلیل بود که می خواست به خواهرش حالی کند که او هم انسان است و می‌فهمد و می‌داند که چه باید کرد و از چه باید پرهیز نمود. آن وقت نرگس به تصور واهی که او خواهرش را به ادامهٔ راهی تشویق کرده که نباید دنبال می‌کرد مورد سرزنش قرار می‌داد.

اختیار از دستش در رفته بود. نتوانست جلوی خودش را بگیرد:

«نرگس جان، تو پناهگاه منی. من خودم هزار جور گرفتاری دارم، برای سرزنش شنیدن هم پیش تو نیامده‌ام.»

این اولین باری بود که دختر آقا را «نرگس جان» خواند. دختر قلبش از جا کنده شد. دست انداخت گردن فرود و او را بوسید.

فرود از جا برخاست. دندان روی جگر گذاشت. دست نرگس را بوسید و رفت. رفت که با خودش باشد، در عمق ضمیرش راه حلی برای معمائی که زندگی او را به ورطه‌ای می‌کشاند بیابد. آیا عاشق نرگس بود؟ لازم نبود که به زبان اقرار کند. به خودش که نمی‌توانست دروغ بگوید. اما می‌بایست دندان روی جگر بگذارد و دهنهٔ خودخواهی را بکشد و از حدّ تجاوز نکند. این یک جنبهٔ خواستن است. اما محبت دو سر دارد. مهربانی‌های روزافزون نرگس سر دیگر آن بود. هرچه فرود بیشتر خودداری می‌کرد به محبت‌های نرگس اضافه می‌شد. اگر به سیاسی شدن بدری اعتراض داشت به همین جهت بود که او را و خواهرش را و خانواده‌اش را دوست دارد. این ایمان هم در او نبود که از دست امثال فرود و کلهر و فیروز و بدری کاری در این دنیا برمی‌آید. به‌گمان او اینها خودشان را فریب می‌دادند. ایمان، دل بستن به چیزی که نیست و وجود

خارجی ندارد و روزی ممکن است وجود خارجی پیدا کند. کاشتنی نیست باید از خود در قلب و روح آدم جوانه بزند و بروید و انسان را به از خودگذشتگی‌هائی وادارد که عقل آن را منع می‌کند. نمی‌خواست دل نرگس را بشکند، نمی‌توانست. کششی او را به سوی این موجود لطیف می‌کشاند. آیا می‌توانست بگوید که او را دوست دارد، می‌پرستد و بی‌او نمی‌تواند زندگی کند؟ می‌دانست جسارت چنین کاری را ندارد. او اصلاً مرد زن نگهداری نبود. این دختر حیف بود چند روزی معشوقه‌ای باشد و بعد به امان خدا رهایش کند. به فکر افتاد شوهری برایش پیدا کند. سال دیگر پزشک می‌شود. کی مایل نیست با دختری ازدواج کند که درس خوانده، دکتر شده، می‌تواند یک تنه زندگی خودش و خانواده‌اش را اداره کند. فیروز هنوز به نرگس چشم دارد. یادش نرفته. حالا معلم شده و ماهی چند صد تومان حقوق می‌گیرد. خودش نمی‌دانست چرا به فیروز حسد می‌ورزید. نه، این توهین به نرگس بود. ملافیروز شایستهٔ نرگس نیست. حالا پزشک و دکتری به کنار. این دو تا مثل برف و آفتاب هستند. برف آب می‌شود و آفتاب هم گرمی خود را از دست می‌دهد؛ زمانی که دور از یکدیگرند این یک هرز می‌تابد و آن یک یخ می‌زند.

حالا مشکل بدری هم دارد به گرفتاری‌های او افزوده می‌شود. فاطی خوشگل بود آبله هم درآورد. موش به سوراخ نمی‌رفت کدو هم به دمش بستند.

فرار از حزب دیگر میسر نیست. حالا موقعی است که فرق مرد از نامرد معلوم شود. تنها کسی که می‌شود با او مشورت کرد مهندس عالی بود که غیبش زده بود. او را نمی‌توانست پیدا کند. چو افتاده بود که

همسایه‌اش شب‌پا بود. به خانه که می‌آمد خود را به بیماری می‌زد تا بتواند روزها در خانه بماند و محافظ فرود باشد. فرود بیمار شده بود. زن شب‌پا برایش گل گاوزبان و کاسنی می‌جوشاند و به خوردش می‌داد. بعدها «کدخدا» با ژاندارم‌ها ساخت و نزدیک بود فرود را لو بدهد. اصلاً تصور نمی‌کرد که چنین پسر مفنگی دستی در اعتصاب دارد. خیال می‌کرد از بچه اعیان‌های شهری است که برای گذراندن تابستان به ییلاق آمده است.

اعتصاب تمام حواس او را قبضه کرده بود. پیروزی کارگران چیت‌سازی پیروزی خود او بود. همه در تلاش بودند. زنان و دختران، حتی بچه‌ها. رهبری اعتصاب کار دشواری بود. اتحادیه‌ای اصلاً وجود نداشت. اعتصاب آنها خودجوش بود و حالا باید جوری آن را هدایت کرد که به نتیجه می‌رسید. هر شب با سه چهار نفر از سردسته‌ها در جائی دور از انظار می‌نشستند و بحث می‌کردند. مسئلۀ عمده زبان بود. کارگران اغلب دهاتی‌های مازندرانی بودند که فارسی بد می‌فهمیدند. هرکدامشان تقاضائی از صاحبان کارخانه داشتند. یکی از هشت ساعت کار صحبت می‌کرد، دیگری منزل نداشت. یا باید تاکومه‌اش دو سه فرسخ راه برود و آنجا سر به زمین بگذارد و یا در قهوه‌خانه‌ای بیفتد که ازش کرایه می‌گرفت. اضافه مزد، دوا و درمان مجانی، بهداشت هم جزو مطالبات آنها بود. فرود به زبان بی‌زبانی حالیشان می‌کرد که باید مطالبات خودشان را روی کاغذ بیاورند و همه‌شان همان را بخواهند. از این گذشته باید آرام بود. نباید گذاشت که کارگران بیهوده تحریک شوند. اصطلاح «پروفکاتور» ورد زبانشان بود. زن‌هایشان هم باید پشتیبانشان باشند اما

زیاده‌روی جایز نیست. این کار شب‌هایشان بود. دیگران را به آرامش دعوت می‌کرد. اما تمام روز در اضطراب به‌سر می‌برد. نکند زد و خوردی درگیرد و کسی کشته شود. وقایع روز اول ماه مه در ولایت یادش بود. از این جهت می‌ترسید. این باطنش بود. در ظاهر خودش را خونسرد نشان می‌داد. گاهی که فرصت داشت تا نزدیکی کارخانه می‌رفت و خردسالان برایش خبر می‌آوردند که در درون کارگاه‌ها چه اتفاقی افتاده. از روی گفته‌های آنها مطالبی را یادداشت می‌کرد که در صورت لزوم در نطقش بگنجاند. شب‌پا به اجاره‌نشین خود اشاره کرد که باید خانهٔ او را ترک کند. شستش خبردار شده بود که صاحبخانه بوئی برده است. ناچار به کومهٔ دیگری رفت که از آنِ یک کارگر چیت‌سازی بود. او را هم گرفتند.. غروب همان روز زن کارگر را هم دستگیر کردند. فقط محترم بچهٔ چهار ساله‌اش در خانه ماند. این دخترک سرچشمهٔ شادی و تفریح فرود شده بود، اما دردسر هم داشت، با او شوخی می‌کرد، قلقلکش می‌داد، نقل برایش می‌خرید. یکی از کارگران هر شب برایش خوراکی می‌آورد. شست و شو و تر و خشک کردن بچه را به عهدهٔ پیرزنی گذاشته بود که فرزندش را دستگیر کرده بودند. فرود برایش عروسک می‌دوخت. باش گرگم به هوا، قائم موشک، حمومک مورچه داره، جوم جومک برگ خزون بازی می‌کرد. آنقدر از این کودک‌بازی‌ها کیف می‌برد که گوئی خودش یکی دو سال از محترم بزرگتر است. غش غش بچه او را سر شوق می‌آورد. همه‌اش در این فکر بود که او را، اگر مادرش نیاید، کجا بخواباند، به‌کی بسپارد. حتماً یکی از کسان بچه خواهد آمد. به‌علاوه مادرش هم برخواهد گشت. به این آسانی

بودند، قبل از اعتصاب. ده روز بود که بلاتکلیف در حبس بود:

«اگر می‌خواهی کتاب دیگری هم دارم. بهت میدم اما به کار من کار نداشته باش.»

فرود کتاب را از دستش گرفت. آن را از خورجینی درآورد. به خط سیریل بود و خودآموز زبان آذربایجان شوروی. فرود مشغولیت تازه‌ای یافت. شروع کرد به ترکی یاد گرفتن. برای کارگر بهشهری روزنامه هــم می‌آوردند. از کجا به دستش می‌رسید، بروز نداد. روزنامهٔ «نوید» بود، روزنامه وابسته به شورای کارگران. آن را برای کارگران بی‌سواد می‌خواند و مطالب را تفسیر می‌کرد. او را و سه کارگر را به دادگاه بـردند. پس از یک هفته مردکی از او بازپرسی کرد: چه کاره‌ای؟ این روزنامه‌ها چیست؟ فقط یک پیراهن چرک تنش بود و یک شلوار بی‌اطو. بازپرس نتوانست تشخیص دهد با کی سروکار دارد. مثلاً می‌خواست زهر چشـمی از او بگیرد، تشر زد:

«دستت را از جیبت دربیار.»

فرود جواب داد: «کار خودت را بکن، به شلوار من چه کار داری؟»

«اگر فضولی کنی می‌دهم حبست کنند.»

«زکی، تو همین یک هفته که مرا حبس کرده‌ای مرتکب خلاف قانون شده‌ای. به محکمه می‌کشانمت. من خودم لیسانسیهٔ حقوق هستم.»

همین کافی بود. یارو فهمید که سنبه پر زور است. کوتاه آمد. البته در صلاحیت او نبود که او را و دیگران را محکوم کند. قرار توقیف صادر کرد و آنها را به ساری فرستاد.

شب را با یک کولی و کسی که به پنج سال حبس محکوم شده بود،

گذراند. مردی سی ساله هم آنجا بود که به خوشمزگی‌های فرود اعتنا نمی‌کرد و دائماً سرش توی کتابی بود که می‌کوشید پنهان کند تا پاسبان‌ها نـبینند. هـرچند دقـیقه دست در جیبش مـی‌کرد، یک مشت تـخمه درمی‌آورد. یکی دوتا در دهن می‌گذاشت و چنان ماهرانه می‌شکست و پوست آنها را تف می‌کرد که گوئی ماشینی زیر زبانش کار گذاشته‌انـد. روی پتوی کهنه‌ای بر سکوئی نشسته بود. دور و برش پر از پوست تخمه بود. چشمش را از روی کتاب برنمی‌داشت. فقط سرش را از بالا به پائین تکان می‌داد و چنین وانمود می‌کرد به دنیا و مافیها پشت پا زده است و اصلاً ککش نمی‌گزد که او را تو هلفدونی انداخته‌اند و خدا می‌داند چقدر نگه خواهند داشت. فرود بارها خواست سر صحبت را بـا او بـاز کـند، واکنشی نشان نمی‌داد.

قریب پانزده روز او را در زندان ساری نگه داشتند، روزی کتابخوان از او پرسید:

«تو مثل اینکه سواد داری؟»

«چطور مگه؟ یه کمی سواد دارم.»

«پس بیا با هم این کتاب مرا بخوانیم.»

«چطور حالا به خیالت رسید با من حرف بزنی. می‌ترسیدی اگر زودتر جوابم را می‌دادی طوری می‌شد؟»

کتاب کلاس ششم ابتدائی بود که وزارت فرهنگ برای دانش‌آموزان منتشر کرده بود. فرود برای اینکه ته و توی کار را درآورد ازش پرسید

«چرا می‌خواهی سواد یاد بگیری؟»

مرد از این پرسش تعجب کرد. جوابی نداد.

فرود ادامه داد: «چه فائده دارد؟»

«با من شوخی‌ات گرفته؟»

در راه به تهران از او حرف درآورد که سر تکه زمینی با اربابش دعوایش شده و با بیل سر زمین‌دار را شکسته و اکنون دارند او را به زندان تهران انتقال می‌دهند که چند سال حبسش را بگذراند. می‌خواهد خواندن و نوشتن بیاموزد تا حق خودش را بگیرد.

مرد تعجب می‌کرد از اینکه همین آدمی که دائماً در حال شوخی و باردی و لیچارگوئی است به محض اینکه می‌نشیند و به او درس می‌دهد آنقدر سختگیر می‌شود. به او گفت:

«آدم باور نمی‌کند که تو همان کسی هستی که لنگت را هوا می‌کنی و ادای پاسبان‌ها و افسران را درمی‌آوری و سؤال‌های پرت و پلا می‌کنی.»

فرود جواب داد: «هیچ تناقضی ندارد. شوخی به جای خودش، جدی هم به موقعش.»

دادگاه ساری او را به دو ماه حبس محکوم کرد. از دو ماه حبس چند روزی بیشتر نمانده بود. اما این جا به جائی و از زندانی به زندان دیگر رفتن باب دندان او بود. استیناف داد. چون می‌دانست که دادگاه بعدی باید در مرکز تشکیل شود.

مرد سوادآموز و دزدی را که می‌گفتند به خانهٔ شهردار زده بود، همراه فرود به ژاندارمی سپردند که در تهران تحویل دادگستری بدهد. ژاندارم به آنها دستنبد زد. به محض اینکه از شهر خارج شدند، از هریک از دو زندانی پنج تومان گرفت و دست‌هایشان را باز کرد. از آقادزده ده تومان گرفت. این پول را یک افسر ژاندام پنهانی به سوادآموز داده بود تا

خرج راهشان باشد. به محض اینکه به حومهٔ تهران رسیدند، ژاندارم باز به آنها دستبند زد و آنها را به همان نحوی که از شهربانی ساری تحویل گرفته بود به زندان سپرد و رسیدگرفت.

از اتوبوس پیاده نشده نرگس را همراه حاجیه خانم دم در زندان موقت دید. مادرش گریه می‌کرد و رویش را از فرط خجالت کیپ گرفته بود. مأمورین با وجود اسکناسی که نرگس کف دست آنهاگذاشت مانع شدندکه با هم ولو چند دقیقه هم شده چند کلمه رد و بدل کنند. چند پاسبان میان فرود و مادرش، که دست‌های خود را به سوی فرزند دراز کرده بود، حائل شدند و او توانست فقط صدای نرگس را بشنود که امید می‌داد و او را مطمئن می‌ساخت که تا چند روز دیگر آزاد خواهد شد.

وقتی جدا شدند احساس کرد که نرگس دارد ضعف می‌کند و به زمین می‌افتد. فرود و همراهانش را به زندان زیر دادگستری بردند.

همان روزی بود که نمایندهٔ مخصوص رئیس جمهور امریکا برای حل اختلاف میان ایران و انگلیس حامل پیشنهادهائی به ایران آمده بود. میتینگ عظیمی برپا بود. جمعیت در خیابان‌ها موج می‌زد. شاید چند تن از دوروبری‌های مصدق امیدوار به حمایت امریکا از منافع ایران در جدال میان ایران و انگلیس بودند. فرستادن یک سرمایه‌دار طراز اول که معدن‌های زغال خودش را در لهستان پس از انقلاب این کشور از دست داده بود، دیگر شکی برای کسی باقی نگذاشت که نفتخواران دنیای نو هم از این نمد کلاهی برای خود می‌خواستند. همان روز به یکی از دوستان فرود به اسم خشوع تیر خورد و ناچار پای او را بریدند. چند تن دیگر کشته و زخمی شدند. در قفسی که فرود را در آن شب چپاندند، جا برای

اینگونه مسائل نبود. آن شب را فرود باگردانی از شپش‌های درشت و قریب سی و چند نفر دزد و آدم‌کش و مختلس و متهم به اعمال منافی عفت از جمله رمضان بی‌مخ، اصغر جگرکی، قداره‌بند، یک‌چشمی و قاب بازگذارند. اینها دزد ساری را شناختند. هنوز نرسیده شوخی و باردی درگرفت. چند نفر پریدند به سویش که معلوم شد از یاران کهن هستند. ماچ و بوسه سبیل شد. لب‌شکری، عاقل مردی سبیل کلفت با ریش فراوان و سینهٔ پشم آلو یواشکی، ولی به صدائی که فرود بشنود گفت: «این بچه خوشگل را از کجا بلند کردی؟» اما «بچه خوشگل» به روی خودش نیاورد. آن وقت رو به قداره‌بند که رئیس همه‌شان بود کرد و گفت: «بالاخان، پشت لبش سبز شده اما بد چیزی نیست. رختخواب براش آوردند بگم جاش را پهلوی تو بندازن.»

دزد ساری گفت: «چاک دهنت راببند، سیاسی است.»

همه ساکت شدند. او را مخملی نامیدند.

از فرود استنطاق کامل کردند که آیا تازه کار است، اهل کدام محله است، و چه شیوه‌ای می‌زند و به چه جرمی گرفتار شده؟ این بازپرسی مدتی طول نکشید و لب‌شکری گفت: «مخملی کاری نکرده، یه دخمل چهارده ساله را بی‌سیرت کرده.» همه زدند زیر خنده و فرود هم با خنده‌اش چنین وانمود کرد که لب‌شکری چندان بی‌گدار به آب نزده. کار تمام بود. سفره‌ای پهن کردند؛ از شیر مرغ گرفته تا جون آدم. ترپلو، چلوکباب، خورش، مرغ بریان، ماست و مربا و چند جور ترشی و پیاز و چندتا شیشه عرق که از زیر دوشک و لحاف‌ها درمی آمد.

این نخستین بار بود که فرود در یک زندان واقعی، آنطوری که راستی

باید باشد، گذراند. با وجود خستگی از راه و دردی که در مچ پایش و در کمرش احساس می‌کرد، خوابش نبرد. تنها شپش‌ها او را نمی‌گزیدند. در قلبش فشاری ناراحتش می‌کرد که تا آن زمان برایش تازگی داشت. تا می‌آمد چرخی بزند خواب نرگس را می‌دید که روی زمین پهن شده و حشره‌های موذی شاخدار به جانش افتاده بودند. قیافهٔ نرگس و مادرش با هم عجین شده بودند و هر دوشان با چهار دست و پا او را می‌طلبیدند اما او را نمی‌توانستند بیابند. دهن کجی کاظمی با صورت کشیده که در آینهٔ شکسته هر آن بلندتر و بلندتر می‌شد تاب می‌خورد. خنده‌اش دلهره می‌آورد. پدرش را می‌دید که روی زمین می‌خزید و نمی‌توانست دست آقای پایدار را بگیرد. هیکل‌های بی‌ریخت، بی‌قواره و بی‌تناسب درهم می‌لولیدند، با هم می‌آمیختند، از هم جدا می‌شدند و گاهی یکی از آنها گوشه‌ای از گوشت بدن او را می‌کند. جیغ می‌کشید. از خواب می‌پرید. کسی او را تکان می‌داد که بیدارش کند. آن وقت درد پا و کمر عذابش می‌داد. پس از چند دقیقه باز خوابش می‌برد. گوئی همان حوادث چند دقیقه پیش باز به او رو می‌آوردند، و بار دیگر. کسی او را بیدار کرد و پرسید: «مخملی، چته؟ بگذار بخوابیم.»

صبح او را پیش دادستان فرستادند، همان بالای زندان موقت. باز هم می‌خواستند او را به همان کریدر دزدهای شب گذشته ببرند. فرود اعتراض کرد. او را به کریدور دیگر فرستادند. آنجا مخصوص مختلس‌های محترم بود. چند حزبی هم آنجا بودند. روزنامهٔ حزب را هم داشتند. جای تمیزی بود، شسته و روفته. به حزبی‌ها قول داده بودند به زندان قصر می‌فرستندشان. هر آن اثاثیه بسته چشم به راه بودند. چند

نرگس خنده‌اش گرفت: «بلکه هم کمتر. بلند شد، همین حالا بریم خانهٔ آقای ترشیزی.»

«دیروقت نیست؟»

«آنها به این زودی نمی‌خوابند. هوا خنک است و ما می‌توانیم خوش‌خوشک برویم.»

با هم برای دیدن مادرش به منزل آقای ترشیزی رفتند.

استاد دانشگاه به او بسیار محبت کرد و شعری خواند: «عار ناید شیر را از سلسله.» مفصل از وضع او در زندان ساری و موقت در تهران پرسید. شامی که دزدان به افتخار همکارشان تهیه کرده بودند و فرود نیز از آن برخوردار شده بود، بسیار برای ایشان جالب آمد. این دو در حیاط بیرونی با هم صحبت می‌کردند. روی نیمکتی نشسته بودند. نرگس به اندرون رفته بود که ذهن حاجیه خانم را برای دیدار پسرش آماده کند.

حاجیه خانم ضعیف شده بود. چشم‌هایش گود رفته بود. همین که پسرش را دید جان گرفت. سر جانماز نشسته بود و تسبیح می‌گرداند. از جا پرید و او را در بغل گرفت و نخستین حرفی که زد این بود:

«اگر یک بار دیگر گرفتار بشی پدرت از بین میره و گناهش به‌گردن تست. دیگر طاقت نداره. از بس روزه گرفته دیگر نا نداره. دلش پرپر می‌زد بیاد ترا ببیند اما نمی‌شد. تا آخر دل دل می‌کرد. آنقدر بنیه نداره که چند ساعت در اتوبوس بنشینه.»

مادر هی به فرزندش نگاه می‌کرد و سر تکان می‌داد. یریز از او می‌پرسید: «چه کار کرده بودی؟ چرا گرفته بودندت؟ آخر تو چه کارهٔ مملکت هستی که باید به جبس بری؟ خدا مرگم بده. بچه‌ام مثل نی قلیان

شده. هیچ فکر این دختر هم نیستی. دیدی آن روز به چه حالی افتاد؟...»

فرود جوابی نداشت بدهد. نگاهش را به گل‌های داودی سفید و مسی و زرد رنگی که جلوی آئینه در گلدانی گذاشته بودند دوخته، صورتش را به صورت مادر چسبانده بود و او را نوازش می‌کرد. گاهی هم از گوشهٔ چشم به نرگس نگاهی می‌انداخت و شرمزده از او رو برمی‌گرداند.

«نرگس چه‌ات شده بود؟»

«آخ چیزی نبود. فشار خونم پائین آمده بود. گاهی سرم گیج می‌خورد.»

داشت سال آخر پزشکی را تمام می‌کرد و می‌توانست هزار جور ناخوشی برای خودش بسازد، بااهمیت، بی‌اهمیت.

حاجیه خانم دوید تو حرفش:

«این حرف‌ها چیه می‌زنی. همه‌اش از غصه است. تو که نمی‌دونی ما همه از دست تو چه می‌کشیم. دلواپسیم. بابات ناراحته. این دختر همه‌اش محض خاطر تو واهمه داره.»

خانم ترشیزی به اطاق آمد. از آن زن‌هائی بود که سرش برای سیاست درد می‌کرد. آنقدر از پسر حاجی علی‌اصغر واعظ شنیده بود که نگو. حالا که مرد شده بود می‌خواست ببیندش. مقالات او را هم می‌خواند. ابراز خشنودی کرد که با او آشنا شده است. رو کرد به حاجیه خانم:

«خانم، دیگه گریه چیه؟ ما همه ذوق می‌کنیم که شما پسر به این دلیری دارید.»

کمی آنها را دلداری داد. آمده بود از فرود دعوت کند که شام را مهمان آنها باشد.

حاجیه خانم اشک‌هایش را پاک کرد. برادر خانم ترشیزی هم حزبی بود و کمابیش در جریان کار بود. دلش می‌خواست پای صحبت مادر و پسر بنشیند و بعد از خودگذشتگی‌های برادرش بگوید. منتها گریهٔ مادر و حضور نرگس مانع از این شد که میلش برآورده شود. به همین اندازه علاقه داشت بداند که کار این پسر و دختر به کجا می‌کشد. حاجیه خانم سیر و پیاز رابطهٔ این دو نفر را برای خواهرخوانده‌اش نقل کرده بود و همه آشناهای آنها امیدوار بودند پس از این خوشبختی که نصیب این خانواده شده، ازدواج آنها سر خواهد گرفت، بخصوص که حاجی آقا بنا بر قول آقای ترشیزی روزهای آخر زندگی را می‌گذراند. غم و غصه‌ای که در اطاق پرپر می‌زد به خانم ترشیزی اجازه نداد بیشتر بماند:

«ببخشید. من باید برم شام بکشم.»

بلند شد و رفت. وقتی باز تنها ماندند مادر باز صحبت را به موضوع مورد علاقهٔ خودش کشاند:

«این بیچاره چه گناهی کرده که گرفتار شده؟» اشاره‌اش به نرگس بود.

خون پرید تو سر فرود. تپ تپ قلبش را می‌شنید. رنگ صورتش مثل توت سیاه شد. از پهلوی مادرش بلند شد. روی صندلی نشست، نزدیک نرگس به طوری که می‌توانست دست او را بگیرد و نوازش کند اما جلوی خودش را گرفت. ناگهان سرش را تند به راست و چپ حرکت داد، چشم‌هایش را بست و صورتش پر از چین شد. چندشش شد. برخاست، دور میز راه افتاد. عکس بزرگی از آقای ترشیزی در لباس استاد دانشگاه توجه او را جلب کرد. ایستاد و مدتی نگاه کرد. مادرش همین طور شکایت می‌کرد.

«چه خبرتان است؟»

خودش نمی‌دانست مسخره‌بازی راه بیندازد و یا قیافهٔ جدی بگیرد. در هرحال باید این دو زن را آرام کرد. آن وقت ادا درآوردنش گل کرد:

«چه خبرتان است؟ مگر دنیا کن‌فیکون شده؟ خودم رفتم چند روزی در مازندران آب خنک خوردم. چهار هفته دوستاقی که آنقدر مصیبت ندارد. اگر بدانید چه آدم‌های شیک و پیکی آنجا بـودند. هـمه‌اش می‌گفتیم و می‌شنیدیم و می‌خندیدیم و می‌زدیم و می‌رقصیدیم. ازشان رقص لزگی یاد گرفتم. خانم جان، می‌خواهـی یک دهـن تـرکی بـرات بخوانم؟»

نرگس با این روی او آشنا بود. بلند شد از اطاق بیرون برود.

«دختر جان، بی‌زحمت یک چای برایش بیار، یک قلیان هم به مـن بده.»

همین که نرگس از اطاق بیرون رفت مادر آهسته با عجز و لابه گفت:

«پسرم، اگر تکلیف این دختر را معین نکنی از دست درمی‌رود.»

«چه تکلیفی؟»

«نمی‌دانم چه تکلیفی، اما بهت میگم. باز پای فیروز تو خانهٔ آقا معلم باز شده. از کارهاش دست برداشته و در فرهنگ کار گرفت.»

«از کارهایش دست برداشته.» این آژیری بود. فوری فهمید دنیا دست کیست. یعنی از حزب کناره گرفته. افکار جـور واجـور در مـغزش می‌لولیدند، می‌آمدند و می‌رفتند. باز یکی دیگر زد به چاک. یکی دیگر گلیم خود را از آب بیرون کشید. از او هم همه همین توقع را دارند. همه چه کسانی هستند؟ آقا معلم هرگز به او چنین تکلیفی نکرده بود، پدرش

هم. استاد ترشیزی هم به او توصیه نکرد عاقل شود. تحصیلکردهٔ انگلیس هم برگشت به لندن. آذر آقا کجا می‌رود؟

تک تک حرف‌های مادرش را می‌شنید. همه‌اش اعتراض به او بود:

«اصلاً گوش نمی‌دهی من چه می‌گویم. چشم‌هات به گل‌هاست.»

«چه بگم؟»

مادرش جواب می‌خواست. فرود جوابی نداشت بدهد:

«اگر فکر خودت نیستی فکر ما را بکن. پدرت دارد از پا درمی‌آید. دیگر بنیه ندارد. چند روز که از تو بی‌خبر می‌ماند سر از پا نمی‌شناسد. وقتی شنید که روز ۲۳ تیر خشوع را تیر زدند سکتهٔ ناقص کرد. اگر آقای راد به جانش نرسیده بود تمام می‌کرد. دکتر گفته نباید ناراحتش کرد. خدا پدر فیروز را بیامرزد که به داد ما رسید. اینجا برو، آنجا برو. دوا بخر، به دارالتجزیه برو، پیغام دکتر را بیاور. خون و ادرار تجزیه کن، حالا مـن هیچ چی. آدم یک جان بیشتر نداره. خدا داده، خدا هم می‌گیره. فکر خواهرهایت هم نیستی. تو آخر پس از پدرت و آقا معلم بزرگ خانواده هستی. بدری دیگر از هیچ‌کس حرف‌شنوی نداره. شمر هم جلودارش نیست.»

«آخه این حرف‌ها به من چه؟»

«عجب دنیائی شده؟ دختره را چند ساله منترش کرده و حالا باز میگه این حرف‌ها به من چه.»

این جملهٔ آخر بسیار جدی بود:

«پس به کی چه؟»

صدای مادر دورگه شد. از بینی‌اش آب می‌آمد. با دستمال آن را پاک

کرد:

«آخر من هم پیر شده‌ام. آرزو داشتم ترا داماد ببینم. آن بدری هم که هوا ورش داشته و مثل تو دارد آلاخون والاخون می‌شود. نرگس از او بدتر، جز تو و باز هم تو چیزی در سر ندارد.»

«چه از جان من می‌خواهید؟»

«اگه نمی‌خواهی بگیریش چرا آنقدر اذیتش می‌کنی؟ فشار خون چیه؟ دیگه تاب نداره، تاب نمیاره. یکهو غیبت میزنه. هیچکس نمی‌داند کجائی. مرده‌ای یا زنده‌ای؟ این دختر درس و مرسش را ول می‌کند. اینجا و آنجا، پیش دوست و غریبه دنبال تو می‌گردد. برمی‌گردی، چند روز مهربانی. باز به کله‌ات میزنه. جانش را داری می‌گیری.»

«چه کارش می‌کنم؟»

«نبینش اصلاً. بش بگو که برود شوهر کنه. داره از بین میره.»

فرود می‌فهمید که بسیاری از این حرف‌ها راست است. اما آخر او چه کند؟

«خانم جان، از جان من چه می‌خواهید؟»

«تو از جان ما چه می‌خواهی؟»

«چه کارتان کردم؟»

«چه کار می‌خواستی بکنی؟ داری جان ما را می‌گیری. دختر را داری دیوانه می‌کنی. پدرت را داری می‌کشی. خواهرت را مثل خودت بار آوردی. هی رفتید دوتا دوتا با هم نجوا کردید، عاقبتش خوب همینه. دیگه چه کار می‌خواستی بکنی.»

خیلی چیزها داشت بگوید. هنوز از در درنیامده با بیماری بابا و اشک

چشم مادر و غش و ضعف نرگس روبرو می‌شود. اگر جرأت داشت همان دم که دختر آقا با یک سینی چای وارد اطاق شد به او می‌گفت برو زن ملافیروز بشو. خوب، اداره‌ای شده دیگه. می‌خواهی شوهرت وزیر و وکیل بشه؟ اما چنین جرأتی نداشت. خودش هم می‌دانست که ته دلش این را نمی‌خواست.

چیزی نمانده بود به سرش بزند، از آنجا برود، بی‌خداحافظی، بی‌تعارف و تمنا، و یکراست برود پیش حزبی‌ها و صد در صد پنهان شود و دیگر کسی را نبیند، نه مادرش را، نه پدرش را، نه نرگس و نه منیره و نه بدری را. فکر بدری ناگهان تکانش داد. مادرش در ضمن گله‌گزاری دو سه بار اسمی از بدری برده بود. گفته‌های حاجیه خانم را در ذهنش تکرار کرد: آن بدری هم که هوا ورش داشته. خواهرت را که مثل خودت بار آوردی.» باید اتفاقی رخ داده باشد که همه دلواپس او هستند. برای اینکه ایزگم کند پرسید:

«چرا منیره و بدری را همراه نیاوردید؟»

«به، آنها هم هر کدام سرشان به جائی بند است. مگه از پدرشان حرف‌شنوی دارند؟ منیره بدش نمی‌آمد با ما بیاید اما مگه می‌شود پدرت را تنها گذاشت؟»

«بدری چطور؟»

حاجیه خانم جواب داد: «چه می‌دانم چرا.»

اینجا دیگر نرگس دخالت کرد:

«حاجیه خانم، بهش بگید بلکه بتونه جلوش را بگیره. بدری یک پا مثل تو است. همه‌اش سرش تو کتاب است. چیزهائی می‌خواند که آدم

معمولی اصلاً از آن سر درنمی‌آورد. پسرها را به خانه میاره. هـمه‌اش نشسته با آنها جدل می‌کند. حرف هیچکس را هم نمی‌شنود. حاجی آقا هم خیلی خاطرش را می‌خواهد. بـهش رو داده و جـرأت پیـدا کـرده. شب‌ها هم دیر به خانه میاد. میگه جلسه داشتم. اگه یک سال دیگه بگذره میشه هر دوتان را به یک‌گاری بست. خدا میدونه کجا لنگ می‌کنید. با شما هم مخالفه، بله.»

حاجیه خانم سر تکان می‌داد و زمزمه می‌کرد: «پسر زائیده‌ام بـرای دندان، دختر زائیده‌ام برای مردان، خودم ماندم سفیل و سرگردان.»

اخم‌های فرود در هم رفت. یک آن چشم‌هایش را بست. انبوهی از اندیشه‌های جور واجور انبان تخیلات او را پر کرد. آدم می‌آید به یک بدبختی عادت کند مصیبت تازه‌ای به او رو می‌آورد. دیگر حالا ضروری بود که یک سفر به شهرشان برود، نه‌تنها به قصد تجدید دیدار بـا پـدر پیرش بلکه به نیت آشنائی با بدری کـه ظـاهراً راه خـود را در زنـدگی جستجو می‌کند و یا یافته است. دلش می‌خواست فقط به او حالی کند که در این جهان آشوب‌زده آدم با چه خطرهائی روبرو است. هرگز تصمیم نـداشت او را از مسلک پیش گرفته و یـا یـافته بـازدارد. تـنها دلش می‌خواست بهش بفماند که چه دام‌هائی ممکن است بر سر راه بـاشند. می‌خواست گفتگوی خود را با آقای بشیر که پس از تیراندازی به شـاه وزارت کشور را به عهده‌گرفته بود نقل کند. چطور ضربت از جائی به او وارد می‌آید که هرگز تصورش را نمی‌کند، از کدخدای بی‌چیزی که به امید هیچ و پوچ او و کارگران فعال را لو می‌داد، از خط و نشانی که رئیس شهربانی برای او کشیده بـود و از خـودخواهی و قـدرت‌جوئی امثال

کاظمی‌ها که به خاطر یک دستمال قیصریه را آتش می‌زنند، از زبونی و بی‌اختیاری امثال افلاکی که دروغ گنده را راست جلوه می‌دهد، نه پشتش معلوم است و نه رویش.

دو روز تمام فرود با مادرش به‌سر برد. شب‌ها نرگس هم به آن‌ها ملحق می‌شد. همه‌اش از این صحبت‌ها بود.

بعد حزبی‌ها آمدند و او را بردند. نمایندهٔ رئیس جمهوری آمریکا تقاضای تشکیل یک شرکت مختلط انگلیسی و امریکائی و ایرانی کرده بود. باید رفت و اعتراض کرد. باید این نقشه را به هم زد. دانشگاهیان داشتند خود را برای تظاهرات عظیمی آماده می‌کردند. احتیاج مبرمی به آدم‌های خوش‌بیان بود. یکی باید برای گویندگان نظر حزب را توجیه کند، به فرود هم نقشی واگذار شد. مسئلهٔ نفت به تمام معنی جنبهٔ همگانی و ملی گرفته بود.

نکتهٔ جالبی که برای فرود تازگی داشت این بود که حاجی آقا هم از تلاش‌های دخترش هواداری می‌کرد و اعتراض هم به فعالیت سیاسی پسرش نداشت.

روز سوم مادر را آمادهٔ سفر کردند. بلیط برایش خریدند و او را به گاراژ رساندند و سوار اتوبوس کردند و فرود به حاجیه خانم قول داد که مواظب خودش باشد و احتیاط کند و نگذارد گرفتار شود و تعهد کرد که در اولین فرصت به دیدن پدرش برود. حرف‌های ساعت آخر به منزلهٔ وصیت بود:

«هرچه دارم مال تو و بدری است. منیره به زودی شوهر خواهد کرد. برگرد پیش خودمان. امام جمعه می‌تواند در دادگستری جائی که به درد

کار تو بخورد برایت جستجو کند. به تو علاقه‌مند شده است. همیشه از حاجی آقا احوال ترا می‌پرسد. من آنقدر دارم که برایت خانه و زندگی فراهم کنم. بلکه هم آرزوی من برآورده شود. یقین دارم که تو می‌توانی بدری را سر عقل بیاوری. از ما دیگر کاری ساخته نیست: نه از من و نه از پدرش، از آقا معلم هم که اصلاً هیچ. یک روز به پدرت گفته است که او هیچ چیز بارش نیست. رو دست خورده و به بیراهه می‌رود...»

کلام آخر مادر، قبل از اینکه پا به رکاب اتوبوس بگذارد، در حینی که دست به گردن فرود انداخته آیةالکرسی می‌خواند و به او فوت می‌کرد، این بود:

«تکلیف این دختر را هم معلوم کن. زنی از این بهتر گیرت نمیاد. از دستت می‌رود.»

وقتی تنها ماندند نرگس پرسید:

«حالا کجا می‌خواهی منزل کنی؟»

جا نداشت. اثاثیه‌اش را پیش از حرکت به مازندران به کلهر سپرده بود. بنابراین اول باید برود او را پیدا کند، بلکه شب بتواند پیش او بخوابـد. خیلی از این انتخاب خشنود نبود. کلهر زن گرفته بود و فرود میل نداشت زندگی آرام او را متشنج کند. حیاط نقلی زیبائی داشتند. او می‌توانست در حیاط بماند و زن و شوهر به پشت‌بام بروند. زن کلهر در یک گلفروشی کار می‌کرد و گل‌های زیبائی در این چهار وجب خانه پرورانده بود. صبح عطر آنها آدم را مست می‌کرد. شوهر می‌بایست صبح زود برخیزد و پیش از طلوع آفتاب به چاپخانه برود و به کارش برسد و فرود میل نداشت دو سه ساعت با این زن تنها باشد.

«هنوز جائی پیدا نکرده‌ام.»

«برویم خانهٔ من بمان. من پیش خانم ترشیزی می‌مانم. آنها حرفی ندارند.»

«نه، نمی‌شود.»

«چرا؟»

«مگه نمی‌بینی مردم حرف می‌زنند؟ مردم میگند تو می‌خواهی شوهر کنی و من سنگی در راه زندگی تو هستم.»

«کی میخواد شوهر کنه؟»

«مادرم میگه فیروز پاشنهٔ خانهٔ شما را برداشته و قرص وایساده.»

«یک‌طرفه که نیست. من سال دیگه امتحانم را میدم، و اصلاً کی گفت که من به شهر خودم برمی‌گردم که مطب باز کنم؟ اصلاً و ابداً چنین تصمیمی ندارم.»

نرگس جان، من و تو به درد هم نمی‌خوریم. زندگی ما با هم جور درنمی‌آید. من ترا دوست دارم، خیلی هم دوست دارم اما نمی‌خواهم عاشق تو بشوم. زندگی من دست خودم نیست. می‌بینی چه سرنوشتی نصیب من شده؟ حالا چند روز است آزادم و نفس راحتی می‌کشم. دانشجویان دارند خود را برای دمونستراسیون بزرگی علیه نقشهٔ استعمار ایران که این دلال نفت همراه خود آورده، آماده می‌کنند. چند روز پیش دیدی که خدا می‌داند چند نفر کشته شدند. از کجا که هفتهٔ بعد من زنده باشم. زندگی من در هواست. خودم را میان تو و کارم نمی‌توانم تقسیم کنم، یا این و یا آن هم عملی نیست.»

«اینها همه‌اش حرف مفته.»

«نرگس غیظش گرفته بود. پهلوی خودش فکر کرد این پسر هیچ وقت آدم نمی‌شود. خیال می‌کرد حالا که این حزب به این صورت افتاده اقلاً از زندگی پند گرفته اما چنین نبود. در نهایت بی‌پروائی، گوئی با پسر نابالغی دارد حرف می‌زند، پرید به او:

«چه می‌خواهی بگی؟ حرف حسابی‌ات را بزن.»

تمام تنش می‌لرزید. صورتش مثل گچ سفید شده بود. فرود وحشت کرد.

«چته؟»

«چیزیم نیست. فشار خون است، حرفت را بزن.»

«چرا شوهر نمی‌کنی؟»

«به تو چه که من چرا شوهر نمی‌کنم. تو که مرا دوست نداری، مگه بابای منی؟»

این یک گفتگوی معمولی نبود. تشر بود، عیناً مانند بزرگتری که به کوچکتر از خود امر و نهی می‌کند.

«وسط کوچه با من دعوا نکن، چیزی نگفتم. خیر ترا می‌خواهم.»

«من خیال می‌کردم تو آدمی. به قول خودت آزادی زنان را می‌خواهی. مثلاً سوسیالیست و کمونیست هستی. می‌بینم که عقل و رفتار و اخلاقت از اندازهٔ فهم و شعور یک باباشمل تجاوز نمی‌کند. هی شوهر، شوهر، شوهر. همه‌تان می‌خواهید آدم را تو هچل بیندازید. از همه بهتر این است که اصلاً همدیگر را نبینیم. تو سی خودت، من سی خودم. از سر همین چهارراه از هم جدا می‌شویم.»

فرود نبش خیابان ایستاد. دست نرگس را گرفت، سرد و نمناک بود.

قصدش این بود که با هم از سواره‌رو رد شوند و به آن سوی خیابان بروند اما دست سرد او را منصرف کرد.

«صبر کن، ما یک تاکسی می‌گیریم. من ترا به خانه‌ات می‌رسانم.»

از خانهٔ ترشیزی تا منزل نرگس قریب پانزده تا بیست دقیقه راه بود. هر دو ساکت نشسته بودند و آرام شدند. هنگام سوار شدن به تاکسی فرود گفت: «ببخش نرگس، معذرت می‌خواهم.»

دختر جواب داد: «باشه، عیب نداره.»

سر کوچه نرسیده به منزل هر دو از تاکسی پیاده شدند.

فرود دست نرگس را فشار داد اما واکنشی از دختر ندید. دست نرمش بی‌جان باقی ماند.

«هنوز هم از من اوقاتت تلخ است؟ من که معذرت خواستم.»

آنگاه نرگس هم دست فرود را فشار داد و لبخندی زد.

«خودت به خانه نمی‌آئی؟»

«نه، من باید بروم برای خودم جا و مکانی تهیه کنم.»

«همدیگر را نمی‌بینیم؟»

فرود جوابی نداشت بدهد. نمی‌دانست چه بگوید، چه بکند، چه تصمیم بگیرد و دیگران دربارهٔ او چه تصمیمی می‌گیرند. شمارهٔ فعالین هر روز کمتر می‌شد و حالا هر حزبی می‌بایست با مزد کمتر و کار بیشتر راضی باشد.

نرگس را به خانه رساند. از او خداحافظی کرد و تشویش و دلهره‌ای را که وجود این زن را می‌خورد ندیده گرفت. اقلاً چنین وانمود کرد که نمی‌بیند.

هیچ چاره‌ای نداشت جز اینکه خود را در زد و خورد و هدف‌جوئی و سرسام حوادث غرق کند. سراغ کلهر رفت. تازه از کار بـرگشته بـود. دست‌هایش هنوز از مرکب چاپ سیاه بود. دم حوض ایستاده بود. سر و صورتش را صابون می‌زد. همین که چشم‌هایش به فرود افتاد، جست زد به سویش و با دست‌های صابونی صورتش را گرفت و او را بوسید. حالا نبوس کی ببوس. طولی نکشید برزو و دو نفر دیگر هم آمدند. جمعشان جمع بود. هر سه نفرشان حزبی و شورائی بودند. گوشهٔ حیاط، کنار باغچهٔ پر از گل، مریم قالیچه‌ای انداخته بود. ماست و خیار درست می‌کرد. کلهر داشت دست و صورتش را خشک می‌کرد: «نالوطی، اینجوری میذاری درمیری. برزو، بلند شو برو یک بطری دیگه هم عرق بخر بیار.»

مشروب کیفشان را کوک کرد. ریختند سرش:

«چه خبره شلوغ کردی؟ دو روز رفته آب خنک خورده ببین چقدر فیس و افاده می‌کنه.»

کلهر افتاد به جانش، چند تا مشت آبدار زد به سینه‌اش. یکی دوتا از آن سقلمه‌های جانانه، بیش از حدی که فرود مفنگی طاقت داشت.

«بی‌غیرت، کاش گیر امنیه‌های هرسینی افتاده بودی که هر دم به آدم می‌گفتند داغتان می‌کنیم، پدرتان را درمی آوریم، دارتان مـی‌کشیم. ده روز آنجا بودیم. نصف گوشتمان آب شد. مگه چند روز آنجا بودی که اینجور برات سینه زدند؟»

اینها همه‌اش شوخی بود. هیچ کدام اسمی از خشوع نبردند که با یک پا باید زندگی بکند. از مرگ دیگران هم خبر داشتند. گوئی در پنهان، بی‌آنکه قراری به زبان بیاورند، نادانسته با هم تعهد کرده بودند اسمی از

رفتگان قربانی نفت نزنند. همه یقین داشتند که این صنعت ضحاکی است که مارهای روی دوشش همه روزه با مغز دو انسان باید پروار شود. نفت است و آدم‌خواره.

«ارواي دهنتان. مگر من گفتم که یخه پاره کنید. خودتان از الم شنگهٔ خوزستان می‌آئید. حالا هم نمی‌خواهید، یاالله، بلند شید برید به بهشهر و ساری. من اینجا می‌مانم و کیف می‌کنم. خانه دارید، زندگی دارید، زن دارید، حتماً بچه هم پس می‌اندازید. مرگ می‌خواهید برید کردستان.»

فرود در همین خانه ماند. کلهر یک اطاق و نصفی بیشتر نداشت، یک اطاق که با زنش در زمستان می‌خوابید و یک پستو با حیاطچه‌ای پر از گل و بوته که در تابستان آشپزخانه بشمار می‌رفت. پستو درست روی آب‌انبار بود. چند تا گربه تمام روز به هوای گرفتن موش آنجا می‌پلکیدند. اثاثیهٔ اطاق یک نمد بود و یک کوزهٔ آب و یک صندوق که با تیماج روپوش شده بود. تو پستو مقداری خرت و پرت ولو بود.

«هیچ چیش به درد نمی‌خورد. همه‌اش را روزها که ما نیستیم بسوزان و یا بریز توی خاکروبه‌های سر کوچه. کاغذ ماغذش را هم بسوزان. موش پوش اینجا پیدا نمیشه. گربه‌ها نسلشون را ورانداخته‌اند. تا تو هلفدونی نرفته‌ای میتونی تو همین قصر بمونی. غروب‌ها زنم از گلفروشی برمی‌گردد. تمام روز تنهائی. بنشین، هرچه دلت خواست توطئه کن. نگاه چپ به مریم بکنی شکمت را سفره می‌کنم. بی‌غیرت‌ها دروغ می‌گویند. بلائی که امنیه‌های هرسینی می‌خواستند سر من دربیاورند سرت درمی‌آورم. نه، چرا دخلت را بیارم. یه‌راست میرم به نرگس میگم. بگذار خودش جون از لبت دربیاره.»

«بابا ول کن. به نرگس چه کار داری. بگذار بیچاره به درد خودش برسه.»

شوخی تبدیل به جدی شد. هر دو خاموش شدند.

خانهٔ کلهر مخفی‌گاه مناسبی بود و با زندگی قلندری فرود جور درمی آمد. همسهر کلهر هم روزها در خانه نبود و او هر وقت می‌خواست می‌توانست رخت و اثاثی که در سفر بدان نیاز نداشت، در پستو بگذارد و با خیال راحت دنبال کارش برود.

فرود خودش نمی‌دانست چقدر طول کشید تا پس از مأموریت‌های مختلف در این شهر و آن شهر، و اغلب در شمال و غرب ایران، خود را در شورای دهقانان یافت و بعد در کمیتهٔ پنج ـ کمیتهٔ ایالتی ـ کمیتهٔ حومهٔ تهران. کار در دیه‌های اطراف تهران، سر و کله زدن با دهقانان فیضی بود که نصیب او شد. این یک دنیای تازه‌ای بود، بسیار آموزنده.

برنامهٔ حزب دربارهٔ کار دهقانی آتش شله‌قلمکاری بود که مزهٔ همه چیز را می‌داد جز مزهٔ آش. روی کاغذ «اصلاحات ارضی» بود. اما در عمل دهقانان را علیه مالک و خان می‌شوراندند. صحبت از طرز استفاده از زمین و زراعت و بهبودی وضع دهقانان بود. اما چگونه؟ این را نه فرود می‌دانست و نه شورای دهقانی. در بعضی دیه‌ها کشاورزان نه گاو داشتند و نه گاوآهن، یک بیل هم زورکی در اختیارشان بود و آن وقت می‌خواستند طرز استفاده از زمین را بهبود بخشند. مثلاً می‌بایستی به دهقانان توسط بانک کشاورزی، به قصد توسعهٔ زراعت کمک مالی شود. اینها همه روی کاغذ هموار و دلنشین بود اما در عمل چیزی به دهقانان نمی‌رسید. نتیجه این بود که مالک و خان بیشتر به دهقانان مقاوم فشار

می‌آوردند، آنها را از خانه و لانه آواره می‌کردند و نامردانه توسط آدمکشان مزدور در کوه و بیابان سر به نیست می‌کردند. چیزی که در این برنامه اسمی از آن برده نمی‌شد الغای اصل مالکیت فئودالی بود. فقط کاستن قدرت ارباب و دادن سهمی اضافی از درآمد زمین به کشاورزان هدف بشمار می‌رفت. از جمله مواد برنامهٔ بهبود وضع کشاورزان، اصلاح امور آبیاری و به کار انداختن ماشین‌آلات بود بدون فراهم آوردن مقدمات آن. و همین بی‌توجهی و جهل دهاتی‌ها موجب می‌شد که آنها با ورود ماشین مخالف بودند و با تمام قوا در انهدام آنها می‌کوشیدند. بلوا و زد و خورد در دیه‌ها باعث شد که مالکین و خان‌ها و نمایندگانشان در مجلس همه دست به یکی کردند و در توطئه‌چینی علیه توده هم‌قلم و همزبان و همقدم شدند.

فرود در این دوره به نکتهٔ تازه‌ای در زندگی مردم ایران پی برد که در اعماق تاریخ ریشه‌گرفته است. هر تحول پایدار در ایران باید از این منبع حیات سرچشمه‌گیرد و اگرنه سرسری وگذراست. بعدها تمام این تجربه‌ها به سود او تمام شد و رسالهٔ دکتری‌اش را روی این زمینه نوشت. ناگفته نماند که این غنیمت محصول ناخواستهٔ بدخواهی‌های منتج از دسته‌بندی‌های درون حزب بود که نصیب او شد. مسئول کار دهقانان مرد سالخورده و بیماری بود به اسم اهرامی. وی آدمی بود خوش‌باور، متوسط‌الفهم، جدی و بی‌تحرک که جرأت خارج شدن از مخفیگاه خود را نداشت. چیزی که در وجود او پیدا نمی‌شد علاقه به مسئلهٔ دهقانی بود. کار خود را می‌کرد، آن را وظیفهٔ خود می‌دانست، نتیجه‌اش خوب یا بد به او مربوط نبود. کار را تا آنجا که عقلش می‌رسید از روی وجدان و

اقتضای اوضاع و احوال و در حدود وسائل تشخیص می‌داد. مثلاً وقتی فرود را به او واگذار کردند به علت اصلی ماجرا پی نبرد. بعدها به‌گوشش رسید که او را دک کرده‌اند. روزی از او پرسید: «فرود، تو چه کرده‌ای که ترا به این شعبه تبعیدت کرده‌اند؟» فرود که سابقهٔ ذهنی نسبت به مسئله داشت بی‌معطلی جواب داد: «به اسب شاه گفته‌ام یابو.» و خندید. اهرامی هـم خنده‌اش گرفت. و راسـتی هـم جـای فـرود در روسـتا نبـود. او می‌خواست میان دانشجویان باشد. آنجا از استعداد و فضل و برخورد و حرّافی و پشتکار او بهتر می‌شد استفاده کرد. وقتی مصدق استعفا داد و بار دیگر دولتی سرکار آمد و حوادث سی‌ام تیر رخ داد و شنید که شهرنشین کشته و چند نفر از آشنایانش زخمی شده‌اند، وقتی به او خبر دادند که پای یک زن همشهری‌اش زیر تانک رفته و له شده و معلوم نیست آیا جان سالم بدر می‌برد یا نه کوشید خودش را به تهران برساند و آرزو کرد بتواند جانش را فدا کند. در کمیتهٔ دانشجویان او را نمی‌پذیرفتند زیرا او کورکورانه مطیع بود. در مـحیط دانشـجوئی از ایـن بی‌تکلیفی راحت می‌شد. وقتی خود را به تهران رساند که آب از آسیاب‌ها افتاده بـود. مصدق باز نخست‌وزیر شد و باز هم امثال فرود نمی‌توانستند دریابند که سیاست حزب له یا علیه اوست.

در هر حال کار در دهات اطراف تهران برای فرود یک دانشکده بود و پژوهش، و مستلزم مطالعهٔ عمیق در پستوی خانهٔ کلهر و در بیابان‌های درندشت و مـداقه در کـتاب‌های تـاریخ و پـرونده‌های دادگسـتری و شکایت‌نامه‌هائی که از روی آنها می‌شد دربارهٔ حل مسئلهٔ دهقانی فکر کرد.

در همین دوران در نتیجهٔ اعتراض مسئولین به رهبری از تنگ و تا افتاده، قرار شد که معاونین کمیته‌ها را خود اعضا انتخاب کنند برای اینکه تا این زمان مسئولان وظائف و مقام‌ها را اغلب بدون اطلاع از اوضاع و احوال و بدون آگاهی کافی از ظرفیت فعّالین معین می‌کردند. در شعبهٔ دهقانی فرود را به معاونت برگزیدند و این بزرگترین مسئولیت بود که به آدمی مانند فرود واگذار گردید. حسنش این بود که چم اهرامی را به‌دست آورده بود و می‌دانست چگونه با او ور برود و رشتهٔ امور را خودش می‌تابید و کلاف می‌کرد و به مطالعهٔ مسئلهٔ دهقانی می‌پرداخت. اهرامی را قانع ساخته بود که برای حل مسئلهٔ دهقانی باید مطالعه کرد. باید در تاریخ ایران غور نمود. باید دلیل‌های جنگ‌های طوائف و قبایل را یافت. باید از خود دهقانان پی‌جوئی کرد. این برنامهٔ حزبی را می‌توان در چند جلسه حالی دهاتی‌ها کرد. می‌فهمند یا نمی‌فهمند، مطلبی نیست. آنها متوجه می‌شوند که وضع کنونیشان تحمل‌ناپذیر است و باید تغییر کند. ما باید کارمان مطالعه باشد. اقلاً اهرامی موافقت کند کار و پژوهش کنند. دیگران را می‌توان از این ده به آن ده فرستاد. او حق دارد آنچه می‌بیند و می‌شنود و نتیجهٔ فعالیتشان را چه مثبت و چه منفی یادداشت و جمع و تفریق کند. این ممکن است برای آینده دستور کار گردد. آنقدر گفت و گفت تا صدر شورا را راضی کرد و دیگران نیز با او هم‌آواز شدند.

همیشه یکی دو هفته در ده بود. بعد با یک چمدان کتاب و کاغذ به شهر برمی‌گشت. می‌توانست با پیرمردان ساعت‌ها نشست و برخاست کند، پای درد دل آنها بنشیند، غذای آنها را بخورد، چپق آنها را بکشد، در کومهٔ آنها بخوابد و عملاً در مبارزه‌های آنها شرکت کند. مردمانی بودند

لجوج، تنشان بوی عرق می‌داد و پهن، صورتشان آفتاب خورده پر از چین و چروک، همین که با آدم اخت می‌شدند در شگفت بودی که اینها، بی‌آنکه خودشان دم از وطن‌پرستی بزنند، چقدر کشورشان را دوست دارند. اینها آمریکائی‌ها را کافر می‌دانستند. بی‌دین در اصطلاح آنها به معنای کسی بود که ایران را دشمن می‌بود.

فرود فیلم‌های امریکائی را که به آنها نشان می‌دادند برایشان تحلیل می‌کرد و تعجب در این بود که چگونه گاهی دهاتی‌ها، علی‌رغم سود آنی و روزانهٔ خود با بعضی اقدامات که پای خارجی را به حیطهٔ تسلط آنها باز می‌کرد، مخالفت می‌ورزیدند و باکی هم از آسیب رسانیدن به ابزار و نتائج فعالیت آنها نداشتند. مثلاً جوجه‌هائی را که در مرغدانی‌های ماشینی آمریکائی به‌وجود می‌آمدند نمی‌خریدند و آنها را تخم کفر و الحاد می‌شمردند.

سال‌های مسئولیت در کمیتهٔ دهقانی برای او تنها فعالیت حزبی نبود، تحصیل علم و تطبیق و اعمال قوانین و مقررات کتابی با واقعیت ده و با روحیهٔ دهقانی و سطح نازل زندگی مردم بود. به حدی در این دریای بیکران فرورفته بود که اصلاً دعوای حیدری و نعمتی حزبی‌ها در نظر او به اندازهٔ پشیزی ارزش نداشت.

۱۲

عالم تفحص و تجسس را حوادث ۲۵ تا ۲۸ مرداد برهم زد.

مادرش برای دیدار او به تهران آمده بود و در خانهٔ استاد تـرشیزی منزل داشت. در حقیقت آمده بود برای منیره لباس عروسی بخرد. دکان کوچک رزّازی کنار خندق را فروخته بود که جهاز دخترش را تهیه کند. یک پایش در بازار بود و یک پایش پیش خیاط و زرگر و شیرینی‌فروش و ارسی‌دوز، و برای دلداری پسرش از دهنش نمی‌افتاد که «الهی، روزی لباس عروسی ترا تنت کنم.»

در تمام این دوندگی‌ها نرگس همدم و مونس مادر بود و آنقدر شاد و سردماغ به نظر می‌رسید که گوئی دارد همراه حاجیه خانم جهاز خودش را فراهم می‌کند.

فرود در این روزها هر وقت فرصت می‌کرد به دیدار آقای ترشیزی می‌رفت. استاد مرد بصیر و ملایمی بود، وقایع را پیش‌بینی می‌کرد، در عوض بسیار محتاط بود و همیشه تکرار می‌کرد:

«شما جوانید و حق مسلمتان است که بشورید، بزنید، حتی ویران کنید تا بعد بتوانید خودتان بسازید. هر وقت خراب می‌کنید یاد آباد کردن هم

باشید. از ما دیگر گذشته است. ما هم جوان بوده‌ایم، اما هرگز جـوانـی نکرده‌ایم.» بارها تکرار می‌کرد: «اگر هم یکبار بشکنید نهراسید، زانو به زمین نزنید و روز به شام نرسیده برخیزید، تر و تازه خود را آماده کنید و بستیزید. پس از شکست‌های پی در پی هنوز هم آزاد هستید، آزادتـر می‌شوید، مشت‌های شما فشرده‌تر می‌شود و یورش‌هایتان مؤثرتر.» گوئی این جمله را جائی خوانده بود و همه وقت با همین کلمات بازی می‌کرد. دست و دل‌باز بود و خوش داشت از زن و بچۀ حاجی علی‌اصغر واعظ پذیرائی کند. ریخت و پاش آنها هرگز مزاحم او نمی‌شد، بخصوص که خانم ترشیزی به فرود مـحبت داشت و عـلاقۀ او بـه کـتاب و کـاغذ و دوندگی‌هایش وکامیابی‌ها و شکست‌هایش را پیش شوهرش می‌ستود.

ملیحۀ ترشیزی نسبت دوری با خانوادۀ آقای بشیر داشت. پیرایه خانم را در بچگی دیده بود و پس از آنکه به فرنگ رفت دیگر هرگز با هم روبرو نشدند. اما آقای بشیر را می‌شناخت و به رمز و اشاره بـه فرود می‌فهماند که اگر روزی اشکالی در کارش پیش آمد خودش پیش آقای وزیـر کشـور مـی‌رود و چـاره‌جوئی مـی‌کند. «نـمی‌گویم کـه از مـن حرف‌شنوی دارد اما شاید شرم و حیا باعث شود که کارگشائی کند.»

فرود با حفظ ادب جواب داد: «امیدوارم هرگز محتاج این زحمت و محبت ملیحه خانم نشوم.»

روز ۲۵ مرداد وقتی خبر فرار شاه در شهر پراکنده شـد، نگـرانـی عجیبی به فرود دست داد. باورنکردنی بود. مسئلۀ رفتن نخست‌وزیر و آمدن یکی دیگر نبود. موضوع سر نفت بود. این جوری نمی‌شد قضیه را حل کرد. مثل برق خبرهای راست و دروغ در شهر منتشر می‌شد: فرمان

انفصال مصدق و انتصاب نخست‌وزیری دیگر. این یکی را مصدق از وزارت کنار گذاشته بود و باید محاکمه می‌شد ولی او مدتی در شمیران پنهان شده و حالا سر بلند کرده بود. گفتند یکی از ملاهای هواخواه مصدق به او نارو زده و دسیسه‌های او کار را بدانجا کشانده. هزار جور خبر راست و دروغ در هوا پرپر می‌زد. تمام آنچه در این دو سه ماه اخیر در روزنامه‌های علنی و پنهانی حزب و در مطبوعات مصدقی و ضد مصدقی صحیح و ناصحیح نوشته شده بود، ورد زبان بود. همهٔ این بدبختی‌ها را زیر سر ملکه مادر و اشرف خواهر شاه می‌دانستند. اینها با جاسوسان امریکائی بند و بست داشتند و توطئه‌چینی می‌کردند. آخر چرا نخست‌وزیر سرلشگرهائی را که پس از سی‌ام تیر توقیف کرده بودند، آزاد کرد؟ چرا اینها محاکمه نشدند؟ هواخواهان مصدق می‌پرسیدند: «آخر به چه زوری؟ میان خود جبههٔ ملی اختلاف است. سرباز خطارکار وطن حالا همدست سرلشکرهاست. آخوند رئیس مجلس با تجدید اختیارات مصدق مخالف است. این بیچاره پیرمرد یک تنه چه کند؟» «بله، وقتی خودش را به امریکائی‌ها می‌چسباند بیچاره هم می‌شود.» «شما همه‌اش به امریکائی‌ها می‌تازید. شوروی‌ها را هم بگوئید. چرا طلاهای ایران را نمی‌دهند. چرا از حزب حمایت می‌کنید؟» «چه حمایتی؟ آنها که سیاستشان دربارهٔ نفت صبر و انتظار است و مصدق را ضد امپریالیست می‌دانند. این حزبی‌ها هستند که دایهٔ مهربانتر از مادر شده‌اند. دیگر کار از تملق و مداهنه هم گذشته کار به ...لیسی رسیده.»

فرود از این گروه جدا می‌شد، با کلهر و برزو به‌سوی دیگر می‌رفتند. در جستجوی حزبی‌ها بودند. میان خودشان هر چند نفر طرفدار یک

دسته بودند. این گروه مخالفین خود را تروتسکیت، اپرتونیست، خرده بورژوا می‌نامیدند. هرکس کوچکترین ایرادی به سیاست شوروی داشت خائن نامیده می‌شد. دو دستگی در هیئت اجرائیه و دشمنی میان سازمان جوانان و حزب را سرمنشأ زبونی حزب در چنین روزی می‌دانستند. یکی از افسران حزبی که با لباس شخصی خود را وارد جمعیت کرده بود امید می‌داد که بی‌حوصلگی به خرج ندهند. حزب آماده است، حزب حالا مسلح است و موقعش وارد میدان خواهد شد. فرود می‌شنید و باور نمی‌کرد. مگر با این سر درگمی «بالائی‌ها» می‌شود قیام کرد. اگر چنین بود به او که یک سال سربازی کرده چرا رجوع نکردند. افسر حزبی خبر داشت که روز نهم اسفند، که شاه می‌خواست فرار کند، برادر و خواهر شاه نقشهٔ قتل مصدق را کشیده بودند و اگر هشیاری سازمان نبود امروز وضع دیگری داشتیم. او می‌دانست که برادر شاه تجهیزات جنگی فراوانی در اختیار بختیاری‌ها گذاشته بود و همین باعث شد که زاهدی را توقیف کردند. از او می‌پرسیدند: «پس چطور شماها نتوانستید از قتل رئیس شهربانی مصدق جلوگیری کنید؟» اینجا دیگر عقلش نمی‌رسید.

بیشتر کسانی که روز ۲۵ مرداد در خیابان‌های نادری و بهارستان و بازار دلواپس بودند احساس می‌کردند که نقشهٔ دشمنان مصدق هنوز عملی نشده، سازماندهی شاه و برادرش و خواهرش و مرتدهای جبههٔ ملی و سرلشگرها هنوز عملی نشده. همه‌پرسی روز ۱۲ مرداد و تقاضای انحلال مجلس آخرین ضربه‌ای بود که مصدقی‌ها به شاه زدند امّا خود را آماده برای حملهٔ متقابل نساختند. روزنامه‌های حزبی هشدار می‌دادند اما به طوری که بعداً معلوم شد سازمان نظامی حزب هیچ اطلاعی نداشت که

چگونه حزب می‌خواهد کودتا را در هم بشکند.

روز ۲۷ مرداد هیجان داشت به اوج می‌رسید. اینگونه اضطرابی را فرود هرگز احساس نکرده بود. هر آن دلش قیلی ویلی می‌رفت. آخر این بالائی‌ها باید اطلاعی داشته باشند، تصمیمی گرفته باشند. نه، به این سهلی نیست. فرود مثل مرغ سرکنده بالا و پائین می‌پرید. در شهر می‌گشت. از این خیابان به آن خیابان. حزبی‌ها و مردم و بازاری‌ها و کارگران و ملاها در میدان سپه، خیابان فردوسی، نادری، جلوی مجلس چندتا چندتا دور هم جمع بودند، بلند بلند با هم بحث می‌کردند. عواشان می‌شد. طرفدار مصدق، هواخواه شاه. کامیون‌های پر از سرباز مثل برق از خیابان‌ها می‌گذشتند. عده‌ای چماق به دست در پس‌کوچه‌ها آمادهٔ حمله بودند. حزبی‌ها از هم می‌پرسیدند کسی خبری دارد؟ چه دستوری هست. باید تسلیم شد؟ مسئولین درمانده و وامانده شانه خالی می‌کردند. سر تکان می‌دادند. بیچاره شده بودند. تک و توک جرأت می‌دادند. نباید پراکنده شد. همه بلاتکلیف بودند. جبهه‌ای‌ها سرکوفت می‌زدند. به حزبی‌ها بد می‌گفتند، دشنام می‌دادند. فرود و کلهر و زنش چاره‌ای نداشتند جز اینکه کوتاه بیایند. فرود غر می‌زد: همه را از خود راندیم. این تظاهرات ضد مصدق نتیجه‌اش چه بود. حالا هم باید فحش بشنویم و جیک نزنیم. همه‌شان مثل موش آب کشیده رفته‌اند تو سوراخ.

تظاهرات سربازان هر آن بیشتر جلوه می‌کرد. کامیون‌هائی پر از گروه‌هائی از جمله بی‌مخ‌ها و سنگ‌خورها شاه شاه می‌کردند و هوار می‌کشیدند. دورو‌بر آنها مردم با مصدق مصدق جواب می‌دادند.

حوادثی در شرف تکوین بود. فرود تصمیم خودش را گرفت. به

مادرش و نرگس و منیره قدغن کرد که این روزها از خانه بیرون نروند. هیچکس حق نداشت پایش را از در حیاط خانهٔ ترشیزی بیرون بگذارد. حاجیه خانم ناله می‌کرد:

«ای وای، پس رخت بچه‌ام را چه کار کنم؟ هزار جور کار دارم. برای هفتهٔ دیگه آخوند و مهمان دعوت کرده‌ایم.»

«همین است که گفتم. این روزها هیچکس از خانه بیرون نمی‌رود.»

هرگز به مادرش اینجور تحکّم نکرده بود.

آقار ترشیزی گفته‌های او را تأیید می‌کرد. ایشان پای رادیو نشسته بودند و نطق‌ها را می‌شنیدند. اغلب زنی آواز می‌خواند. پیش از رادیو خبرها به‌وسیلهٔ تلفن توسط خانم ترشیزی کسب می‌شد. برگشت شاه از رم به تهران، دستگیری مصدق و گرفتاری مخالفین جزو خبرهای داغ بود. در بازار مردم دکان‌ها را بسته‌اند. هر خبر دروغ هم باورکردنی می‌نمود. وقتی خانم ترشیزی از تلفن شنید که عده‌ای مست دنبال تانک‌ها به جان مردم حیرت‌زده افتاده‌اند، فرمان فرود راکه هیچکس نباید از خانه خارج شود تأیید کرد. نرگس هاج و واج مانده بود. این روی فرود را ندیده بود. مثل آقا معلم به شاگردانش فرمان می‌داد و اطاعت از آن را ضروری می‌شمرد. خانم ترشیزی همه‌اش می‌پرسید پس حالا حزب شما چه می‌کند؟ همه همین را می‌پرسیدند.

حزب چلّه گرفته بود، چله نشسته بود. شور می‌کنند، دارند تصمیم می‌گیرند. شب تا صبح فرود و کلهر و برزو یک‌پا تا صبح بیدار ماندند. رادیو تهران همان خبر خودش را تکرار می‌کرد، مثل اینکه هیچ اتفاق مهمی نیفتاده. بعد از ظهر روز ۲۷ مرداد آقای ترشیزی خبر گرفت که

شهر دارد شلوغ می‌شود. فرود خود را به خانهٔ آقای ترشیزی رساند و به نرگس نهیب زد:

«نمی‌گذاری حاجیه خانم از خانه بیرون برود.»

«تو کجا داری میری؟»

«آخر برم ببینم چه خبره.»

«نرو، نرو، ما می‌ترسیم.»

دست انداخت بر گردن فرود. صورتش را به او چسباند. از عرق نمناک بود. تنش مثل بید می‌لرزید.

«نترس، نترس، الآن برمی‌گردم.»

حالا خودش را هم ترس برداشته بود. ملایم، اما مصمم، خود را از آغوش نرگس بیرون کشید و رفت.

شهر از میدان توپخانه تا خیابان نادری همه جا شلوغ بود. عده‌ای چوب به‌دست نعره می‌کشیدند. گفتند هنوز آفتاب در خیابان‌ها پهن نشده، گرما بال نگسترده هوچی‌ها در خیابان‌ها می‌دویدند. چاقوکش‌ها به جان مردم افتاده بودند. همه می‌دویدند. برخی دم دکان‌های خود کشیک می‌کشیدند، هاج و واج جلوی مغازه‌های خود به دوندگان، چماق به‌دستان، فریادکشان و پاسبان‌های وازده و از همه بیخبر که عبا بر دوش و عرقچین بر سر گذاشته بودند، می‌نگریستند. نقاب وحشت، تحیر، بی‌خبری و رخوت به چهره‌هایشان چسبیده بود. اتومبیل‌های سواری از خیابان‌های عمده پرهیز می‌کردند، در کوچه پس کوچه‌ها می‌چپیدند.

دولت در نظر داشت شورای سلطنتی تشکیل دهد. امریکائی‌ها دیگر دولت مصدق را به رسمیت نمی‌شناسند. حزب در بیانیه‌ای جمهوری

می‌خواست. در بهارستان اوباش همراه وکیل‌باشی‌ها روزنامه‌های چپ و مصدقی را غارت می‌کردند. فرماندار نظامی تا آخرین لحظه هم نخواست از مردم استمداد کند. اصلاً دست روی دست گذاشته تماشا می‌کرد.

فرود کلهر را پیدا کرد.

«مگه نمی‌دانی. امروز ساعت ۹ قرار داریم.»

«از کجا بدانم؟»

چو افتاده که حزب با دولت در رابطه است. ساعت به ساعت اخبار را به دکتر مصدق می‌رساند. دستور آمده که حزبی‌ها خیابان‌ها را ترک کنند و به پاکسازی خانه‌های خود از اسناد حزبی بپردازند. بعد دستور رسید که ساعت سه هجوم به ارتجاع آغاز خواهد شد و همه باید دست به کار شوند. دست به چه کاری بزنند؟ بر شمارهٔ بی‌مخ‌ها دمبدم افزوده می‌شد. شعارهای «ما شاه پرستیم» با شعارهای مصدقی و شعارهای حزبی در هم می‌آمیخت. کتابفروشی‌ها غارت می‌شد، مغازه‌داران و بازاریان دکان‌هایشان را بستند. اتوبوس‌ها و اتوموبیل‌های شهر از فرط ترس مجبور بودند چراغ‌های خود را روشن کنند.

فرود نزدیک‌های ساعت نه رابطش را پیدا کرد. چشم به راه بودند دستوری برسد اما دستوری نرسید. تدریجاً کوچه‌ها پر از حزبی‌ها شد. قرار بود آنجا به‌وسیلهٔ حزبی سرشناسی دستوری برسد. از این کوچه به آن کوچه، از این خیابان به آن خیابان، رفتند، دویدند، پلکیدند، پرسه زدند. نه، کسی نیامد، دستوری نرسید.

کم کم صدای زنده‌باد و مرده‌باد بلندتر می‌شد. اسم مصدق به گوش می‌رسید اما آن یکی اسم آشنا به گوش نمی‌آمد. حزبی‌ها رفتند و

برگشتند. کسی نیامده ساعت ده شد. ناگهان دیده شد که دم در خانهٔ مصدق سربازان صف کشیده‌اند، با سرنیزه. گوئی دنبال کسی می‌گردند. مردم را دستگیر می‌کردند. آنها را توی اتوبوس و جیپ می‌انداختند، می‌زدند و می‌بردند. نزدیکی‌های ظهر فرود به خانهٔ ترشیزی برگشت. حاجیه خانم همراه خانم و کلفت خانه روی پله‌های حیاط کز کرده بودند. خیال می‌کردند صدای توپ شنیده‌اند. رادیو برایشان آواز روح‌افزا را پخش می‌کرد.

اما در حزب به طوری که فرود در نوار حکایت می‌کند: «اصلاً نتوانسته بودند جمع شوند. کار در دست زن‌ها افتاده بود. چادر بر سر خانه‌های خویشان اعیان خود می‌رفتند. به عیال وزیران مصدق تلفن می‌کردند که حزب آماده است از آنها حمایت کند. قربان صدقه‌شان می‌رفتند. حاضرند به خیابان بریزند. سربازان را خلع سلاح کنند. کار از دست رهبران افتاده بود به دست خانم‌های محترمه. آنها داشتند تکلیف حزب را معین می‌کردند. این بیا و برو ساعت‌ها طول کشید تا کار از کار گذشت. گرگ آمد و گله را برد.

الاکلنگ بازی تمام شد. از راست زدند به چپ، از چپ زدند به راست. روزهای بعد رازها کشف شد. کسی نگفته بود که باید سربازان مهاجم خانهٔ مصدق را خلع سلاح کرد. شعار جمهوری بی‌صلاحدید حزب داده شده. نه‌خیر، مسئول تهران بد فهمیده. چنین فکری نبوده، اصلاً نبوده. افسران حزبی بیهوده خود را در جمعیت نشان داده‌اند. کسی چنین دستوری نداده، نه خانم‌ها و نه دیگران. قال و قیل حسابی درگرفت. چه چیزها که گفته نشد، چه حرف‌ها که نزدند. نمی‌خواستند بپذیرند که

حزب با چند صد افسر زه زده است. ولی تقصیر به گردن مصدق و جبههٔ ملی افتاد. هیچیک از دو دسته در کمیته، نه کجوری و نه دیگران اقرار به بی‌شعوری و بی‌لیاقتی نکرد. وقتی فرود از مهندس عالی پرسید: درست است که چند تن از رهبران که به مسکو گریخته بودند اصرار داشتند به ایران برگردند و کمیته به عذر اینکه ما نمی‌توانیم ضامن جان آنها باشیم مانع از برگشت آنها شدند، جواب داد: بله، اینطور است.»

«چرا؟»

«برای اینکه هر گروه می‌ترسید مبادا با برگشتن چند نفر از گریختگان گروه مخالف قوی‌تر و بانفوذتر شود و قدرت در دست آنها بیفتد.»

و این خود دلیل دیگر ورشکستگی حزب بود. از مهندس پرسید: «شما ماه‌ها هی هشدار می‌دادید، افراد را به مقاومت می‌طلبیدید و می‌خواستید که افراد با تمام قوای خود با استفاده از جمیع امکانات برای خنثی کردن توطئهٔ دشمنان وارد میدان مبارزه شوند. خودتان چگونه آماده شدید. آیا چنین دستوری به سازمان افسری دادید که قیام کنند؟»

«نه.»

«چرا نه؟»

«می‌ترسیدیم رشته از دست ما دررود. دیگر اینکه نمی‌خواستیم علیه مصدق بپا خیزیم و تا او موافقت با قیام نمی‌کرد نمی‌خواستیم دست به کار شویم.»

«یعنی دنبال بورژوازی دویدید و سررشته را به دست خانم‌ها سپردید.»

عده‌ای از حزبی‌ها تصمیم گرفتند اصلاً ول کنند و بروند دنبال کار و

زندگیشان. بسیاری ول کردند و عطای حزب را به لقایش بخشیدند. برخی دنبال نوشداروی پس از مرگ سهراب می‌گشتند. آدم‌هائی بودند که خوششان می‌آمد تظاهر به چپ‌روی بکنند. دیگر کادرها را نگاه داشتن وقت تلف کردن بود، باید یک حزب انقلابی تشکیل داد. روز از نو روزی از نو. اینها عقیده داشتند که فقط نخبه‌ها را باید آمادهٔ جنگ مسلحانه کرد.

گمگشتگی رهبری دیگر از حد گذشت. پس از وقوع حادثه به فکر جنگ‌های چریکی افتادند. به افراد برای مقاومت مسلحانه تعلیمات نظامی می‌دادند. از اینجا و آنجا اسلحه جمع می‌کردند. بمب می‌ساختند، آن هم ناشیانه. در طی این فعالیت یک افسر مجروح شد و دست او را بریدند. در خانه‌های شمیران انبار می‌ساختند، به بیوه‌زنان صاحب باغ و زمین بروز نمی‌دادند که برای چه در خانه‌های آنها ساختمان می‌کنند. زن‌های از همه جا بی‌خبر را پیش این و آن می‌فرستادند و تقاضای کمک مالی می‌کردند. تمنا و تقاضا داشتند که خانه و ملکشان را به حزب ببخشند. به خیال خود ستاد تشکیل دادند، مرکب از رهبری و چند نفر از افسران سازمان نظامی. وقتی افراد ساده‌لوح امثال برزو از آنها می‌پرسیدند که از کجا جنگ چریکی باید آغاز شود من و من می‌کردند و جواب سربالائی می‌دادند، این را جزو اسرار بشمار می‌آوردند. واقعیت این بود که خودشان هم نمی‌دانستند.

بلبشوئی بود که آن سرش ناپیدا. به شهرها آدم فرستادند. به سران ایلات رجوع کردند. از آنها برای یک قیام کمک خواستند. از شانه خالی کردن آنها نهراسیدند. فرود را می‌خواستند به ولایتش گسیل دارند. امام

جمعهٔ شهرشان می‌توانست مردم را آماده برای مقاومت کند. بعد زیرش زدند. چنین قصدی نبوده. فقط کجوری بود که به خیالش رسیده بود که می‌توان شورش عمومی برپا کرد. هیچ به خیالشان نرسید که دشمنشان شاه زخم خورده و رجال وازدهٔ ایران نیستند بلکه تمام دستگاه‌های جاسوسی و دیپلماسی امریکا و انگلیس خود را برای نابودی حزب آماده می‌کنند. باز هم نظرشان متوجه می‌تینگ و تظاهرات محلی و اعتصابات و پخش شبنامه و شعارنویسی بود. حالت نیمه علنی حزب ادامه یافت. می‌خواستند مردم را بیدار کنند. جبههٔ واحد تشکیل دهند، وقایع را توجیه کنند، همان حرف‌های پیش پا افتاده بازگو می‌شد. از پائین باید جبههٔ واحد تشکیل شود: از کارخانه و مدرسه. رهبری باید قاطع باشد، تئوری با عمل وفق داده شود. انگار نه انگار که حادثه‌ای رخ داده و حزب و رهبرش در حال متلاشی شدن است.

جنجال به‌پا شد. موافق و مخالف، جنگ مسلحانه تبدیل به جنگ زرگری شد. می‌خواستند به حساب خودشان آبرویشان نرود و افتضاح روزهای ۲۵ تا ۲۸ مرداد را یا رواتی یا راستی راستی جبران کنند. این را می‌دانستند ــ شاید هم نمی‌دانستند ــ که اگر دست به ترکیبش بزنی بدتر می‌شود. چند نفری داوطلب شدند به کمیتهٔ مرکزی ــ اگر کمیتهٔ مرکزی هنوز وجود داشت ــ نامه بنویسند. زه نزنید. دستپاچه نشوید. چرا...تان و ...تان با هم قاطی شده. ما از شما حمایت می‌کنیم...

آن وقت جزوه «۲۸ مرداد» درآمد، اما با چه محتوا؟ سرسام‌آور بود. در حوزهٔ فرود سر و صدای همه درآمد، همه بی‌استثنا. پر از تناقض بود، اصلاً جواب این وازدگی و هرج و مرج و بیحالی و سستی و ندانم‌کاری را

نمی‌داد. مقصود این بود که تمام اشتباهات «رهبران»، اهمال‌کاری‌های آنها و اختلافات داخلی در عرض دوازده سال ماست‌مالی شود و با ارعاب منتقدین و عیب‌جویان راه هرگونه خرده‌گیری سازنده بسته شود. دستهٔ کجوری ـ کاظمی می‌خواستند علت شکست را به‌گردن اهرامی و دکتر خنده بیندازند.

نرگس تصور می‌کرد پس از این شکست حالا موقع آن رسیده که فرود را دریابد. نه، نرگس به فکر خودش نبود. عشق او به مرحله‌ای رسیده بود که دیگر خودش را از یاد برده بود. دیگر در آن حال و هوا نبود که او را تنها به خاطر خودش و به سود خودش برباید. خوشبختی فرود هدف زندگیش شده بود. حالا حاضر بود به خاطر سعادت فرود از او چشم بپوشد. خود را فدا کند. با وجود این گاهی از خود می‌پرسید چرا به این پسر، که گوئی بوئی از محبت نبرده، آنقدر عشق می‌ورزد؟ آیا او را مانند برادر کوچکتر دوست داشت؟ چقدر آرزو می‌کرد به این پرسش جواب مثبت بدهد اما خودش را نمی‌توانست فریب بدهد. فرود معشوقش بود. پیش آمده بود که او را در خواب نوازش کرده بود، در حالی که عرق سردی بر پیشانیش می‌نشست. هرگز جرأت نکرده بود، هرگز یک احساس اجباری در او بیدار نشده، او را وادار نکرده بود لب بر لبش بگذارد. آخر چه کششی دارد وجود او را تبه می‌کند؟ هستی خود فرود برایش عزیز شده بود. او را باید نجات داد. همه جا خطر بود.

خیلی چیزها در صندوقچهٔ دلش انبار شده بود که به او بگوید: برای خاطر همین حزبت بود که این همه بلا سر من آوردی؟ آنقدر به من بی‌اعتنائی کردی. هفته‌ها و ماه‌ها به کوه و بیابان زدی که ترا نبینم. مرا

دلواپس نگاه داشتی. این همه دل مرا سوزاندی، بالاخره چه؟ مرا دوست داری؟ اساساً تو کسی جز خودت را دوست داری؟ ندیدی و نفهمیدی که من بیمارم؟ نمی‌بینی که داری مرا زمینگیر می‌کنی؟ بالاخره من خودم می‌دانم چه‌ام است. تو که آنقدر بیهوش نیستی، خودت را به خرفتی می‌زنی. یادی هم از پدر و مادرت بکن. اما گفتن این مطالب به او چه فایده داشت؟ آنقدر پوست کلفت است که درک نمی‌کند؛ و خیلی چیزهای دیگر. شرم مانعش می‌شد، دلش نمی‌آمد او را سرزنش کند. به شکست‌خورده نباید زخم زبان زد. از تیغ برّان دردناک‌تر است. چه کند؟ او را می‌خواست و نمی‌توانست از او دل بکند. از کجا فرود خبر داشت که بر نرگس چه می‌گذرد. او هنوز قبول داشت که به او رسالتی محول شده و محکوم است جام شوکران را تا قطرهٔ آخر سر کشد. این کلمهٔ «رسالت» حرص نرگس را درمی‌آورد. چه رسالتی؟ اینها که به پشتیبانی دولت پیروزمند شوروی و دستگاه تبلیغاتی‌اش تکیه داشتند این افتضاح را بالا آوردند تو که رستم صولت و افندی پیری هستی و همه با تو مخالفند، حتی همشهری‌های هم‌مدرسه و هم‌دوره‌ات در دانشگاه، تو چه رسالتی را می‌خواهی انجام دهی؟ به چه زبان این خفت را حالی‌اش کند؟

پس از ۲۸ مرداد هیچکس امنیت نداشت. بی‌حساب می‌گرفتند، می‌زدند، شکنجه می‌دادند و اسرار هویدا می‌کردند. در دانشگاه، بخصوص در دانشکدهٔ پزشکی درس تعطیل شد. دانشجویان مخالف فریاد می‌زدند: «خاک تو سرتان، بی‌عرضه‌ها، افتضاح بالا آوردید!»

نرگس عرق‌ریزان دنبال فرود می‌گشت و قلبش گرپ گرپ صدا می‌کرد و از هرکس و ناکس، از همین حزبی‌های فریب خورده می‌پرسید که آیا

او را دیده‌اند؟ وقتی او را آلاخون والاخون در یکی از کوچه‌های نزدیک دانشگاه یافت حرف اولش این بود:

«هی گفتی حزبم، حزبم، این حزبت بود؟ من که هرگز جزو شما نبوده‌ام و نخواهم بود. امروز به خاطر شما خجالت کشیدم.»

چقدر این پرخاش برای فرود خفت‌آور بود.

در نامه‌ای که بعداً از حاجی آقا رسید نوشته شده بود: «نکنه که حق با مصدق بوده و توده نفتی وجود داشته...»

در این حیص و بیص عنصرهای فلج‌کننده، شاید هم دسیسه‌گرها، روی آب آمدند. بی‌پرواها دیگران را به خرابکاری تشویق می‌کردند این حزب را باید برهم زد. باید عوضش کرد. این حزب از دیگران دستور می‌گیرد. باید یک حزب کمونیست تشکیل داد. مستقل از هر برنامه که دیگران پرداخته‌اند. یا برعکس، باید حزب کمونیستی تشکیل داد که قدم به قدم از لنین پیروی کند و ملاحظه و مصالحه سرش نشود.

ماه‌ها سر جزوهٔ «۲۸ مرداد»، که ثمرهٔ خودخواهی و برتری‌طلبی یک مغز آشفته بود و دربارهٔ جزوهٔ «تعلیماتی» که یکی از جوانان نوشته بود بحث و جدل شد. طرفین نقل قول‌های ستالین و مائوتسه دونگ را به سر یکدیگر پرتاب می‌کردند و هر وقت پای استدلال لنگ می‌شد ناسزا و تهمت هم به کار می‌رفت. به نظر فرود این رسالهٔ «تعلیماتی» که تحلیلی بود از علل شکست رهبری حزب در ۲۸ مرداد صمیمانه‌تر، واقع‌بینانه‌تر، و البته نه خالی از خودخواهی و بی‌تجربگی تازه به دوران رسیده‌هائی بود که همه چیز سالمندان را نفی و رد می‌کنند و معتقدند که می‌شود بی‌توجه به گذشته سقف فلک را شکافت و طرحی نو درانداخت. این جزوه را

نگذاشتند زیاد منتشر شود اما بعدها خودشان اقرار کردند که در اثر خطاهای روز ۲۸ مرداد اعتماد به رهبری در جامعه و اعتماد افراد حزبی متزلزل شده است.

خاطر فرود را این افکار مشغول می‌داشتند نه دل سوختهٔ نرگس. هر وقت تیرش در این میدان به سنگ می‌خورد به دامن او پناه می‌جست و امید دلداری داشت.

در برابر این سر درگمی و بی‌عملی و بلاتکلیفی، پلیس و دستگاه‌های ارتش بیرحمانه به مخالفین رژیم می‌تاختند. می‌گرفتند، شکنجه می‌کردند، چاقوکش به جان حزبی‌ها می‌انداختند، می‌ترساندند، وحشت ایجاد می‌کردند، ناگهان به خانه‌های مردم می‌ریختند، از پشت‌بام‌ها بی‌پروا به حیاط خانه‌ها می‌پریدند. ابائی نداشتند که چند تن بیگناه را نیز از پا درآورند. قانون و قضاوت و عدالت حرف مفت بود. قانون شلاق بود و کونهٔ تفنگ و فحش‌های رکیک وکیل‌باشی‌ها. آن کس که در زندان مقاومت نشان می‌داد جانش را فدا می‌کرد. زبون‌ها تعهد اخلاقی می‌سپردند، تنفرنامه می‌نوشتند. حزب را دستگاه جاسوسی می‌نامیدند و آلت دست بیگانگان می‌شمردند. استعفا می‌کردند. شاه‌پرست می‌شدند. مقاله در ستایش شاه و دربار می‌نوشتند و به زندگی خود ادامه می‌دادند و به نان و آبی می‌رسیدند و در دانشگاه کرسی به آنها تعلق می‌گرفت و در ادارات خانه و اتومبیل و قرضه در ماه.

در این سرگیجهٔ همگانی و در این موج‌های رذالت و وقاحت و بی‌شرمی شمارهٔ آدم‌هائی که عقل سالم راهنمای آنها باشد انگشت‌شمار بود. فرود از خود می‌پرسید: آیا تو مرد این میدان هستی؟ در خیابان‌ها

پرسه می‌زد، جائی نداشت که بنشیند و کلاه خودش را قاضی کند. جلوی شیشه آینه‌های بزرگ خیابان‌ها می‌ایستاد و ریخت خود را ورانداز می‌کرد. استخوان‌های گونه‌اش برجسته می‌نمودند. لاغر شده بود. پیشانی‌اش چین برداشته بود. دوازده سال زندگیش را در چند ثانیه مرور کرد. آیا آنچه به سرش آمده بنا بر میل و طبع خودش بوده است یا دیگران و حوادث و کمی هم خودخواهی او را بدینجا کشانده‌اند؟ حالا هم دیگر چیزی نمانده؟ چرا ول‌معطل است. چرا آنهائی که گیوه‌هایشان را ورکشیده وگریخته‌اند دیگر برنمی‌گردند. دوازده سال پیش دست خودش نبود حالا چطور؟ هی نشستن و گفتن که سرنوشت چنین اقتضا کرده بود این هم عذر بدتر از گناه است. مثل اینکه حسابرسی در آن بالا جلوس کرده و کاری نداشته است جز اینکه بنویسد و ضبط و ثبت کند که به سر آدم چه باید بیاید؟ آیا خودش اراده کرده بود که یک شب همدم بی‌مخ‌ها و یک‌چشمی‌ها بنشیند و متلک‌های آنها را بشنود و اسم مخملی روی او بگذارند. بودند آدم‌هائی که با اشاره و یا صاف و پوست کنده به او می‌گفتند با چه خطراتی مواجه است. پدرش، مادرش، آقای پایدار، آقای بشیر. ایشان امروز وزیر کشور هستند، حتماً همه جا آدم فرستاده که او را دستگیر کنند. چه گناهی کرده که باید او را بگیرند. اقلّش اینست که حرف بزرگترها را نشنیده گرفته است.

با یک حرکت دست این توهمات را رد می‌کرد. دارم مالیخولیائی می‌شوم. راهی است رفته‌ام، باید بروم. ترس برش داشته و بیخود هزار جور ایراد بنی‌اسرائیلی از خودش و زندگیش می‌گیرد. فرود می‌توانست در قعر تشویق فکر کند و هدف گیرد و راه یابد و پیش رود. از دهقانانش

سرسختی یاد گرفته بود. در منتهای سختی و تنگی و بیچارگی و بیدست و پائی فکر میکرد و شعر میگفت و مینوشت. نتیجهٔ تعقّلات خود را در یادداشتهای روزانهاش و در اشعارش میریخت و متبلور میساخت. آنها را با صدای بلند میخواند و به خود تلقین میکرد، گوئی حقیقت را یافته و چیزی نمانده که به مقصود برسد. اما خیالات دست از سر او برنمیداشتند. همین که در کافهای مینشست و یک فنجان چای سفارش میداد، باز تصویرهای جور واجور، شکسته و گسسته در هوا میلغزیدند و او را منحرف میکردند، میترساندندش. کافی بود که رومیزی لکهدار باشد و یا پیشخدمت دیر بیاید، حواسش پرت میشد و باز تفکرات به صورت کلاف سر در گم توهمات درمیآمدند. اصلاً دربارهٔ هویت خودش تردید داشت. چهجور آدمی است؟ پیگیر یا مذبذب؟ هدفی در زندگی دارد یا دنبال خودخواهی و جاهطلبی است؟ همهٔ این نقش و نگارها تصویر نرگس را مغشوش میکرد. حوادث گذشته با خیالات واهی در هم وول میخوردند، حجمهای گوناگون میگرفتند، محو میشدند، آب میشدند و مانند ابر در هوا در هم میغلطیدند.

نه فرود تنها، بلکه همه و یا اقلاً باقی ماندههای حزب در تشویش کامل به سر میبردند. جاسوسان هم علاقه نداشتند حزب متلاشی شود. هنوز تمام سرکردگان گیر نیفتاده بودند. لازم میآمد که نخست کلک آنها کنده شود.

آبرو رفتهها آمدند و باز برای رفع و رجوع جلسهٔ مثلاً عمومی، تشکیل دادند؛ از همهٔ سازمانهای مختلف، جوانان، دهقانان، این بار خانمهای بزکدوزک کرده هم به اسم تشکیلات زنان شرکت کردند.

چیزی نمانده بود که همه‌گیر بیفتند. جاسوس و سخن‌چین و نمّام همه جا وول می‌زدند، با قیافه‌های جور واجور، انقلابی، چپ‌رو، طرفدار ناشرین جزوهٔ «۲۸ مرداد» و رسالهٔ «تعلیماتی».

یک بار فرود را جزو دسته‌ای که در میدان تجریش جمع شده بودند گرفتند و غلط‌انداز مرخصش کردند. بلبشو شده بود. حکومت آنقدر در خیابان و کوچه، در حوزه و در کارخانه، دستگیر می‌کرد که درشت و ریزش را تشخیص نمی‌داد. همین جوری او را به حبس انداختند و پس از اینکه دروغ و راستی سر هم کرد مرخصش کردند.

اما قبلاً موهای او را قات قات زدند و بی‌ریختش کردند و وقتی خود را به نرگس نشان داد او از خنده روده‌بر شد. چند روزی به هر محفلی می‌رفت وسیلهٔ شادی و بذله‌گوئی آنها را فراهم می‌آورد. حتی اهرامی هم که در صورتش اخم و تخم حک شده بود، لبخندی زد. این لبخند بیشتر حرص او را درآورد. خوب بود نگاهی به خودش می‌انداخت. دورو برش قوطی قرص و شیشهٔ دوا بود و لیوان آب. تکان که می‌خورد یک جایش درد می‌کرد. گاهی نمی‌توانست از جایش بلند شود. از کمر، از پا می‌نالید و هر آن چشم به راه بود که خبری از زن و بچه‌هایش به‌دست آورد. این بیچاره‌ها هم در فکر بدبختی خود بودند. به هزار جان کندن می‌توانستند غذا و دوائی برایش بفرستند. سرنوشت دهقانان ایران را به‌دست این فلکزده سپرده بودند. هر وقت با مهندس عالی دربارهٔ این پیرمرد صحبت می‌شد فقط سر تکان می‌داد و اگر چند گیلاس زده بود می‌گفت: «کارها روبه‌راه است. به‌زودی ما را هم خواهند گرفت و آن وقت همهٔ کارها در دست شماها خواهد افتاد، این هرج و مرج سازمانی

بی‌اثر نخواهد ماند.»

سودی که حزبی‌ها از این هرج و مرج بردند این بود که یک همدست گزمه، که داشت در آن بالا بالاها جا برای خود باز می‌کرد، شناخته شد و این آژیری بود برای همه که بیشتر احتیاط کنند. تمام کسانی که از ریسمان سیاه و سفید می‌ترسیدند به این فکر افتادند که نکند فرود هم از طعمه‌های شهربانی است، او را رها کرده‌اند که رد پایش را بگیرند.

کم‌کم بگو مگوها، زد و خوردها فروکش کرد. نه کسی به دُرپراکنی‌های امثال کجوری وقعی می‌گذاشت و نه به قلم‌اندازهای دستهٔ مخالف. برای فرود همهٔ این بازی‌ها دلیل بی‌انضباطی بود و از هم پاشیدگی. حوصلهٔ همه سر رفته بود. خسته شده بودند. نه‌فقط شکست سیاسی بلکه دعواهای بچگانه میان پیر و پاتال‌ها و جوانان جویای نام همه را از پا انداخته بود.

به قول مهندس عالی کار از این کارها گذشته بود. اصلاً صداقت در میان اعضا از میان رفته بود. از هر طرفی که باد می‌آمد باد می‌دادند. به‌علاوه هر روز عده‌ای از فعالین را می‌گرفتند. محمود نامی کارکن‌های زرنگ را دستچین می‌کرد و لو می‌داد. از کمیتهٔ دهقانان دیگر کسی باقی نمانده بود. جز اهرامی و یکی دیگر همه را گرفته بودند. بدبینی کامل رواج یافت. همه به همه بدگمان شده بودند. حساب سوخته‌ها تسویه می‌شد. مسئولیت کمیتهٔ دهقانان به کلی و رسمی به فرود واگذار شد. چه مسئولیتی؟ از همه مهم‌تر حفظ جان این پیرمرد بیمار را هم به عهدهٔ او گذاشتند. او باید برای وی و همکارانش هرچند وقت خانه‌ای تهیه کند، آنها را از محلی به محل دیگر انتقال دهد؛ گاهی که بیمار بستری می‌شد

ــ این امر مکرر اتفاق می‌افتاد ــ پزشکی از افراد حزبی برایش ببرد.

پیرمرد خیلی هم باجرأت نبود. نه‌فقط هراس داشت از اینکه گرفتار شود بیشتر از این می‌ترسید که دوایش و غذایش به موقع نرسد. هر چیزی را هم نمی‌توانست بخورد. همه چیز باید بی‌نمک باشد. فرود نمی‌دانست آیا از وقتی در اختفای کامل به‌سر می‌برد اینقدر احتیاط به خرج می‌داد یا در آزادی هم همیشه بیمار بود و ناچار باید به دوا و غذایش برسد. از خودش می‌پرسید آدمی تندرست‌تر و باهوش‌تر از او پیدا نکردند که برای عضویت در کمیتهٔ مرکزی انتخاب کنند؟ زندگی و گذشتهٔ این بیمار سالخورده برای فرود مسئلهٔ بغرنجی شده بود. دورهٔ پزشکی را در تهران به پایان رسانده و پزشک شده بود. پس از چندی که به معالجهٔ بیماران پرداخت دریافت که چیزی سرش نمی‌شود. کندذهنی و صداقت و دقت و احتیاط کاری‌اش او را وادار ساخت به فرانسه برود و رشتهٔ پزشکی را در اروپا بیاموزد. در اروپا آنقدر از وضع ایران و بخصوص تحصیل در مدرسهٔ طب و استادان سرخورده بود که به نهضت دانشجویان پیوست و در فعالیت‌های ضد رژیم رضاشاه تا آنجا که از وجود او ساخته بود شرکت کرد. با این سابقه به ایران آمد و به زودی گرفتار شد و چندین سال در زندان ماند و این برایش سرمایه‌ای بود تا در کمیتهٔ مرکزی حزب انتخاب شود. فاجعهٔ زندگی این مرد همین بود که به کارهائی دست می‌یازید که برای آن ساخته نشده بود. این اهرامی نه پزشک بود و نه حزبی و نه سیاستمدار. مرد صادق، وفادار و با عقیده و ایمانی بود و خدا می‌دانست که عاقبت کار او به کجا می‌کشید. این فاجعهٔ زندگی‌اش بود، و این شربت تلخ را باید بچشد.

فرود خود تنها و وامانده و در آن روزها مردّد، می‌بایست بار زندگی او را نیز به دوش بکشد. بارها از خود می‌پرسید: آیا این گرفتاری را من اختیار کرده‌ام و یا بر من تحمیل شده است؟ او خودش کمک لازم داشت و حالا باید کمک دیگری باشد.

شاید در آن روزها احساس می‌کرد در زندگی پشتگرمی لازم دارد و این تکیه‌گاه در دامن نرگس می‌تواند باشد، شاید اقلاً در این روزها به خاطرش رسید خودش را از این مهلکه کنار بکشد، اما این شیطان بی‌رحم را با یک نهیب از خود دور ساخت و با کوششی هرچه بیشتر به کار خودش پرداخت. روزی اهرامی موقعی که داشتند مسئولیت کمیتهٔ دهقانان را به او واگذار می‌کردند از او پرسید: «آن بالاکی با تو بد است؟» آیا این پرسش در اوضاع و احوال پس از ۲۸ مرداد انگیزه‌ای نبود که به کلی خودش را کنار بکشد؟ نه، واکنشش این بود که اگر کاری برای حزب نمی‌تواند بکند اقلاً جانش را که می‌تواند نجات دهد، در جواب گفت:

«این حرف‌ها چیه می‌زنید؟»

«می‌خواهند کمیتهٔ دهقانان را منحل کنند. تا حالا من جلویش را گرفته‌ام.»

فرود نگفت چه بهتر، با هم می‌رویم دنبال کار و زندگیمان. برعکس او را تشویق کرد:

«ما همین طور به فعالیت خود ادامه می‌دهیم، شاید پیشرفت هم داشته باشیم.»

خانه‌ای که در آن باکلهر در یک حیاط دو اطاقه به‌سر می‌برد جا برای

فرود نداشت. این خانه نزدیک سرچشمه در بن‌بست آشتی‌کنان قرار داشت و از آنِ آخوندی بود که با حزبی‌ها آشنائی داشت و می‌کوشید به راه خدا هدایتشان کند. به آنها بدبین نبود و کافرشان نمی‌دانست. در این دو اطاق چندین ماه هرکس بی‌جا و منزل بود و یا از شهرستان‌ها می‌آمد و دوست و آشنائی نداشت اطراق می‌کرد. بچه‌ها به آن «هتل پالاس» نام داده بودند. در این خانه فرود هم شب‌هائی سر به بالین گذاشته بود. پس از اینکه خانوادهٔ برزو، که در دستبرد به بانک‌ها از ایران خارج شده بود، به تهران آمدند و از جا و محل او اطلاع حاصل کردند، روزی چند سرباز همراه یک افسر به آن خانه ریختند و اثاثیهٔ برزو را بردند. چیزی نداشت جز مقداری کتاب و یک سه‌تار که گاهی با آن همشهری‌هایش را مشغول می‌کرد. بیچاره صاحبخانه را هم دو سه روزی حبس کردند و بعد آزادش ساختند. وقتی مرخص شد بچه‌ها سرش ریختند: مگر خودت نگفتی رضا به داده بده وز جبین گره بگشای. پس دیگر چه می‌خواهی؟ مگر نمی‌بینی که باید در رضا به جائی برسی که هفت طبقهٔ دوزخ را در چشم راست طاقت آوری و شکوه نکنی که چرا بدتر از آن را در چشم چپت ننهادند؟ در آن خانه هیچکس دیگر در امان نبود. همه پخش و پلا شدند، هرکس به بیغوله‌ای پناه برد. دو نفر از آنها را فرود به خانهٔ کلهر آورد و در پستو جا داد و خودش آواره شد و هر شب در جائی سر به زمین می‌گذاشت. حتی یک شب در مسجد خوابید. پتوئی همراه برد و روی خودش کشید و تا صبح در خواب و بیداری از سر و صدای آوارگان و سرما، گذراند. در شبستان مسجد جایش بدتر از کومه‌های نمناک مازندران نبود. یک شب هم در پناهگاه اهرامی گذراند و چون نمی‌خواست ایمنی پیرمرد را

مختل کند تصمیم گرفت آنجا هم نماند. پیش نرگس رفت. دختر داشت امتحان نهائی‌اش را می‌داد و چند شب می‌توانست کتاب‌هایش را در چمدانی بگذارد و به خانهٔ آقای ترشیزی بگریزد.

اتفاقاً در ته همان کوچه‌ای که نرگس زندگی می‌کرد خانهٔ کوچکی با دو اطاق خالی شد. حوضی داشت و باغچه‌ای و چند بوته گل محمدی و صندوقخانه و اثاثیهٔ مختصری. خانه به مردی به نام آقا جلال تعلق داشت که رانندهٔ تاجری بود که دیوار به دیوار حیاط می‌نشست. این حیاط و دو اطاق در دوران گذشته موقعی که پدران ارباب به جای اتومبیل اسب و درشکه داشتند طویله‌ای بوده است، و چون احتیاجی بدان نبود به قیمت ارزان به آقا جلال واگذار کردند و وی آنجا دو اطاق برای خودش ساخت و حالا امیدوار بود با دریافت اجاره‌خانه مقدمات زن گرفتن خود را فراهم آورد. خودش شب‌ها می‌توانست، اگر لازم شود در آن صندوقخانه به‌سر برد.

این راننده مردی شریف، آزاده، پاکباز و کمی بی‌پروا بود. آقا جلال عضو حزب بود و حاضر شد این دو اطاق را به رفیقش واگذار کند. روز ۲۸ مرداد وقتی دید که از سوی رهبری هیچ خبری نمی‌رسد خودش همراه چند تن از رفقایش می‌خواست با چوب و چماق به هوچیانی که به جان مردم افتاده بودند بتازد. از بابت اینکه آن روز گرفتار یا کشته نشد خودش را مدیون فرود می‌دانست، از این جهت به او ارادت داشت و از او حرف‌شنوی می‌کرد. پس از برگزاری تظاهرات هر دوشان چند ساعتی در باغ ملی گردش کردند و از هر دری سخن رفت و آقا جلال از زندگی خودش نقل کرد: اربابش آدم بدی نیست، به کار من کاری ندارد و وقتی

از حجره‌اش در بازار برمی‌گردد دیگر او آزاد است. زمانی که قصد سفر با ماشین دارد به او قبلاً خبر می‌دهد و باید خودش و اتوموبیل را برای سفر چند روزه حاضر کند. بعد صحبت از جا و منزل شد و فرود اقرار کرد که خانهٔ ثابتی ندارد و گاهی حتی بی‌جاست.

«بیا برویم من به تو یک اطاق می‌دهم.»

«نه، آخر... به این آسانی نیست.»

«فهمیدم، کار مخفی می‌کنی. عیبی ندارد. من هم دستم تو کار است.»

اینطور شد که هر دو به خانهٔ تازه‌ساز آقا جلال رفتند. فرود شندره پندرهٔ خود را به این خانه انتقال داد.

دوستی دو یار حزبی در روز ۲۸ مرداد آغاز شد اما اطمینان میان آنها گوئی سال‌ها پاییده است. هر دو با هم قرار گذاشتند هر زمان یکی آن حیاط را ترک می‌کند کلید را از لای در به حیاطچهٔ نرگس بیندازد. جارو پاروی کاشانه را هم نرگس به عهده گرفت. آقا جلال می‌خواست زن بگیرد و پذیرفت یک اطاق را به دوستش واگذارد و اطاق دیگر را تبدیل به صندوقخانه‌ای کند و اثاثیه‌اش را در آن جا دهد. روح سرکش این مرد بیست و چند ساله، فرود را جلب می‌کرد. کوره سوادی داشت و از مصاحبت فرود سود می‌برد و می‌کوشید چیزی یاد بگیرد و بر معلومات خود بیفزاید. گاهی فرود برای او شعری می‌خواند و آقا جلال آن را از بر یاد می‌گرفت. از آن زمان به بعد هر وقت کسی از اهل خانه و یا خانهٔ ارباب سرشب موقع بیکاری از کنار خانهٔ او رد می‌شد، صدایش را می‌شنید که به آواز این بیت‌ها را می‌خواند:

چون علم شد سرنگون لشگر پریشان می‌شود

پای چون لغزید امیدی از هواداران مدار

در خزان از عندلیبان بانگ افسوسی نخاست

چون ورق برگشت چشم یاری از یاران مدار

بدین وسیله می‌کوشید بر یأس و کوفتگی که در اثر افتضاح ۲۸ مرداد بر او مستولی شده بود، غلبه کند. معهذا بی‌احتیاطی‌های او و سر نترسش باعث شد که چند هفته پس از ماجرای ۲۸ مرداد به او بدگمان شدند زیرا موقع پخش اعلامیهٔ حزب در تظاهرات محلی مشکوک شده بودند که اوراق حزبی را از اتومبیل او درآورده‌اند. چند سرباز همراه افسری به این حیاط دو اطاقه ریختند و هرچه گشتند چیزی نیافتند. جز دیوان صائب را که به خاطر از بر کردن شعرهای بالا برای خودش خریده بود.

همان روز نرگس خودش را برای امتحان آماده کرده بود. دیگر دانشجوی فقیری که دار و ندارش را خرج کتاب و گاهی صرف نگهداری و پرستاری فرود کند، نمی‌نمود. برای موفقیت در امتحان نهائی خودش را حسابی آراسته بود. زنی جلوه می‌کرد مصمم و پی‌گیر، که عزم جزم کرده بود به قصد حراست معشوقش تمام نیروی خود را به کار اندازد. مأمورین که برای بررسی خانهٔ آقا جلال سر رسیدند دیدند که در آن قفل است و از این و آن شنیدند که کلید در خانه پیش نرگس است. به سراغش رفتند و او همراه ارتشی‌ها در خانه را باز کرد و اطاق‌ها را به آنها نشان داد:

«این دو اطاق مال هم‌شهری من است. آقا جلال گاهی در این صندوقخانه می‌خوابد.»

نرگس توانست با متلک‌ها و شوخی‌ها و نازهای زنـانه چـنان افسـر جوان را مشغول کند که وی صلاح دید هرچه زودتر دمش را روی کولش بگذارد اساساً از تفتیش اطاق فرود چشـم پـوشد. پـایش را جـلوی در گذاشته، هر وقت مأمورین بغچه‌ای را باز و یا رخت و پختی را در اطاقش زیر و رو می‌کردند و چیزی نمی‌یافتند غش غش می‌خندید و مسخره‌شان می‌کرد. همین که آنها رفتند دیگر نا نداشت سر پا بـایستد. لب حـوض نشست خیس عرق شده بود. به‌زور خود را به خانه رساند. فشار خون از پا انداختش و ضعف کرد و نتوانست سر امتحان حاضر شود. فرود که از این حادثه خبر یافت هیچ تعجب نکرد اما نـاراحت شـد زیـرا ایـن غش و ضعف‌ها داشت تکرار می‌شد و ممکن بود برای همیشه به تندرستی او خللی وارد آورد. همین حالِ او را روزی پس از تماشای فیلمی در سینما دیده بود. بیرون که آمدند تمام تنش می‌لرزید. رنگش مثل گچ سفید شده بود. ادا درنمی‌آورد، نربازی به او نمی‌آمد. معلوم بود که جسماً اصلاً ضعیف شده و گرمای سینما حال او را به هم زده. وقتی یک پزشک به عیادتش آمد و او را خوب معاینه کرد دیگر یقین شد هر وقت برای غلبه بر ترس و وحشت و ناامیدی و یا در نتیجهٔ شادی و اضطراب همهٔ زورش را می‌زند که مقاومت کند چند لحظه بعد این حالت رخوت به او دست می‌دهد. باید مواظبت کرد که اینگونه ناراحتی‌ها تکرار نشود.

اینها را نرگس خودش هم می‌دانست اما ضعف پس از اضطراب و دلهره می‌آمد و در اختیار خودش نبود. همهٔ عـلائم آن را مـی‌دانست. دربارهٔ آنها مطالعه کرده بود. با پزشک معالجش پس از حادثهٔ سینما گفتگو کرده بود. می‌دانست وقتی نبض خفیف می‌شود چه بکند، چه

قرصی بخورد. با وجود همهٔ این پیشگیری‌ها گاهی اتفاق می‌افتاد که به نظرش می‌رسید که قلبش دارد از کار می‌افتد. این حالت گاهی چند دقیقه و زمانی بیشتر می‌پائید. وقتی دم در ایستاده بود و ستوان را به حرف می‌کشید و عشوه می‌آمد نمی‌توانست بگذارد و برود، یا روبروی مأمورین قرص به گلو بیندازد. چاره‌ای نداشت جز اینکه بایستد و روی خوش به بازی دهشتناک آنها نشان دهد. کسی نمی‌توانست ادعا کند که نرگس یک دختر نازپرورده است. برعکس سرد و گرم روزگار چشیده بود. آدمی بود که با بیماران سروکار داشت. زنانی به او رجوع می‌کردند که مدعی بودند هرگز روی مردی را ندیده و در حمام از نشستن روی سینی مسی آبستن شده‌اند. در رفتار دانشجویان پزشکی چیزها به‌سرش آمده بود که گفتنی نیست. حالا دیگر پس از چندین سال معاشرت با پسرهای ارقه، یا شوخی‌های خرکیشان، مظلوم و محجوب به نظر نمی‌آمد. برعکس خوب بلد بود بگوید و بشنود و بخندد و بخنداند. اگر پایش می‌افتاد دست و پایش را هم به کار می‌برد و مشت و لگد هم می‌توانست حواله بدهد. در عین حال از لوس‌بازی و جلفی هم بیزار بود، بخصوص از وقتی که نیمچه پزشک شده بود و در بیمارستان صد تختخوابی کار پیدا کرد، می‌بایست ناچار سنگین و با ابهت و جدی و دانا جلوه کند.

سرایداری این خانه هم باری سنگین روی دوش خانم پزشک بود. کسانی شب و نصف شب آنجا می‌آمدند و می‌خواستند سر بر بالین بگذارند که نرگس اصلاً نمی‌شناخت، فقط نشانه‌های زبانی از فرود و کلهر می‌آوردند و او قناعت می‌کرد و کلید را به آنها می‌سپرد. به این خانه

فیروز هـم هـر وقت در تـهران بـود و فـرصت پـیدا مـی‌کرد، بـه قصد احوالپرسی و عیادت سری می‌زد. فرود اغلب در مسافرت بود و فیروز هر وقت یقین داشت و یا می‌دید و می‌شنید که رقیبش پیش نرگس نیست، در می‌زد، احوالی می‌پرسید، هدیه‌ای می‌آورد و به اصطلاح دمی تکان می‌داد و غیبش می‌زد، زیرا در باطن هنوز امید داشت که بـالاخره ایـن دختر به زناشوئی بـا او تـن درخـواهـد داد و حـلقه‌ای از زنـجیری کـه زندگی‌اش را بی‌میل و ارادهٔ خودش مهار کرده بود، گسسته نخواهد شد. در نظر فرود امیدواری فیروز خیال باطلی بیش نبود. اگر کسی ناگهان به او خبر می‌داد این دو نفر با هم جور شده‌اند زمین و زمان در نظرش در هم مـی‌ریخت و فـرو مـی‌پاشید. پس در لحظات بیچارگی، درمـاندگی، کوفتگی، زمانی که همه با مشت در دهن و لگد به پهلویش می‌زدند، به کی پناه ببرد؟

دو میل متضاد او را از صخره‌ای به صخرهٔ دیگر پـرتاب مـی‌کردند: خوب است نرگس به کس دیگر، ولو به فیروز، دل ببندد اما هر وقت او، فرود شکست خورده پناه می‌جوید باید جای او کنار این دخـتر خـالی باشد.

خدا می‌داند که به چه دلیل نرگس به این ملافیروز رو می‌دهد؟ آیا می‌خواهد او را بچزاند؟ یا مقصودی دارد. کمی حسد در این تـفکرات نهفته بود. نرگس آمد و شد با فیروز را هر روز به نحوی تفسیر می‌کرد. گاهی می‌گفت: «چه کارش کنم؟ دوست دوران بچگی است. نمی‌توانم در خانه‌ام را به روی او ببندم. از شهرشان، از پدرش، از حاجیه خانم و از بدری و منیره خبر می‌آورد. ساعت‌ها می‌شود پای صحبتش نشست و دل

داد و قلوه گرفت. هنوز هم با وجودی که دیگر در حزب نیست با شمعی و آذر آقا و همشاگردی‌های حزبی دوست و رفیق است. نقل زندگی و کار و بار آنها موجب انبساط خاطر آدم می‌شود. به‌علاوه فیروز حالا دیگر خودش یک مرد سیاسی شده و از او می‌شد به برخی نکات زمانه پی برد. از فرود که حرفی درنمی‌آمد.»

واقعیت در جهت دیگری سیر می‌کرد. حوادث سیاسی، که زندگی افراد شیفتهٔ سیاست را هر روز به سمتی سوق می‌داد هر لحظه به شکلی درمی‌آمد. نرگس می‌خواست با موج‌های سیاسی پشت پرده آشنا شود. فیروز برای این منظور وسیلهٔ خوبی بود. از آنچه در روزنامه‌ها می‌خواند، بخصوص از زمانی که حکومت را قلتشن دیوان‌ها قبضه کرده بودند و دولت فعالیت خود را به یاری و همکاری کارشناسان امریکائی و اسرائیلی می‌گسترد چیزی دستگیر آدم عادی نمی‌شد. اما این کنجکاوی نرگس به هیچ وجه علاقه‌اش به نفس سیاست نبود زیرا عاملینش قابل اعتماد نبودند و با حرف‌هایشان بیشتر حقائق را کتمان می‌کردند. در واقع کنجکاوی او بیشتر برای پی بردن به اخلاق و اطوار فرود بود که دربارهٔ علل تغییرات در رویه‌اش هیچ چیز بروز نمی‌داد.

دوندگی‌های فرود معنا و مفهوم خاصی داشت. حالا دیگر آدم از هیچ کار او سر درنمی‌آورد. آهسته بیا، آهسته برو که گربه شاخت نزند. شب در خانهٔ آقا جلال می‌آمد و می‌ماند و نرگس خبردار نمی‌شد. انگار این پسر به‌کلی عقلش را از دست داده است. نرگس از امثال کلهر و فیروز می‌شنید که او در تکاپوست. از زمان دستگیری مصدق آشکار بود که ماجراهائی در پنهان می‌گذرد و این بخصوص در پریشانی و دستپاچگی فرود دیده می‌شد.

هفته‌های پس از ۲۸ مرداد فرود و یارانش سخت در تکاپو بودند و چنین می‌نمود که خود را برای کار بزرگی آماده می‌کردند. فرودگاهی تا نصف شب به خانه نمی‌آمد. دسته دسته اوراق همراه می‌آورد و کسانی می‌آمدند و آنها را به جای دیگر می‌بردند. در نیمهٔ ماه مهر بازار بسته شد و در نقاط مختلف شهر گروه‌های چند صد نفری به سود مصدق و علیه حکومت و دولت نمایش می‌دادند. اوراق پخش می‌کردند. این آمد و رفت شبانه به حدی تکرار شد که همسایه‌ها متوجه شدند. حتی به گوش ارباب راننده هم رسید که یک بار آقا جلال بی‌اجازهٔ او از ماشینش استفاده کرده و کاغذها را با اتومبیل به جای دیگر برده است. اگر خود صاحبخانه از هواخواهان مصدق نمی‌بود حتماً نان آقا جلال آجر می‌شد. این جنجال به جائی رسید که فرود ناچار شد آن اطاق را خالی کند و دو سه ماه اجارهٔ آن به عهدهٔ نرگس افتاد که حالا با حقوق پزشکی‌اش در بیمارستان می‌توانست جورکش باشد. یک ماه بعد محاکمهٔ مصدق آغاز شد. باز هم حزب می‌کوشید رسوائی گذشته را جبران کند.

از همه بدتر حادثهٔ دانشگاه در نیمهٔ آذر بود که چیزی نمانده بود فرود را به کلی از پا درآورد. در کلاس درس دانشگاه به دانشجویان تیراندازی شد و سه نفر کشته شدند. یکی از آنها محمود آقا پسرخواندهٔ مهندس عالی بود. از هواداران مصدق بود و فرود می‌کوشید او را به سود حزب جلب کند. وقتی خبر مرگ او راشنید دیگر طاقت نیاورد خودداری کند. به خانهٔ نرگس رفت. مثل برج زهرمار بغ کرده بود. در گوشه‌ای زانو به بغل گرفت، دست به چای و شیرینی نزد. بعد مثل بچهٔ کتک خورده اشک ریخت، زار زار گریه کرد و تنها زمانی که دق دلیش را خالی کرد ماجرا را برایش نقل کرد:

«می‌شناختمش، کاشکی هرگز او را ندیده بودم.»

می‌گفت و هق‌هق گریه می‌کرد. نرگس سر و گردن او را می‌نواخت. سعی می‌کرد آرامش کند. آن وقت سرش را روی دامن نرگس گذاشت و خوابش برد. دختر سر او را روی بالشی قرار داد و پتوئی روی او کشید.

هر هفته و هر روز خبرهای بد از بدتر می‌رسید: «یکی در زندان خودش را آتش زده، دیگری زیر شکنجه مرده و نعشش را در جاجرود پیدا کرده‌اند. در زندان رشت پنج نفر کشته شده‌اند. در زندان‌های تهران اعتصاب گرسنگی شده است. دولتی‌ها بی‌رحمانه می‌زدند. همهٔ مردم را خفه کردند. هیچ‌کس جرأت نطق زدن نداشت. کار در دست یک مشت قزاق بی‌حیا و چند تا بیگانه‌پرست و پول‌پرست افتاده بود. گروه‌ها و دسته‌های دیگر هم لب بستند و کنار رفتند. وزیران و وکیلان مصدقی را دستگیر می‌کردند، به رجال کارکشته چنان تودهنی زدند که همه‌شان تو جوال رفتند. فقط یکی دو نفر سردمدار بودند، آنها هم با هم نمی‌ساختند. یکی می‌خواست دیگری را بتاراند و تمام قدرت را در شهر مردگان در دست گیرد. میدان خالی شد. ترکتازی‌ها آغاز گردید. اینک دیگر موقع بچاپ بچاپ بود و همه چپاول می‌کردند. داخلی و خارجی، بار بار، کشتی کشتی. خارجی به کمک داخلی و داخلی به سود خود. و شاه در رأس همه قرار داشت. دانشگاه‌ها در تهران و در شهرستان‌ها تحت تسلط ارتشی‌ها قرار گرفته بود. سران مؤسسات علمی و استادان می‌بایست از فرمان سربازان اطاعت کنند. جاسوسان شهربانی و ارتش در کارخانه و کارگاه و دانشگاه و ادارات گوش می‌ایستادند که ناراضی و معترض را بگیرند و به زندان اندازند. حساب‌ها تسویه می‌شد. آتش زیر خاکستر می‌ماند و دودی برنمی‌خاست.

۱۳

در همین گیر و دار قرارداد نفت با کنسرسیوم امضاء شد. اما امضای قرارداد هنوز خود قرارداد نبود. مقدماتی داشت و آن آماده کردن بزرگترین فاجعه‌ای بود که برای حزب رخ داد. هنوز چند هفته از امضای قرارداد نگذشته بود که سازمان نظامی حزب لو رفت. داستان گرفتاری ششصد مرد کار آزموده و مسلح و فرمانده بی‌شباهت به قصه‌های کودک پسند و حکایت‌های کلیله و دمنه نیست. حسینی نامی را هنگام حمل یک چمدان کتاب و مدارک در خیابان دستگیر می‌کنند و آنقدر زجرش می‌دهند تا تمام اطلاعات خود را در اختیار حکومت می‌گذارد. تمام مخفی‌گاه‌های سازمان نظامی و دفترچه‌های رمز چاپخانه‌ها به چنگ مأموران فرمانداری نظامی می‌افتد و هیئت دبیران یکی پس از دیگری دستگیر می‌شوند. عده‌ای می‌گریزند و بیست و هفت نفر از آنها تیرباران می‌شوند و چند تن به بیش از بیست سال زندان محکوم شدند.

رهبران پس از چند ساعت، از توقیف حسینی اطلاع حاصل می‌کنند. از جمله اقدامات احتیاطی سران این است که رابطه‌ای با حسینی برقرار کنند ولی در این فاصله ستوان‌های جوان که بی‌پناه و بی‌خانه می‌مانند به

مخفی‌گاه‌های دیگر می‌روند و گرفتار می‌شوند. جالب این است که یکی از رهبران مقداری اسناد را از صاحبمنصبان فراری می‌گیرد و پس از چند روز که کسی را فرمانداری آزاد می‌کند رهبران غافل می‌شوند و اسناد را بار دیگر به سازمان برمی‌گردانند و باز در همان مخفیگاه به کار ادامه می‌دهند. حضرات تصور می‌کردند با اعطای اجازه به حسینی که تنفرنامه بنویسد و آزاد شود خطر مرتفع شده است. گشادبازی به حدی بود که گزارش یک افسر سازمانی به هیئت دبیران دربارهٔ وضع مزاجی حسینی در زندان چند روز دست به دست می‌شود و عاقبت به فرمانداری نظامی می‌رسد. حسینی گشادباز که علنی زندگی می‌کرده و روز و شب در یک سلمانی پلاس بوده با مأمور رمز که فعالیتش باید صد در صد مخفی باشد در یک خانه زندگی می‌کرده وحتی وقتی دستگیر هم می‌شود مشغول کشف رمز بوده است. اینها کافی نبود، افسرانی را که می‌توانستند مخفی شوند و یا باگریز جان خود را نجات دهند تشویق می‌کردند که مخفی نشوند. کجوری مطمئنشان می‌ساخت که «هرچه تعداد دستگیرشدگان بیشتر باشد مجازاتشان خفیف‌تر خواهد بود.» همین بی‌عرضگی رهبری، نفاق، بی‌تجربگی، جبن، بی‌شخصیتی باعث شد که طی چند روز هفت چمدان مدرک از یک سازمان سیاسی پنهانی و یک کامیون کتاب به دست آوردند.

آموزندهٔ مطالبی است که آقای بشیر وزیر کشور کودتای ۲۸ مرداد در یک مهمانی خانوادگی به خانم ترشیزی گفت:

«خیلی این دوستان شما غافلند.»

«دوستان من؟ مقصودتان کی‌ها هستند؟»

«شما هم دارید یک پا سیاستمدار می‌شوید. دیگر پیش من خودتان را
به کوچۀ علی چپ نزنید. دوستان شما، مثلاً آقای فرود.»

«آقای فرود، بله، اما یک نفر دوستان نمی‌شود.»

«از کسانتان هم یکی دو نفر در حزب هستند. امیدوارم کـه بـا ایـن
افسران سروکار نداشته باشند. در هر صورت این حضرات بسیار غافلند.
اصلاً اینها پی نبردند که پس از ۲۸ مرداد دوران تازه‌ای در این کشـور
آغاز شده. نخندید، خواهید دید کـه چـه مـی‌گویم. اینها هـنوز درک
نکرده‌اند که ما چه وسائلی در اختیار داریم که مو را از ماست بکشیم.
اینها به ماهیت حکومت تازه پی نبرده‌اند. خیلی آسان گرفته‌انـد. مـن
راجع‌به شخصیت برخی از افسران بازداشت شده چیزی نمی‌گویم اما آن
کسانی که هدایتشان می‌کردند راستی که بچه‌ننه و بزدل هستند.»

«چطور مگر؟»

«خانم ترشیزی، موقعش نیست که همه چیز را به شما بگویم. ششصد
و چند افسر بودند. در یک ساعت نیمه شب مـی‌توانسـتند کـلانتری را
اشغال کنند و این حسینی را نجات دهند. کاش می‌توانستید اعترافـات
برخی از این ستوان‌ها و سروان‌ها را بخوانید تا پی ببرید چه بلبشوئی بوده
است. ول کنیم. خدا مملکت ما را از این شر خلاص کرد. بیائید برویم
یک گیلاس مشروب با هم بخوریم.»

آقای بشیر دست انداخت زیر بازوی خانم ترشیزی و گفت:

«اگرچه باور نمی‌کنم اما اگر به آقای فرود و خانواده‌اش علاقه دارید
از قول من به او بگوئید هنوز دیر نشده. بهتر است تا دیر نشده از این کارها
دست بردارد. توصیه کنید بیاید پیش من. پسر بسیار باهوش و استعدادی

است. به او نصیحت می‌کنم و اگر گرفتاری دارد رفع مزاحمت ازش می‌کنم.»

خانم ترشیزی تمام این گفت‌وگو را برای فرود نقل کرد. جوان می‌شنید و نمی‌دانست چه جور جواب بدهد. خاموش نشست و چیزی نگفت.

خانم ترشیزی پرسید: «می‌روی پیش آقای بشیر؟ نمرهٔ تلفن خودش را در وزارتخانه به من داده.»

فرود جواب نداد. همینش باقی مانده بود که پیش آقای بشیر برود و عذرخواهی کند.

این بزرگترین ضربتی بود که به فرود وارد آمد. گوئی باگرزی به سرش کوفتند. خشک شده بود. هیچ چیز درک نمی‌کرد. گرفتاری افسران حزبی با بوق و کرنا همراه بود. در مطبوعات، در مجالس، در محافل، همه جا صحبت از این بلیه بود. مؤمنین به حزب دیگر جرأت نمی‌کردند روزنامه بخرند، بخوانند، پیچ رادیو را بچرخانند، باکسی درباره‌اش صحبت کنند. به قول فرود: «دیگر حزب به‌هم خورد. آنچه ماند دکانی بود برای ریزه‌خواران و کاسه‌لیسان. چند نفر خوش‌باور هم تصور می‌کردند هنوز می‌توان جنازه‌ای را زنده کرد. بقیه مانند اینکه دشمنی راقشون بیگانه منکوب کرده، اموال آنها را به غنیمت برده، اکنون از هرج و مرج استفاده می‌کردند و پس‌مانده‌ها را می‌ربودند.» چند نفر دیگر هم که آن بالاها هنوز می‌پلکیدند، گریختند؛ گریختند که هنوز هم در حال گریزند. کجوری و دار و دسته‌اش هم دیگر نبودند. این آدم تنهاکسی بود که برای نجات خود از سلاح گرم استفاده کرد. به روی مأمورینی که او را دنبال می‌کردند تیر انداخت و توانست به چاک بزند. سه نفر از هیئت اجرائیه، از

جمله مهندس عالی، بازداشت شدند. فقط پیرمرد بیمار و یکی دو سیاهی لشگر که گروه جوانان فلجشان کرده بودند و دو سه نفر مشکوک که معلوم نشد از چه زمانی جیره‌خوار شده بودند، باقی مانده بودند.

هرچه آبروی حزب و حزبی‌ها بیشتر می‌ریخت و فرود کنف‌تر و کوفته‌تر می‌شد در عوض نرگس بر مهربانی خود بیشتر می‌افزود. انگار طنابی بر گردن فرود گره خورده بود که دو سر آن را با دو دست می‌کشیدند. یک سر در قبضهٔ فعالیت سیاسی بود و سر دیگر در گرو عشق نرگس. هر وقتی یکی سست می‌شد دیگری آن را سفت‌تر می‌کشید. در هرحال وجود او اسیر این دو نیرو بود. شاید اگر آن پیرمرد بیمار را به او نسپرده بودند، آسان‌تر می‌توانست خود را برهاند. امّا آیا به راستی او به رهائی خودش فکر می‌کرد؟

تیرباران دستهٔ اول افسران فاجعه‌ای هول‌انگیز بود. اینها کسانی بودند که خفت پذیرفتن ضعف و خیانت را بر خود هموار نکرده بودند. نوشتن تنفرنامه برای شکنجه‌گران محک بود. هرکس زیربار نمی‌رفت و مقاومت می‌کرد به پیشواز مرگ می‌رفت. یکی از این اعدام‌شدگان، سروش، از دوستان نزدیک کلهر بود. جوانی خوش هیکل، بلنداندام، با چهره‌ای نمکی وانبوه موهای مشگین، کم‌حرف و باایمان. این سروش با هیچکس، حتی کلهر و فرود هم که چند بار دیده بودش، بحث سیاسی نمی‌کرد. همیشه گوش می‌داد. هیچیک از دوستان کلهر هم نمی‌دانستند که جزو سازمان نظامی است. وقتی او را دستگیر کردند همه مبهوت شدند. باور نمی‌کردند. پس از مرگش کلمات آخر او ورد زبان‌ها بود: «رفقا راه ما حق است. اشتباهات را به حساب نادرستی نگذارید. با

کوشش و اتحاد خود آن را جبران کنید. انتقام ما را بگیرید.» بعدها هنگام دستگیری فرود جزو کاغذهائی که در جیب او یافتند یکی همین گفتهٔ سروش بود.

چند ماه پس از گرفتاری افسران و آغاز تیرباران کردن آنها فیروز هم که چند ماهی در زندان بهسر برده و «تنفرنامه» نوشته و مرخص شده بود، همراه آقا معلم به تهران آمد. پدر نرگس که در خانهٔ آقای ترشیزی منزل اختیار کرده بود از این مسافرت دو مقصود داشت. یکی اینکه حالا که دخترش پزشک شده او را به شهر محل تولدش برگرداند. آنجا بهداری دارد، بیمارستان تأسیس می‌کند و صلاح نرگس و مردم شهر در این است که یکی از فرزندان خودشان که همه خوب می‌شناسندش به معالجه و پرستاری آنها بپردازد. به‌علاوه آقا معلم، رئیس فرهنگ ایالتی، پیر شده است و به‌زودی بازنشسته خواهد شد و سزاوار است که سال‌های آخر عمرش را در کنار دخترش بگذراند. اما هدف دومش را در لفافه و کنایه و خطاب به فرود بر زبان آورد، به درگفت که دیوار بشنود:

«خوب است نرگس حالا پس از شش سال و اندی خواستگاری جواب قطعی به فیروز بدهد.» بالاخره او به این کارمند خودش قول داده هر وقت دخترش درسش تمام شد و کاری پیدا کرد دربارهٔ زناشوئیشان تصمیم بگیرد؛ خوب، قول نداده امّا اینطور به او فهمانده است. اینک فیروز مردی است سرد و گرم روزگار چشیده، تجربه اندوخته و زندان دیده و شایسته است که نرگس تکلیف او را معین کند. آره یا نه.

باز هم دو دلی تعادل فرود را برهم زد. پیرمرد لابد از او انتظار داشت که او برای فیروز پا در میانی کند، یعنی با دست خودش کارد به قلبش

فروكند. برود به نرگس بگوید پدرش دستور داده او را ترک كند و بـا ملافیروز همسر و همدم شود. فرود سال‌ها نتوانسته بود وظیفه‌ای را، كه برعهدهٔ خودش گذاشته بود، انجام دهد حالا كسی دیگر هم آمده و او را برای كار زیر فشار قرار می‌دهد. بهتر این است كه این كارد را دیگران به قلب او فروكنند. چرا انجام این كار را از او می‌خواهند. به‌علاوه این كه رسم قرون وسطائی است كه پدری برای دخترش شوهر انتخاب كند. نه، این البته دلیل امتناع او از اجرای دستور آقا معلم نبود. آخر مگر می‌شود از این زن دست برداشت آن هـم در مـراحـل بیچارگی و تـنهائی، در ساعت‌ها و دقیقه‌هائی كه هر انسانی تكیه‌گاهی می‌جست. به دلش برات شده بود كه روزهای وخیم‌تری در انتظار اوست. احساس گنگی در او می‌جوشید. دیگر آن بنیهٔ چند سال پیش را نداشت كه بر توهمات غلبه كند. در روزهای پر تلاش و پر ستیز شب كه در كـومه‌ای و گـاهی در مسجد و در طویله‌ای سر روی بالین می‌گذاشت، مثل گاو می‌افتاد و چشم بر هم نگذاشته می‌خوابید و صبح زود تندرست و سر دماغ برمی‌خاست و با نیروئی تازه و آماده به تلاش. از زمانی كه محمود آقا و برزو و سروش جان داده بودند قیافه‌های آنها به شكل‌های گوناگون او را دنبال می‌كردند. از خواب ورمی‌جست. تنش خیس عرق بود. سردش می‌شد. چند دقیقه كه با نرگس روبرو می‌شد خنده‌اش روانبخش بود و خوشبختی نصیبش می‌كرد. از تمام عنایات زندگی تنها این سهم برای او مانده بود و حالا همهٔ عوامل دست به هم داده بودند تا آن را هم از او بگیرند. خیالات از سر او دست برنمی‌داشتند. قد راست می‌كرد، به خـود نـهیب مـی‌زد... تـلاش می‌كرد مثبت و منفی اشاره‌های آقا مـعلم را بـسنجد. مـقصود رئیس

فرهنگ سالخورده از این تذکرات حتماً این نبود که نرگس را وادار بـه زناشوئی کند بلکه بیشتر اشاره به خود فرود بود که پایش را مدتی کنار بکشد تا آن دو خود به این مسئله بپردازند و به راهی که سرنوشت برایشان معین کرده بروند.

قرار شد فیروز پائیز سال ۱۳۳۳ دوران مرخصی را در تهران بـه‌سر ببرد و فرود پس از گرفتاری و اعدام افسران چندی در اختفای کـامل بگذراند. بعد به این نتیجه رسید که بهترین وسیله برای پنهان شدن همین است که به شهر خودشان برود و سری به پدرش بزند و با خـانواده‌اش دیداری تازه کند. فرود بسیار دلواپس پدرش بود.

اما دلهرهٔ طاقت‌فرسا، دوندگی‌های جانگزا، بی‌خوابی‌های مـمتد، تحمل نامردی‌های جور واجور و اعدام افسرانی که چند تـن آنها را و خانواده‌هایشان را می‌شناخت، او را بیمار بستری کرد. ابتدا سرماخوردگی جزئی بود که به ذات‌الریه تبدیل شد و چاره‌ای نداشت جز اینکه خود را صد در صد در اختیار نـرگس بگذارد، از نـظر اختفا نـمی‌توانست در بیمارستان بماند.

بار دیگر اطاق خانهٔ آقا جلال راننده را اشغال کرد و بیمار خانم دکتر نرگس شد. محبت، نوازش و دلسوزی و لطف و پرستاری و پزشکی از حد گذشت، توأم با دلربائی، غمازی، ناز و نوازش و عاقبت بوسه و کنار.

کدام موجود زنده‌ای است که بتواند در برابر این هـمه مـهرورزی پایداری کند؟ سنگ هم باشد آب می‌شود چه رسد بـه آدم مـصیبت کشیده و شکست خورده‌ای که کمتر مزهٔ شادی را چشیده و تا توانسته کف نفس کرده است.

این دورهٔ نقاهت هرگز از یاد فرود نرفت. خوش‌ترین روزهای زندگی او همین دو سه دقیقه آرمیدن بود. زندگی همه‌اش زجر و رنج و دوندگی و بی‌نصیبی و یا سوز و سردی و چندش نیست. چه لذت‌هائی طبیعت در اختیار انسان گذاشته و چه آسان می‌توان بهشت را در همین دنیا به جهنم بدل کرد. نرگس گلی بود خوشبو، شاهدی شیرین‌کار، هر حاجتی برآورده می‌شد. هر حرکت او زیبائی نو نواری پخش می‌کرد. هر تار زلفش، هر جعد روی پیشانیش دامی بود که آدم را اسیر می‌کرد. یک‌های نفس او مستی می‌آورد که رؤیای شیرین همراه داشت.

نرگس می‌خندید، چشم‌هایش را می‌بست و زمزمه می‌کرد: مال منی، مال خودمی. همیشه دوستت داشته‌ام. از تو هرگز دست برنمی‌دارم. هر کاری می‌خواهی بکنی بکن، اسیر منی، من هم اسیر توام. به هم بسته‌ایم، وابسته‌ایم. همیشه دوستت داشته‌ام... ابا نداشت از اینکه تکرار کند.

این شیرینی و حظّ محض یک مزهٔ تلخ هم همراه داشت و آن وجود فیروز بود. فیروزی که هر روز می‌توانست به تهران بیاید و به حق تف به صورت او اندازد و او را نامرد بنامد. این یکی، و دیگر قول ضمنی که به پدر معنوی‌اش، آقا معلم، داده بود، به کسی که سرمایهٔ فرهنگی خودش را مدیون او بود. چه تضادی! این فرمان سرد و خشک عقل و آن کشش و شور عاطفه. رساندن این پیغام را ممکن بود یک نوع نامردی و ردّ عشق خودش تلقی کند. آیا جرأت و حق دارد اکنون در بهشت زیبای جمال و کمال پیغام پدر را به دختر برساند. چند روز پس از این ماجرا غیبش زد. به قول خودش وفا کرد، به خانهٔ نرگس نرفت. از شهر خارج نشد، در

تهران ماند. پیش این و آن اطراق می‌کرد. در کتابخانه و مسجد و کتابفروشی می‌گذراند و در فکر این بود که به چه وسیله، به چه زبان، به چه صورت پیغام پدر را به دختر برساند. هر روز چندین ساعت در خیابان‌ها، در بیابان‌های اطراف شمیران، در چیذر و پس‌قلعه و اوین پرسه می‌زد و با خودش کلنجار رفت.

بالاخره چاره‌ای نبود. قبل از اینکه به دیدن پدر و مادرش برود مجبور شد باب سخن را باز کند. هنوز مقدمه را به پایان نرسانده نرگس دوید تو حرفش:

«چه می‌خواهی بگوئی؟ من همه چیز را می‌دانم.»

«از کجا؟»

«از آنچه تو شنیده‌ای و به تو اشاره کرده‌اند به من بگوئی، من مفصل‌تر از آن اطلاع دارم.»

«خوب.»

«همین دیگر. من اصلاً نمی‌خواهم شوهر کنم. فهمیدی چه می‌گویم؟ می‌خواهم آب پاکی را روی دست تو هم بریزم.»

«یعنی اینکه ترا هم نمی‌خواهم در تنگنا بیندازم که خیال کنی حالا ما چون همدیگر را دوست داریم پس باید حتماً مرا به زنی بگیری و شوهر اجباری من بشوی.»

چه زیبا عشق خود را بیان می‌کرد! این سخن‌ها از دهن دختر آقا، همولایتی فرود، که در محیط خانهٔ آقا معلم و زیردست حاجیه خانم بزرگ شده بود، بیرون نمی‌آمد. آیا دانشگاه او را اینجور بار آورده بود؟ یا دانش پزشکی این معجون را مالش داده با واقعیت زندگی مواجه ساخته

بود؟ عشق او را گستاخ کرده، بگذار اصطکاک با زندگی صیقلش دهد، آن وقت این قشر به عاریت گرفته برخواهد آمد و هستهٔ اصلی نمودار خواهد شد. می‌خواست از خودش بپرسد مگر چنین چیزی می‌شود؟

صدایش درنیامد اماگویا نرگس ضمیر او را خواند و منتظر چنین پرسشی بود که گفت:

«اَه، البته که می‌شود. من پزشک هستم و هر هفته و هر روز و هر ساعت در بیمارستان می‌بینم که به امثال من و دیگران رجوع می‌کنند که آنها را دوا درمان کنیم.»

با صراحتی صحبت می‌کرد که گوئی دانشمندی با طلبه‌اش به بحث نشسته و اصلا و ابدا معشوقه‌ای نیست که با دلدارش دارد گفتگو می‌کند.

«آنچه میگی ناراحت‌کننده است.»

«چه چیز ناراحت‌کننده است؟ اینکه من نمی‌خواهم شوهر کنم و یا اینکه نمی‌خواهم زن ملافیروز بشوم و یا اینکه تو نمی‌خواهی و یا نمی‌توانی شوهر من بشوی؟»

«شقوق و ضروب دیگری به نظرت نرسید که به رخ من بکشی؟»

واقعیت تلخی در این کلمات نهفته بود. فرود از خودش می‌پرسید می‌خواهد یا نمی‌تواند؟ دوستش داشت، بسیار هم دوستش داشت، عاشقش بود. اینها همه راست است. اما چرا تعهد به‌گردن نمی‌گرفت؟ چرا تصمیم نمی‌گرفت برای همیشه با او زندگی کند؟ آیا این دلیل بی‌ارادگی نبود؟ فعالیت اجتماعی، شرم از سر و همسر، که زه زد و کنار رفت. آیا همهٔ اینها حرف مفت نبود؟ این پرسش‌های بی‌پاسخ یک عمر او را رنج

داد. خوشا به حال آنهائی که عقلشان پاره سنگ می‌برد، نادان به دنیا می‌آیند و نادان‌تر می‌روند.

معلوم است که شقوق دیگری وجود نداشت. سؤال او بی‌ربط بود اما چرا، جواب‌های دیگری هم وجود داشت. چرا نمی‌شود با او ازدواج کرد؟ مگر یاران دیگر حزبی زن و بچه ندارند؟ چطور همه به زن‌هایشان می‌رسند. کاش می‌توانست با مهندس عالی هم‌صحبت شود. حرف‌های صد تا یک قاز دیگران بی‌اهمیت بود. می‌داند که آنها چه می‌گویند. خواهند گفت: اگر یارو همکار و همرزم تو است باید با تو بسازد و بسوزد. مگر آنهائی که گرفتار زندان و شکنجه و تبعید شده‌اند زن ندارند؟ مگر زن‌های افسران دلیرانه شکایت خود را به گوش دولت‌مردان نرساندند؟ جلوی مجلس تظاهر نکردند؟ مگر نرگس تافتهٔ جدا بافته است؟ آنگاه زخمه‌ای به سینهٔ خود می‌زد و می‌گفت: این ساده‌دلان تنها به قاضی می‌روند. صحبت از نرگس نیست. حرف سر خود من است، سر فرود است که مانند بادبادکی در دست کودکی در هوا شناور است و خیال می‌کند که خودش به راست و چپ پرواز می‌کند، به ارادهٔ خودش معلق می‌زند و با میل خودش سیخکی به هوا می‌جهد. باید به من، به فرود گفت: چه باید بکند؟ جواب را خود نرگس داد:

«اینها همه‌اش چیزهائی است که خودت طی سال‌ها به من گفته‌ای. یادت نرفته به من پرخاش کردی...»

«من هرگز به تو پرخاش نکرده‌ام.»

«تو گاهی خودت نمی‌فهمی و درک نمی‌کنی که داری پرخاش می‌کنی. یادت رفته که روزی به من پرخاش کردی که من نمی‌توانم از

حزبم دست بردارم و آب ما در یک جو نمی‌رود و ما با هم نمی‌توانیم بسازیم و از این جور چیزها. حالا که حزبتان، به فلاکت افتاده باز هم دست برنمی‌داری. من می‌دانم که سرت برای اینجور کارها درد می‌کند. حزب نباشد یک سرگرمی دیگری برای خودت پیدا می‌کنی. راستی که حق با تست. آدم‌هائی هستند که هرگز خوشبخت نمی‌شوند مگر اینکه برای مفهوم «خوشبختی» تعبیر دیگری پیدا کنیم. ما با هم نمی‌توانیم زندگی کنیم. این را من هم تصدیق می‌کنم. حالا میگی من از حق انسانی خودم چشم بپوشم؟ تو هرگز اعتراف نکردی که مرا دوست داری. من برعکس به تو حالی کردم دوستت دارم، شیفته‌ات هستم، حاضرم همه چیز خودم را فدای تو کنم، حتی آن چیزی که شرافت و حیثیت زن نامیده می‌شود. من احساس کردم و یقینم شد که مرا می‌خواهی، دیگر چه احتیاجی به چند کلمه داریم. برای من این مهم است که من کسی را دوست دارم که از من بیزار نیست.»

فرود خفقان گرفته بود. دهانش باز نمی‌شد. ذهنش کار نمی‌کرد. آنچه باید گفته شود او گفته بود. چند لحظه‌ای سکوت شد.

آنگاه باز نرگس سخن آغاز کرد:

«هیچ نگو. در چشمانت می‌بینم که حرف‌های مرا تصدیق می‌کنی. به خودت زحمت نده. جواب پدرم را خودم می‌دهم، جواب ملافیروز هم با خود من...»

«نه، نه. این را به من واگذار کن. نمی‌خواهم یک عمر تصور کند که من سدّ راه خوشبختی او بوده‌ام.»

«به او چه می‌گوئی؟»

۱۴

ماجرائی که تصمیم او را سست کند داشت فراهم می‌شد.

فکری که همیشه اورا عذاب می‌داد و اکنون آشکارا درون او را می‌کاوید این بود که «آیا بیحالی و علی‌السویه بودن در قبال جنایت، شریک جرم و جنایت بودن هست یا نه.» این فکر آن روز که وارد حزب شد سربسته و گاه‌گاه در وجودش می‌لولید و اینک در هر موردی این پرسش بازگو می‌شد. اگر واقعیت و حقیقتی در این طرز تفکر نهفته بود، هم در کلیات و در امور اجتماعی صدق می‌کرد و هم در جزئیات و در زندگی فردی و شخصی. یعنی آیا باید در رابطهٔ خودش با نرگس و در رابطه میان نرگس و فیروز یللی و تللی کرد و گذاشت هرچه می‌شود بشود و تماشاچی باقی ماند و یا باید دست‌اندرکار شد، ولو اینکه مخاطره‌ای زندگی آدم را تهدید کند، و از وقوع حادثه و بلیّه و جرم و جنایت جلوگیری کرد؟ اما این جلوگیری از فاجعه جرأت می‌خواست و فرود خیال می‌کرد مرد این کار نیست و نمی‌تواند حقیقت را به فیروز بفهماند.

تصمیم گرفت تنها به دیدن پدر و مادرش برود و پیش از آنکه فیروز به تهران بیاید که کار ازدواج خودش را فیصله بدهد مطلب را با او در میان

بگذارد و به او عین حقیقت را فاش سازد. اما واقعهٔ دیگری رخ داد که مانع اجرای این تصمیم گردید.

همیشه همین جور بود. هر وقت تصمیمی در زندگی خودش می‌گرفت و مثلاً می‌خواست یکدنده باشد کسی، قوه‌ای، ناشناسی، دوستی و آشنائی سنگی پرتاب می‌کرد، سر او را می‌شکست و او را از اجرای تصمیمش بازمی‌داشت. فرود از خود می‌پرسید: واقعاً اینجور است؟ آیا تصور باطلی است که دیگران مانع از جنبش و تلاش او می‌شوند و یا اینکه حق با نرگس است که می‌گفت تو بازیچه هستی و هرجا که بیاندازندت می‌غلتی.

مادرش نامه نوشت که جشن عروسی منیره در پیش است. منیره خواهر کوچکتر بود. ملوس، شاد و زرنگ. فرود به یاد دارد نوزاد که بود به عروسک می‌مانست. مادرش او را به دست بدری نمی‌سپرد. می‌ترسید که تاب نگهداشتن دختر دو سالهٔ شیرخواره را نداشته باشد. فرود بچهٔ کوچولوی قنداق کرده را با دو دست بلند می‌کرد و لب‌های لطیفش را باز می‌کرد و می‌خندید و پنجه‌های ظریفش را به صورت برادر می‌انداخت. خواهرها بزرگتر که شدند منیره هر وقت از بدری آزاری می‌دید به دامن برادر پناه می‌برد. حاجی آقا هم این ته‌تغاری را خیلی دوست داشت. گاهی از جیب بزرگش قاقالی‌لی درمی‌آورد و به دهان بچه می‌گذاشت. در سال‌های اخیر هرچه بدری اخموتر، تودارتر و خاموش‌تر می‌گردید بر طرب و شنگولی و چالاکی منیره افزون‌تر می‌شد. برای تمام خانواده هیچ جای شگفتی نبود که اول برای دختر کوچکتر شوهر پیدا می‌شود نه برای بدری که به همه فکری بود جز به خیال شوهر کردن.

از نرگس و فرود دعوت شده است که یک هفته در موطنشان به‌سر ببرند. فیروز هم حرکت خود را به عقب می‌اندازد و همه می‌توانند هنگام عروسی با هم باشند. در نامهٔ آقا معلم به نرگس اسمی هم از فیروز برده شده بود، همراه تذکری که این جوان هم امید دارد آرزویش بـرآورده شود. در نامهٔ حاجی آقا به فرزندش این میل و آرزو روشن‌تر بیان شده بود. حاجی آقا نوشته بود: «این یکی از آرزوهای من بود که قبل از سفر آخرت فرزندان خود را به سامان برسانم... منیره شوهر باب طبع خودش را پیدا کرده است. یقین دارم مردی دیندار و مسلمان است و آبـروی خانوادهٔ ما را حفظ می‌کند. آقا ـ یعنی آقا معلم ـ هم امید دارد برای نرگس و فیروز هم امر خیری در پیش باشد. انشاءالله تعالی...»

فرود سخت متحیر مانده بود. همه از نعمت‌هائی لذت می‌برند که فقط در خیالات واهی آنها نقش می‌بندد. از ابر و باد و آب کاخ‌هائی می‌سازند و هیچ به ذهنشان نمی‌رسد که این تصورات زیبا چیزی کم از هذیان‌های بی‌خبران ندارد. عجیب این است که مردمان یک پا دم گور خوشحالند که با زناشوئی فرزندانشان اثری در این دنیا باقی می‌گذارند، در دنیائی که باید ترک گفت.

آنها در چه خیالی هستند و فرود در چه فکری؟

عروسی منیره تخته پرشی بود که از روی آن فرود می‌توانست وضع خانواده و خودش را دید بزند. پدرش پیر شده بود. ذوق و شوق سفـر دیگـر اورا بـه جنبش نـمی‌آورد. مـادرش از خـوشحالی در پـوست نمی‌گنجید. یک دخترش را شوهر می‌دهد، بدری نیز دم بخت است، حالا امسال یا سال دیگر زندگی خودش را پایه گذاری می‌کند. غم و غصه‌ای

ندارد. هنوز ملک و پلکی هست که با فروش آنها بتوان برای بدری هم دم و دستگاهی راه انداخت. ناراحتی مادر فقط نرگس بود. خواست خداست. قسمت فرود نبود. فیروز هم بد پسری نیست. می‌تواند گلیم خودش را از آب بیرون بکشد. جای ناشکری نیست. به فکر فرود که می‌افتاد ته دلش می‌لرزید. شب و نصف شب از خواب بیدار می‌شد. حاجی آقا سر جا نماز نشسته بود و دعا و قرآن می‌خواند. چادرش را بر سر می‌انداخت و می‌رفت چای دم می‌کرد و یک پیاله برای خودش و یکی برای حاجی آقا می‌ریخت. آهسته، پچ‌پچ‌کنان می‌پرسید: «حاجی، فرود دست از کارهایش برنمی‌دارد...» حاجی لبانش تکان می‌خورد و باز هم دعا می‌خواند. رو به آسمان می‌کرد و می‌گفت: «هرچه خدا بخواهد...» همهٔ اینها را منیره برای برادرش، و بیشتر برای نرگس می‌نوشت.

با این خیالات و تفکرات فرود همراه نرگس به شهرشان سفر کرد. طرحی که در نظر گرفته بود که در ظرف یکی دو روز فیروز را تنها گیر بیاورد و نرمک نرمک به او مطلب را حالی کند، نقش بر آب شد اما از آن چشم نپوشید. همه‌اش امیدوار بود که فرصتی دست بدهد تا او را از آنچه رخ داده مطلع سازد. دیدار با پدر پیر که از او جز پوست و استخوان چیزی باقی نمانده بود، و مادر که همه‌اش در تلاش بود جشن عروسی دخترش در تمام شهر شهره شود و به همه کس سال‌ها از شکوه و دست و دلبازی خانوادهٔ حاجی آقا واعظ گفتگو کند، برای فرود آنقدر طرب‌آور که همه خیال می‌کردند نبود. منیره زیباتر می‌نمود و مانند گل‌های بهاری جلوه می‌فروخت و با همه خوش و بش می‌کرد و شادی و نشاط فراهم

می‌ساخت، و بدری دختری خوش‌اندام و سنگین و تـیزهوش و گـاهی
برافروخته به‌نظر می‌آمد و گوئی چشم به راه است که پس از رسوائی
حزب خواهری و برادری شکنندهٔ آنها به دوستی و صفا رو آورد. اکنون
مترصد است دریابد پس از این شکستی که خورده به کجا رو می‌آورد.
آیا می‌شود او را به صف مبارزهٔ چریکی جلب کرد؟ فرود یقین داشت در
این چند روزه موقعیتی خواهد یافت با خواهر بزرگش گپ بزند و دریابد
چه در چنته دارد. این می‌ماند برای روزهای بعد. در وهلهٔ اول گفتگو با
فیروز خاطر او را مشغول می‌داشت. هر آن به خاطرش خطور می‌کرد که
به زودی آن ساعتی خواهد آمد که او باید حقیقت را با فیروز، دوست
چندین ساله و رفیق دیروز حزبی به میان نهد. این جوان اقرار کرده که
وقتی «تنفرنامه» را نوشتم گوئی با خانوادهٔ خودم بریدم و بی‌کس شدم.
موقعی که نقل و نبات و سکهٔ نقره بر سر عروس و داماد می‌ریختند، فرود
چشم به چهرهٔ بشاش فیروز دوخته بود که در عالم خیال چند روز دیگر
خودش را در چنین وضع خوشبختی می‌دید. فرود شرم داشت از اینکه
شعلهٔ فروزان چند روزهٔ هوس او دوست دیرین را از این فیض محروم
کرده است.

آیا راست است که کامگیری و لذت چند روزهٔ آنها فیروز ساده را از
این خوشبختی محروم کرده بود؟ آیا اگر آن اتفاق پیش نیامده بود از
نرگس دست برمی‌داشت؟ می‌توانست دست بردارد؟ این کشـمکش و
جواب‌های واهی که تخیلات بر او تحمیل می‌کردند هرگز دل او را فارغ
نمی‌کردند. یک نگاه به جمع زنان و شـمع انجمن آنها بـه نـرگس،
دلاویزترین آنها، خلاف آن را ثابت می‌کرد. غصه همیشه بود و دست از

دلش برنمی‌داشت، بخصوص اکنون که مزهٔ لذت شیرین را چشیده چگونه می‌تواند از نرگس دست بردارد. کسی حق ندارد به او اعتراض کند که شهوت رانده، دختر معصومی را از راه برده و او را به امان خدا سپرده. نه حالا دیگر باید مرد مردانه بایستد و بستیزد. هر دو یار را باید به مقصد برساند، هم یار عشق و هم تلاش‌ها در راه غلبه بر موانع و وصول به هدف را. صحبت از حزب و از رهبران و کجوری و مهندس عالی نیست. ستیهندگی با فساد و زور و بیگانه‌پرستی است. راه دیگر هم هست. شمارهٔ تلفن آقای بشیر و خفت و ذلت دشواری حل این معما بود.

در چند روز اقامت در خانواده و در هیر و ویر مراسم عقد و ازدواج و مهمانی ناراحتی‌های دیگری هم فرود را آزار می‌داد. در عرض یک هفته دنبال لحظه‌ای می‌گشت که بتواند ساعتی با بدری تنها باشد و با او راز و نیاز کند و از او درآورد که چه چیز خواهر بزرگش را رنج می‌دهد و چرا از داماد تازه، که پدرش رئیس و مالک کارخانهٔ پشم‌ریسی است و به آن دارد یک کارگاه رنگرزی هم می‌افزاید، خوشش نمی‌آید و با او اخت نمی‌شود؟ چرا با خواهر کوچکش که آنقدر همدیگر را دوست می‌داشتند، نمی‌سازد و هرآن با کنایه و اشاره به او سرکوفت می‌زند و سوار اتومبیلی که آنها را به خانهٔ داماد برده است نشده و با تاکسی متعلق به یکی از یارانش به خانهٔ داماد رفته است؟

مادرش حاجیه خانم حرص می‌خورد و فرود را متوجه این اخلاق سگ دخترش می‌کرد و اصرار داشت خواهر کوچکتر را سر عقل بیاورد، مبادا سر مسائل سیاسی روابط این دو خواهر به هم بخورد.

یک ناراحتی سوم، ناراحتی شیرین و زجردهنده هم وجود داشت.

نرگس نمی‌توانست، بی‌اختیار بود و از ش برنمی‌آمد مهر بی‌پایان خود را جلوی چشم دوست و آشنا افسار کند. دختران هم‌سن او به زودی دریافتند که اوضاع از چه قرار است. نرگس باکی نداشت که همه به دلدادگی او پی ببرند. عشوه‌گری‌های او بی‌صبرانه بروز کرد. هوس رام شدنی نبود. از هر فرصتی استفاده می‌کرد که فرود را ببوسد. نوازش کند، سر او را به سینهٔ خود بچسباند و بی‌پروا عشق او را بطلبد. خودداری فرود بیهوده بود. لذت به حدّی غلیان می‌کرد که او چاره‌ای جز تسلیم و رضا نداشت.

این سه دست به دست هم داده بودند و او را در اجرای تصمیمی که داشت مردد می‌ساختند. کسی رشته‌ای بر گردنش انداخته، او را هر لحظه از قطبی به قطب دیگر پرت می‌کرد. می‌رفت، دست می‌انداخت زیر بازوی فیروز و او را به گوشه‌ای می‌کشاند. ناگهان چشمش به صورت شاد و شادی‌انگیز نرگس می‌افتاد و خیالات برش می‌داشت و فیروز نمی‌توانست بفهمد که این مهربانی رفیق سابق حزبی را چگونه تعبیر کند.

فرود هر لحظه از فیروز تصویری تازه در ذهن خودش رسم می‌کرد: مردی است ساده. آسان می‌تواند از حزب دست بکشد. آسان می‌تواند دختری را برگزیند و یک عمر با او به‌سر برد. آسان است که آدم دختر معلمش را به زنی اختیار کند. عشق و محبتی در کار نیست. خاطرخواهی توی قصه‌هائی است که برای ما دیگران نقل کرده‌اند. شاهزاده‌ها و پری‌ها دل می‌دهند و دل می‌گیرند.

روز دیگر که او را دم سقاخانه، نرسیده به گاراژ، می‌یافت، در همان محلی که روزی با هم شرط‌بندی کردند، فیروز مرد دیگری جلوه می‌کرد.

آدمی است اهل کار و محصول روزگار که واقعیت را می‌بیند و خیالبافی سرش نمی‌شود. از بچگی نرگس را دوست داشته، به غیر تش برمی‌خورد که فرود می‌خواهد او را از چنگش برباید. چه چیزش کمتر از اوست. همین که باباش با آقا معلم همسایه است دلیل برتری او نمی‌شود. اگر او زندان رفته او هم حبس کشیده است. نه‌خیر تیر نخورده، آدم باید زخمی شود تا به مقصودش برسد؟ پس چشم و همچشمی است و خاطرخواهی نیست.

بار دیگر فرود فیروز را سزاوار و شایسته نمی‌دانست، برود در همان ده باباش زندگی کند. چرا اصلاً یک زن بگیرد. چندتا دختر ترگل و ورگل صیغه کند، بعد که سیر شد و چندتا بچه پس انداخت یک زن، با چندتا گاو و گوسفند و اسب و قاطر، در همان ده خودش گیرش می‌آید و با او زندگی کند. نرگس به دردش نمی‌خورد. روز سوم با هم درمی‌افتند و زندگی‌شان جهنم می‌شود.

از این ترهات به هم می‌بافت و نمی‌دانست با کدام فیروز روبرو شود. بالاخره فرصتی دست داد و توانست با او خلوت کند. او را برای ناهار به مهمانخانه‌ای دعوت کرد. «مطلبی دارد که باید با او دور از اغیار در میان نهد.» همان شب قرار بود تمام خانوادهٔ حاجی آقا در خانهٔ آقا معلم مهمان باشند. می‌خواستند ولیمه‌ای بدهند. نمی‌شود گفت با چه ذوق و شوقی نرگس این ضیافت را آماده می‌کرد. وقتی شنید که فرود فیروز را به ناهار دعوت کرده از خوشحالی در پوست نمی‌گنجید. چه از این بهتر. دوستی و رفاقت میان او و ملافیروز باقی می‌ماند و به عشق او خللی نمی‌رسد. همین که دید فرود رخت نو پوشیده و دارد همراه فیروز خانه را

ترک می‌کند رفت دم در میان دو حیاط و فریاد زد:

«دیر نیائید. آش و پلومان سرد می‌شود.»

گفت و بی‌محابا دست تکان داد و بوسه‌ای نثار کرد.

حاجیه خانم که از پشت پردهٔ اطاق این عشق‌بازی بی‌پروا را دید لبخندی زد و به خودش گفت:

«الله اکبر از دست این دختر.»

در رستوران «زنده‌دل» دو دوست و آشنای قدیمی درگوشه‌ای کنار پنجره نشستند. فرود ابتدا یک بطری ودکا سفارش داد. فیروز جلوش را گرفت:

«چکار داری می‌کنی؟ من بعد از ظهر باید سری به مدرسه بزنم.»

فرود می‌خواست به ضرب ودکا به خود جرأت بدهد تا بتواند ناگفتنی را بازگوید اما پس از بالا انداختن دو پیاله فکری به نظرش رسید:

«چرا اصلاً نرگس راگناهکار قلمداد کند؟ برعکس، همهٔ تقصیرها را خودش به عهده می‌گیرد و چنین وانمود می‌کند که نرگس روحش از این دلبستگی خبر ندارد و اوست که دل به این دختر همسایه داده و نمی‌تواند از او دست بردارد.» حتی می‌خواست صریحاً بگوید که او نرگس را از راه بدر برده اما جرأتش را نداشت.

واقعاً همهٔ تقصیرها به گردن دختر بود؟ نرگس که به تهران رفت و وارد دانشگاه شد. سرش هم گرم شده بود. به درسش می‌رسید. با دانشجویان همشهری‌اش آمد و شد داشت. با بدری و منیره مکاتبه می‌کرد. نامه‌اش پر از شور و دلبستگی به دنیای تازه، به درگیری‌های سیاسی و اجتماعی دانشجویان، به مبارزه‌شان با دستگاه دولتی بود. این

حوادث را جزءِ به جزءِ برای پدرش می‌نوشت. خوب، اگر گاهی از بدری و منیره احوالی از فرود می‌گرفت طبیعی بود. بالاخره با هم بزرگ شده بودند، در یک خانه زندگی می‌کردند. صحبت از خاطرخواهی نبود. فرود که او را از راه بدر برد، آن روز که برای بار نخست نرگس را در خیابان همراه چند نفر دانشجو دید، دلش به طپش افتاد. آن وقت با هم قرار گذاشتند هر هفته یا دو هفته یکبار همدیگر را ببینند و چقدر ذوق می‌کرد وقتی پنجشنبه و جمعه می‌رسید. گردش در شمیران، کباب سیخی از دوره گرد خریدن، خربزه گاز زدن زیر درخت‌ها با چه لذتی. اگر صحبت از راه بدر کردن در میان بود، در وهلهٔ اول همهٔ مسئولیت‌ها را او باید به گردن بگیرد. پس حقیقت همین است. اوست که مقصر اصلی است و باید این را اقرار کند و به فیروز بگوید.

از همه جا و همه چیز صحبت شد. از مدرسه و از شاگردان که اغلب فرزندان آشنایان قدیمی هستند، از گرفتاریش و نوشتن «تنفرنامه» و اینکه بچه‌ها از وقتی آزاد شده چپ چپ به او نگاه می‌کنند و کنایه‌هائی می‌زنند و او را خجالت می‌دهند اما او به روی خودش نمی‌آورد و چنین وانمود می‌کند که روی سخن با او نبوده است.

کمی جرأت می‌خواهد و عزت نفس که آدم گناه دیگران را به عهده بگیرد و از کمی شرمندگی نهراسد. در ماهیت فرود این سستی پذیرفتنی نبود. اصلاً چرا دروغ گوید؟ باز هم قصد فریب دادن رفیق است؟ آیا راستی تخفیف رنج فیروز را در نظر گرفته است که می‌خواهد به او دروغ بگوید؟ یا می‌خواهد خود را جوانمرد و بلندهمت قلمداد کند؟ این استدلال‌ها او را برق‌وار، در حالی که فیروز لاینقطع حرف می‌زد،

مشغول می‌داشتند. باز از خود می‌پرسید کی گناهکار است؟ فـرود یـا نرگس؟

«راستش را بخواهی من محض خاطر نرگس آن مزخرفات را نوشتم. تهدیدم کردند که استخوان پوسیده‌ات را هم از این سوراخی نمی‌توانی بیرون ببری. بعد هم شنیدم حضرات گلیمشان را از آب بیرون کشیده‌اند و رفته‌اند. آنهای دیگر هم که گیر افتادند، خودت بهتر می‌دانی. معلوم شد سیّدی از روز اول جاسوس بوده. هنوز به زندان نیفتاده او را از ما جدا کردند. از هرکس بازپرسی می‌کردند، تا می‌آمد از راه درست منحرف شود فوری اعترافات سیدی را جلوی او می‌گذاشتند. این اواخر صدای او را با نوار بازگو می‌کردند...»

یریز از اینگونه حوادث نقل کرد. پشت همهٔ آنها این نکته زمینه‌سازی می‌شد که نوشتن «تنفرنامه» به خاطر نرگس بوده است. فرود گوشش به حوادث زندان، به فداکاری این و جبن آن بدهکار نبود. اما ایـن گـفتهٔ فیروز، و تکرار اینکه محض خاطر نرگس این خفت را تـحمل کـرده و خود را نجات داده مانند تیر زهرآگینی کارگر افتاد. نزدیک بود از سر ناهار بلند شود و بگریزد. یک پیالهٔ دیگر سر کشید و دل به دریا زد:

«می‌دونی؟ من یه چیزی می‌خواستم به تو بگم. البته باید میان من و تو بماند و سومی از آن باخبر نشود. قول می‌دهی؟»

«اگر حکم اعدام من نباشد، آره حاضرم.»

«می‌خواستم دربارهٔ نرگس با تو صحبت کنم.»

چیزی که به فکر فیروز نمی‌رسید همین بود که دوست دیرین و رفیق سابق حزبی‌اش، که قانعش کرده بود محض خاطر نرگس «تنفرنامه» نوشته

و مرخص شده، چند روز پیش از زناشوئی بیاید و با او دربارهٔ عروسش با او گفتگو کند. هزار جور فکر کرده بود. دربارهٔ مراسم عـقد، دربارهٔ جهاز، مهریه، خانه و زندگی، اقامت در تهران و یا در ولایت، پیغامی از آقا معلم، دربارهٔ سادگی باشکوه عروس، دربارهٔ اینکه برخی از افراد خانواده‌اش به جرم خرید و فروش کالای قاچاق چندی در زندان بـه‌سر برده‌اند و اینکه مادرش در جوانی پدرش را ترک کرده و در کـوچهٔ قجرها نزدیک آب منگل او را دیده‌اند، و هزاران چیز دیگر، اما دربارهٔ خود نرگس هرگز.

«نمی‌دانم چه می‌خواهی بگوئی، هرچه داری بگو.»

صدایش لرزان شد، گوئی حدس زد چه می‌خواهد بگوید.

«تو هنوز هم اصرار داری با نرگس ازدواج کنی؟»

«این که تازگی ندارد. همهٔ شهر می‌دانند که من چنین قصدی دارم. پدرش هم خبر دارد.»

«اینها درست است اما می‌دانی که من هم خاطرش را می‌خواهم.»

چشم‌های فیروزگرد شد. سرش را از روی بشقاب غذا بلند کرد. اول باور نکرد. از دوستش که آنقدر به او احترام می‌گذاشت و در مدرسه و سر کلاس درس او را مظهر صداقت و شجاعت و استعداد معرفی کرده بود بدش آمد که چنین شوخی بی‌مزه‌ای، آن هم چند روز پیش از مراسم عقد می‌کند. باورکردنی نیست. چرا می‌خواهد دل او را خون کند. داشت با کارد و چنگال گوشت خود را می‌برید که ناگهان دستش به پیالهٔ ودکا خورد که برگشت و از روی میز به زمین افتاد و شکست و شلوار سرمه‌ای رنگ او را خیس کرد. فیروز چشم‌ها را نیمه به هم گذاشت و نگاه عاقل

اندر سفیه به مخاطب انداخت. یک لحظه فقط در قیافهٔ حریف چیزها دید که هرگز ندیده بود: دشمنی، رقابت، بدجنسی، پستی و بی‌شرمی.

اگر خودداری نداشت می‌گفت: تف به رویت! عجب نامردی. حالا می‌آئی و آب پاکی روی دست آدم می‌ریزی؟ چندین سال است که می‌بینی من در این خانه را می‌زنم، هرکاری از دستم برمی‌آید می‌کنم، به هزار زبان به دختر و به پدر و به حاجیه خانم حالی می‌کنم که می‌خواهم با این خانواده بستگی داشته باشم، خودم را از آنها می‌دانم. به هر حیله شده می‌کوشم راهی به دل نرگس باز کنم. همه کس در این شهر می‌داند که خودم را نامزد کرده‌ام، خواستگار هستم. هرکس مرا داماد آقای پایدار می‌داند، چطور تو نفهمیدی؟ همه وقت خود را به کوچهٔ علی چپ زدی و به روی خودت نیاوردی. خیلی پستی، خیلی بی‌شرفی. از اول تو با این دختر رابطه داشتی و مرا ریشخند می‌کردی. چه چیز می‌توانست بگوید. مردی به این دوروئی، به این نامردی هرگز در عمرش ندیده بود.

زبانش بند آمد، دندان‌هایش کلید شده بودند. هرچه کرد سخن دیگری نتوانست ادا کند. این تنها جمله‌ای بود که توانست به زبان بیاورد:

«تو روزی به من گفتی که به او هیچ نظری نداری؟»

فرود پشتش تیر کشید. خجالت بود یا دلسوزی. به خودش ناسزا گفت: چرا جرأت نکرد حقیقت را بگوید؟ سال‌هاست که نرگس شیفتهٔ اوست، دلخستهٔ اوست و او، که فرود است، همه وقت سعی کرده است این زن را منصرف کند. اما آخرالامر احساسات بر عقل غلبه یافته و تحمل او را ربوده و بی‌آنکه خودش بخواهد در تار و پود یک عشق کشنده گیر کرده و حالا هم اصلاً و ابداً نمی‌داند که می‌تواند روزی تصمیم بگیرد با زنی

زندگی کند که می‌شود رأی و ارادهٔ او را خنثی کرد. نه، این حقیقت را نمی‌توانست به زبان بیاورد. تا آنجا که توانست به خودش دروغ گفت: این زنی نیست که با فیروز بسازد. زندگی آنها هرگز سر نخواهد گرفت و عاقبت از هم جدا خواهند شد. اگر او می‌دانست که این دو خوشبخت می‌شوند، در دم دندان روی جگر می‌گذاشت و از این شهر و از این کشور می‌رفت و آنها را به امان خدا می‌سپرد. اطمینان نیست. بـرعکس هـیچ شکی ندارد که آنها در زندگی با یکدیگر به خوشبختی دست نخواهند یافت.

فرود چشم به شلوار خیس فیروز دوخته بود و از اینکه چنین دروغ شاخداری گفته بود از شرم عرق می‌ریخت. منتظر مـاند رقیب چیزی بگوید. سکوت دهشتناک می‌شد. تاب نمی‌شد آورد. اگر چند ثانیهٔ دیگر خاموشی ادامه می‌یافت از جا می‌پرید و گریبان فیروز را می‌گرفت و فریاد می‌زد: چرا به من دشنام نمی‌دهی؟ چرا کتکم نمی‌زنی؟ چه نشسته‌ای و می‌پذیری همین جور با دروغ و دغل فریبت بدهم؟ آخر چیزی بگو، واکنش نشان بده. اما فیروز آرام نشسته بود و از این جهت باز فرود دنبالهٔ صحبت را گرفت:

«در این قضیه نرگس به کلی بیگناه است. او اصلاً خبر ندارد که من او را دوست دارم. به کلی بی‌اطلاع است.» مدتی است کـه او را نـمی‌بیند. اتفاقی در گاراژ به هم برخوردند و همراه هم به خاطر عروسی منیره اینجا آمدند. اگر در تهران مانده و در بیمارستان کار گرفته به هیچ وجه به خاطر او نیست. شاید هم پس از یکی دو سال به شهر خودشان برگردد و اینجا خدمت کند. در هر صورت ماندن نرگس در تهران هیچ ارتباطی به علاقهٔ

فرود ندارد. این دو مطلب به کلی از هم جدا هستند...

کم کم داشت دروغ و راست را با هم مخلوط می‌کرد:

«چندین سال است که با خود در کشمکش هستم. هر دفعه که با روبرو می‌شدم می‌خواستم ذهن تو را روشن کنم اما خجالت مانع می‌شد. وقتی تو را دستگیر کردند می‌خواستم به زندان بیایم و عشق خود را اقرار کنم. آن وقت به خودم ندا می‌دادم که اصلاً نرگس مرا دوست ندارد پس به چه جهت خاطر دوست چندین ساله‌ام را پریشان کنم؟ اما چرا حالا چند روز پیش از مراسم عقد دلدادگی خود را به تو بروز می‌دهم. خودم هم نمی‌دانم... اگر بدانم که نرگس و تو خوشبخت خواهید شد همین فردا هر دو را دست به دست هم می‌دهم و خودم اصلاً از کشور می‌روم. مادرم حاضر است باغچهٔ بالا را بفروشد، به من خرج سفر بدهد و مرا به فرنگستان بفرستد. من حاضرم از عشق خود صرف‌نظر کنم به شرط اینکه خوشبختی تو تأمین شود...»

ناگهان متوجه شد که دارد ضد و نقیض صحبت می‌کند. اول از خاطرخواهی دم می‌زند سپس بدینجا می‌رسد که نرگس برای فیروز زن نمی‌شود. حرفش را قطع کرد. یک لقمه پلو باگوشت در دهان گذاشت. فیروز به او چشم دوخته بود و دستش می‌لرزید.

بیش از دو ساعت در رستوران ماندند. هیچ کدام ناهار حسابی نخوردند. ناگهان فیروز از جا برخاست و به عذر اینکه باید بعد از ظهر سری به مدرسه بزند، بی‌خداحافظی و بدون اینکه دست دعوت‌کننده را بفشارد رفت و شب هم به مهمانی آقا معلم نیامد و در مراسم عروسی هم شرکت نکرد. سفر کرد و معلوم نشد به کجا رخت بربسته است.

نرگس فهمید چه خبر است. همین که حاجیه خانم دید که فرود تنها برگشته است شستش خبردار شد. منیره غیظش گرفت و آنچه درک کرده بود به داماد تازه بازگو کرد. نزدیک بود که عروسی به هم بخورد. حاجی آقا پا در میانی کرد و هرچه زودتر صیغهٔ عقد را خواند.

از فردای آن روز همه می‌دانستند چه اتفاقی افتاده است. از جزئیات کسی خبر نداشت، همه می‌گفتند فیروز امیدوار بوده است که همین روزها عقدکنان او باشد و حـالا دیـده است کـه آب پـاکی را روی دستش ریخته‌اند. فقط بدری بود که دو روز بعد هنوز از خواب بیـدار نشـده، همین که چشمش به برادر افتاد به او چشم غره رفت و با لحن زننده‌ای گفت: «میان شما رسم است که زن‌های همدیگر را قر بزنید، هان؟»

خیلی به فرود برخورد. از خواهر کوچکتر چنین توقعی نداشت، از خواهری که چند سال است دلواپسش بوده و او را بسیار دوست داشت. بی‌مطالعه و از فرط عواطف رقیق به او نسبتی می‌داد که به کلی بیجا بود. فرود هیچ نگفت، پاسخی نداشت بدهد. مثل معمول گفتهٔ او را به شوخی برگزار کرد. خندید و ادا درآورد.

این از آن پاره آجرهائی بود که فرق آدم را می‌شکافت چیزی که به فرود نمی‌شد نسبت داد زن‌بارگی بود. با اغلب زن‌های رفیقانش دوست بود، رفیق بود، با آنها شوخی و مزاح می‌کرد، اما آنها خواهران او بودند، هرگز به چشم بد به آنها نگاه نکرده بود. حالا این خواهر کوچکتر، این دختر ملوس، می‌آید و چنین تهمتی می‌زند. فرض کنیم یک نفر در حزب زن‌دوست و رفیقش را با چندتا بچه فریفته، آیا این دلیل می‌شود که کسی جمعیتی را بدنام کند. با چه آدم‌هائی این دختر ناز نازی آشـنا شـده و

مراوده پیدا کرده؟

«خوب، خانم کوچولو، دیگه چه داری به داداشت بپرانی؟ کلوخ می‌خواهی یا تخته‌سنگ؟»

خم شد و از باغچه مشتی خاک برداشت و آن را در دستش سفت کرد و چلاند و نزدیک خواهر رفت و می‌خواست با آن صورتش را بیالاید، که بدری خنده‌اش گرفت و پرید طرف حوض و آب به برادرش ریخت و او را خوب خیس کرد. حالا دیگر بدری بود که پیروزمندانه می‌خندید و مسخرگی درمی‌آورد و با قهقهه‌اش همهٔ اهل خانه را بیدار کرد و تا صدای بلند صلوات حاجی آقا شنیده نشد برادر و خواهر آرام نگرفتند.

حاجیه خانم بساط سماور صبح را می‌چید. از پشت پنجره مراقب بود. تمام تنش می‌لرزید. دندان روی لب زیرین گذاشته بود مبادا غیبت ناگهانی فیروز به دشمنی خواهر و برادر منتهی شود. از قیافهٔ دیشب آقای پایدار درک کرده بود که او هم پی به ماجرا برده است. از این دخترهٔ سرتق بعید نبود که همان دیشب همه چیز را با پدرش به میان گذاشته باشد. آقای پایدار صاحب خانه بود و مهماندار، و نمی‌توانست به خاطر غیبت یک مهمان عیش همه را منقص کند. از پشت پنجره پی به غضب دخترش برد ولی وقتی دو برادر و خواهر به هم خندیدند و سر و صدا راه انداختند و کار به شوخی منتهی شد نفس راحتی کشید، خوشحال شد و از پشت پنجره کنار رفت.

فرود دست انداخت زیر بازوی بدری، با هم به اطاق آمدند. بساط چائی برقرار بود منتها هنوز کسی بدانجا نیامده بود. معمولاً تا حاجی آقا نمازش را نخوانده و دعایش را به پایان نرسانده، کسی به اطاق نمی‌آمد و

دور سماور نمی‌نشست مگر اینکه برای حاجی آقا مهمان آمده بـاشد. اکنون دیگر حیاط خلوت بود و حاجیه خانم کمی غم‌زده به نظر می‌آمد که یکی از دخترانش دیگر در این خانه جیغ و ویغ نمی‌کند و خانه سوت و کور می‌شد. از این جهت شلپ و شلوپ سر حوض و شوخی و باردی آنها را به فال نیک گرفت و حرفی نداشت که برخـلاف سـنت پسـر و دخترش قبل از ورود حاجی آقا دور سماور نشسته‌اند و دارند با هم نجوا می‌کنند. حاجیه خانم که گمان می‌کرد حرف محرمانهٔ آنها بر سر نیامدن و بی‌خداحافظی رفتن فیروز است، نزدیک نرفت. شاید هم دربارهٔ رابطهٔ فرود و نرگس باشد. صلاح دید که آنها را تنها بگذارد. تنها صحبت برادر و خواهر سر این مطالب نبود. فرود آسمان و ریسمان به هم می‌بافت و دلش می‌خواست خواهرش را به حرف وادارد.

این امر مسلم بود که نه‌فقط در داخل حزب و در خارج، بخصوص در جمع زنان وابسته به حزب و تشکیلات زنان این قهر و آشتی یک زن و شوهر و طلاق‌کشی و مراوده و معاشقهٔ زن از شوهر جدا شده با یکی از «رهبران» سر و صدا راه انداخته بود. کسانی از مخالفین و موافقین این گروه یا آن گروه اینگونه ناهمواری‌ها را با طبل و کوس برای رسوا کردن حریف یک کلاغ چهل کلاغ می‌کردند تا پاکی و عفت دروغی خود را جلوه دهند. حتماً اینگونه شهرت‌های نادرست به گوش بدری هم رسیده بود. مـنتها مـنبع خبر یک آدم حسـابی نبوده است، بـرعکس کسـی می‌بایستی بوده باشد که فقط معایب و نواقص انسانی را برجسته می‌کند که در هر گروهی، ولو بیشترشان امام جعفر صادق هم بوده باشند، پیش می‌آید. فرود نمی‌خواست این بحث را در محیط خانواده پیش کشد.

نباید به خواهر ته‌تغاری فرصت داد خود را مستقل و بالغ بداند و همطراز یا همتائی که چند سال زندگی سیاسی داشته است، تلقی کند. تنها در این صورت است که می‌شد، اگر ممکن می‌بود، او را از خطراتی که زندگیش را تهدید می‌کرد، مصون داشت.

این فرصت دو سه روزی به دست نیامد. دنبالهٔ عروسی، گفتگوهای جور واجور، بیا برو، اسباب‌کشی، جابجا شدن و مهمانانی که هر روز برای ملاقات پسر حاجی آقا خانه را پر و خالی می‌کردند ــ بار عمدهٔ آنها بیشتر به دوش بدری می‌افتاد ــ نگذاشت که خواهر و برادر ساعتی تنها بمانند.

دلیل عمدهٔ توقف دو سه روزهٔ فرود پس از برگزاری مراسم عقدکنان این بود که حاجی آقا میل داشت پسرش را به امام جمعهٔ شهر معرفی کند: «من کاری به رویّه و سلوک تو ندارم. هرکس به دین خودش. مسلمانی هزار رنگ دارد. دلم می‌خواهد که حجت‌الاسلام یک بار تو را ببیند. از زمانی که تیر خورده‌ای هر وقت خدمتشان می‌رسیم احوال تو را می‌پرسند. ضرری به تو نمی‌زند. اما ایشان از دیدن تو خشنود می‌شوند. پیر شی پسرم.»

فرود خود را آماده کرد که خشنودی حاجی آقا را فراهم آورد، و خدمت امام جمعه مشرف شد.

۱۵

روز آخر توقف نرگس بود که فرود و بدری و آقا معلم او را به گاراژ رساندند. دیگر برای همهٔ خانواده مسلم شده بود که وصلت میان دو خانواده، اکنون که دختر پزشک بود و پسر به زودی در دادگستری کاری پیدا می‌کرد، صورت خواهد گرفت.

وقتی نرگس سوار اتوبوس شد و با دست بوسه‌ای برای بدرقه کنان، که البته شامل حال فرود هم می‌شد، نثار کرد آقا معلم دنبال کار خودش رفت و خواهر و برادر تنها ماندند. بدری بود که سر صحبت را باز کرد.

«داداش، تو کی برمی‌گردی؟»

«قرار بود که همین امروز برگردم. حاجی آقام مصلحت دید که یکی دو روز بمانم و بعد بروم.»

«چه بهتر. راستش را بخواهی دلم می‌خواست با تو صحبت کنم.»

«اُه، من هم همین را می‌خواستم. الآن بهترین موقع است. دلت می‌خواهد راه بریم یا جائی بنشینیم؟»

اوائل پائیز بود. برگریزان هنوز کامل نشده بود. درخت‌ها هرچه رنگ داشتند جلوه می‌دادند. هوا گرم بود امّا باد خنکی که از روی کوه‌های

«نه بابا، راستی برمی‌گردند؟ مگر آنهائی که تا به حال رفتند برگشتند؟ ذره، حسابی، آخوندوف؟ عجب برگشتند. وقتی یک بار در رختخواب پر قو خوابیدند برای چه برگردند. بله، برمی‌گردند، امثال غوغائی که بیاید و همه را لو بدهد.»

این اسم‌ها را از کجا آورده بود؟ تاریخچهٔ چهل پنجاه سالهٔ حزب را تو مشتش داشت و همین جور تیر پشت تیر پرتاب می‌کرد. این دختر دهنش هنوز بوی شیر می‌دهد و حرف‌های از خودش گنده‌تر می‌زند. نمی‌دانست بزند تو صورتش، همان جور که وقتی بچه بودند و آن رویش بالا می‌آمد می‌زد و یا نوازشش کند و ببوسدش که به این سرعت تکامل یافته است.

فرود ذهنش چائید، لال شد، شاخهٔ خشکی را که روی زمین افتاده بود بلند کرد، شکست، تکه‌ای از آن را لای دندان‌هایش گذاشت و سعی کرد بشکافد زورش نرسید. پوست آن را کند و جوید و تف کرد. دید این دختر مغزش پر از توهمات است. گیر آدمی افتاده که او را با کینه با هرچه حزبی است انباشته و وجودش یک پارچه ترقه و باروت است که هرآن ممکن است منفجر شود:

«ببینم، این اطلاعات را از کجا به دست آورده‌ای؟ اینها صحیح نیست. تو حتماً کسی را پیدا کرده‌ای که ترا به یک انبان وهم و خیال تبدیل کرده. اگر به داداشت اعتقاد داری مرا با کسی که این اطلاعات بی‌سر و ته را به تو تزریق کرده آشنا کن تا بنشینیم صحبت کنیم و همهٔ مطالب را به هم بگوئیم، آن وقت شاید به حقیقت برسیم و راه حلی پیدا کنیم.»

«یعنی من داخل آدم نیستم. مگر وقتی خودت به حزب داخل شدی سنّت از من بیشتر بود؟»

این یک لحن زنندهای بود، مثل اینکه خواهر مامانی کوچکترین احترامی برای این برادر تیر خورده و زندان رفته قائل نبود. به بدری هم برخورد که او را لائق بحث و تبادل نظر نمیدانست و تصور میکرد کس دیگری پشت سر او ایستاده و خواهر دارد نظر او را تکرار میکند.

«راجع به این مطالب نمیخواستم صحبت کنم. میدانم که شما رأیی از خودتان ندارید. مقصودم از گفتگو با تو بیشتر راجع به نرگس بود.»

عجب! حسابی این دختر را علیه حزب و هرچه حزبی است پر کردهاند. این دیگر از آن توهینهاست. «میدانم که شما از خود رأیی ندارید.» هرچه فکر کرد نتوانست کشف کند که این خواهر را کی اینجور آتشی کرده است. حالا فرض کنیم که حقیقتی هم در این ادعا نهفته باشد اما آخر با این لحن گفتن دیگر طاقتفرساست.

«به تو چه؟ حالا تو هم اوسا چسک شدهای؟»

«خودت میدانی و من یقین دارم که تو او را نمیگیری. دست از سرش بردار. فیروز را که دک کردی. خودت و این پسر را بدبخت کردی، دیگر باعث بدنامی این زن نشو. فقط همین را میخواستم به تو بگویم. از اینگونه زنها توی حزب شما فراوان هستند. برو دنبال آنها. چرا مردم آزاری میکنی؟»

«فضولی موقوف. خفه شو. داری از حد خودت تجاوز میکنی. حرفی نزن که فردا پشیمان بشوی. یاد آن دختری بیفت که پایش زیر تانک له شد. چطور جرأت میکنی به کسانی که هرگز ندیدهای و با آنها

یک کلمه هم رد و بدل نکرده‌ای ناسزا بگوئی؟ حالا دیگر من باید بگویم که تو عقلت نمی‌رسد دربارهٔ زن‌های فداکار حزب قضاوت کنی. تو فقط نقل اطواری‌هایشان را شنیده‌ای. این حرف‌های دیگران است که از دهن تو درمی‌آید»

بدری دیگر چیزی نگفت. نزدیک بود گریه‌اش بگیرد.

فرود صلاح دید که دم بربندد. گفتگوی بیشتر با این دختر آتشپاره ممکن بود کار را به جاهای بد از بدتر بکشد. رو به شهر برگشتند. در راه درشکه‌ای دیدند و سوار شدند و به خانه آمدند.

دیروقت شده بود. حاجی آقا و حاجیه خانم سر ناهار نشسته بودند و دست به دست می‌کردند که فرزندانشان وارد شدند.

فرود یکی دو روز بیشتر در شهرشان نماند. وسیله‌ای پیدا کرد که با خواهر آشتی کند و موقع خداحافظی همدیگر را بوسیدند.

بدری تنگ گوش برادر گفت:

«داداش، آن حرف راجع به زن‌ها را پس می‌گیرم.»

فرود صورت بدری را نوازش کرد و با یک خندهٔ پر از خشنودی از او تشکر کرد و گفت:

«بار دیگر که به اینجا می‌آیم باید عروسی تو باشد.»

حاجیه خانم اشک در چشم‌هایش غلتید و گفت:

«باباش جز این آرزوئی ندارد. از عمر من چیزی باقی نمانده. نباید زیاد طول بکشد.»

فرود شک داشت که آیا پس از آشتی‌کنان همهٔ کدورت‌ها از قلبش زدوده شده یا نه، اما برای خودش یک نکته مسلم ماند. این گردش در

کوچه‌های اطراف شهر هرگز از یادش نرفت. هر وقت خبری از بدری می‌گرفت این پرسش یادش می‌آمد: «مگر وقتی خودت به حزب رفتی سنّت از من بیشتر بود؟» آیا مقصودش این بود که او، یعنی بدری هم، در همان سن وارد دسته و جمعیتی شده؟ چرا آن روز این معنی را درک نکرد؟

علاوه بر این در شگفت بود از این پیشگوئی و حدس پیغمبرانهٔ خواهرش: «من یقین دارم که تو او را نمی‌گیری، دست از سرش بردار.»

ته و توی این حرف‌ها را باید درآورد. مادرش لابد از کسی شنیده بود و آن کس از آدم دیگری و آن آدم از نفر چهارمی و پنجمی و بالاخره منبع خبر حدسی بیش نبود، بدین مضمون که فرود ابداً عاشق دلخستهٔ نرگس نیست. روابط آنها خواهر برادرانه و دانشجویانه بوده و فیروز نیز به خوبی خبر دارد که نرگس است که دست از سر فرود برنمی‌دارد و اینها هیچ خیال ازدواج ندارند. نه با فرود و نه با فیروز؛ و این پسر با اخلاق سگش بیخودی خود را سر زبان‌ها انداخته و چه خوب بود که بیهوده قهر نمی‌کرد و سر عروسی می‌آمد و به زبان خوش نرگس را راضی نمی‌کرد. این کاسه کوزه شکستن‌ها به ضررش تمام شد و بسیار بد کاری بود.

وقتی حاجیه خانم درد دلش را بازگو کرد دست انداخت گردن پسرش، صورت او را بوسید و گفت:

«آرزو می‌کردم شما دو تا زن و شوهر بشوید اما حالا دیگر دلم قیلی ویلی می‌رود. خودتان می‌دانید. خدا یار و یاورتان باشد. تو خودت راستش را بگو، یک کلمه جواب بده. می‌خواهی بگیریش یا نه؟»

«نمی‌دانم مادر، نمی‌دانم. خودم هم نمی‌دانم.»

این بی‌تصمیمی باعث شد که وقتی فرود به تهران برگشت چند روزی به سراغ نرگس نرفت. «می‌گیریش یا نمی‌گیریش؟» آنی او را رها نمی‌کرد. تدریجاً دریافت که حقیقت یک چیز کامل دست نخورده، ساخته و پرداخته و دائمی و منجمدی نیست فقط در اثر و در نتیجهٔ یک جریان طولانی حاصل می‌شود و آنچه در ضمن یک وقفه درک می‌شود نیمه حقیقت و قسمتی از حقیقت است.

دیگر صحبت از زناشوئی نبود. آنهای دیگر هرگز صمیمانه با نرگس روبرو نشده بودند و روحشان خبر نداشت که این زن خیال ازدواج ندارد. فرود از خودش می‌پرسید: آیا این ادعا عین حقیقت است یا نیمهٔ حقیقت؟ دختری در وضع خاصی در برابر لمعات عشق و شهوت چیزی گفته، آیا باید آن را سکهٔ نقد تلقی کرد و عین حقیقت دانست؟ چه آسان می‌توان تصور کرد که در شرائط دیگری خلاف این واقعیت را به زبان آورد.

چند روزی دوری به او کمک کرد که باز خونسرد و عاقلانه دربارهٔ خودش و نرگس و فیروز قضاوت کند. حتی وقتی شنید که فیروز دوران مرخصی را در تهران می‌گذراند و به میگساری و بدمستی افتاده و همه جا از شرافت و مردانگی فرود حکایت‌ها نقل می‌کند باز هم می‌خواست از نرگس دوری کند اما از خواستن تا توانستن خیلی راه است. چندین روز شب‌ها را در خانهٔ این رفیق و یا آن دوست می‌گذراند. گاهی روی نمد می‌خوابید، زمانی زن و شوهری از هم جدا می‌شدند تا گوشه‌ای را به او واگذار کنند. زندگی خانه به دوشی را از سر گرفت. نمی‌توانست هم‌منزل نرگس باشد و تسلیم عشق دیوانه‌وار و شهوانی او نشود. پیش خود تصمیم گرفتن بسیار آسان بود. هزار جور دلیل می‌شد آورد که چرا باید از این زن

که او را زنجیری خود ساخته است دوری جست. کامی از او گرفته ولی این دلیل غلام حلقه به گوش شدن نیست. یک عمر با زنی که آدم نمی‌داند می‌تواند با او بسازد یا نه چگونه می‌شود زیست؟ اما وقتی یاد آن ساعات شیرین و لذیذی که با او گذرانده بود می‌افتاد و فکر می‌کرد این حظ دیگر نصیب او نخواهد شد رعشه به تنش می‌افتاد. اما انگیزه‌هائی هم وجود داشت که مانع می‌شد تا تصمیم خود را عملی کند. از همه سخت‌تر فشاری بود که وجود فیروز بر او وارد می‌آورد. برای امثال فرود آشنائی با زن‌های زیباکار سهلی بود. خودش می‌دانست که وقتی کمی به خودش می‌رسد زن‌ها با چشم خریداری به او می‌نگریستند اما آیا فیروز هم از چنین موهبتی برخوردار بود؟ آیا سزاوار بود محض خاطر زنی حتی نظیر نرگس مرد بی‌شیله پیله‌ای مانند فیروز را به بدمستی و نکبت کشاند؟ علاوه بر بدنامی که این وصلت در بر داشت حرف بدری در گوشش صدا می‌کرد: قر زدن رفیق. از کجا بدری و دیگران می‌دانستند که این عشوه‌گر کام‌بخش است که او را ــ اگر دامی در کار است ــ به دام انداخته و نه برعکس؟

حزبی می‌لنگید. فرود سر قرار می‌رفت. رابطش را می‌دید اما چه حوادثی دارد رخ می‌دهد، دستگاه رهبری چه می‌کند، اینها بر او پوشیده می‌ماند. یک روز در روزنامه خواند که تمام اعضای کمیتهٔ مرکزی را گرفته‌اند. از اینگونه خبرها هر چند روزی منتشر می‌شد. رابط می‌بایست راست یا دروغ این شایعات را تأکید و یا تکذیب کند. رابط او اصلاً اطلاعی نداشت. پس از دو هفته که اهرامی و مهندس عالی و یکی از وردست‌ها را به اسم سید هاشمی گرفتند تازه فرود دانست که کار دیگر به دستگیری افراد رأس حزب رسیده است. هرج و مرج کامل حکمفرما بود. هیچکس به هیچکس نمی‌رسید. همین فروپاشیدگی باعث می‌شد که مأمورین بهترین فعالین را به اصطلاح خودشان شناسائی می‌کردند و دستگیری آنها را به موقع مناسب می‌گذاشتند. همان روز گرفتاری سید هاشمی به فرود خبر دادند یکی از رانندگان، که اعضای کمیتهٔ مرکزی را جابجا می‌کرده، جاسوس درآمده، فعالین را دستچین می‌کرده و لو می‌داده. گذشت آن زمانی که یک نمایندهٔ حزب در هر محفلی شعار می‌داد: اگر به هوش و ذکاوت انقلابی‌ها اعتماد ندارید به ابلهی و ندانم‌کاری دستگاه دولتی اطمینان داشته باشید. اکنون حکومت نظامی و شهربانی و یار و یاورهای بیگانهٔ آنها روی دست حزب بلند شده بودند و برگ‌های برنده‌تری به زمین می‌زدند که تازگی داشت. مثلاً سر قرار می‌رفتند، کسی را نمی‌گرفتند فقط دو طرف را زیر نظر داشتند و بدین طریق چند شبکه را شناسائی می‌کردند و موقع لزوم ضعیف‌ترین آنها را به خدمت خود درمی‌آوردند و یک مأمور کارشناسی به دستگاه آنها افزوده می‌شد.

در چنین اوضاع و احوالی فرود یقین حاصل کرد که یکی از رابطین او

هم با دستگاه دولتی همکاری می‌کند. از این جهت دیگر سر قرار نرفت و به وسیله‌ای کسی را که تصور می‌کرد باید در سطح بالاتری نزدیک رأس حزب فعالیت داشته باشد پیدا کرد و توسط او نامه نوشت و به باقیماندهٔ رهبری گزارش داد که دیگر به این طریق کار حزبی نمی‌کند و از این پس هر کاری به نظر خودش درست درآمد انجام خواهد داد، چون دیگر به تصور او رهبری وجود ندارد و اگر کسی جانشین آنها شده باشد باید خودش را معرفی کند و طرز کارش را به فعالین مورد اطمینان خبر دهد. از بالا به فرود و آدمی به اسم هشیار دستور دادند که دوتائی مشغول تهیهٔ چاپخانه‌ای باشند که اگر چاپخانهٔ اصلی لو رفت وسیله‌ای برای انتشار نشریات در اختیار داشته باشند.

پس از چند هفته دوندگی و سردرگمی فرود پیش نرگس رفت. وقتی در حیاط را باز کرد صدائی بیگانه از اطاق نرگس شنید. در این ساعت از روز معمولاً نرگس نباید در خانه می‌بود. ساعت نزدیک هفت بعد از ظهر بود و او گاهی بعد از ظهرها تا اول شب کشیک داشت و بعد از ساعت هشت به خانه می‌آمد. فرود گوش ایستاد و شنید دربارهٔ دوا و غذا و استراحت کامل صحبت است. از فرط اضطراب به درون اطاق دوید. نرگس حضور ذهن داشت او را «داداش» خطاب کرد و به مثابهٔ برادر خود به دو پزشک همکاری که او را از سر کار به خانه آورده بودند، آشنا ساخت. معلوم شد که در چند روز اخیر پس از برگشت از سفر فشار خونش درست و حسابی پائین آمده و به شش رسیده و سردرد شدید گرفته و از حال رفته و پس از کمی استراحت بی آنکه به کسی اطلاع دهد خود را درمان کرده و باز به کار پرداخته و همان روز در ضمن کار به

تفتیش کردند و چون کسی را نیافتند گروهبانی را آنجا مأمور کردند که مراجعه‌کنندگان را در همان لحظه دستگیر کنند. قرار بود که پردهٔ پنجره چمن‌اندر قیچی آویخته باشد اما چنین نبود. زن سرایدار با قیافهٔ غم‌زده‌ای چند مرتبه از دم پنجره رد شد. فرود شستش خبردار گردید. به خانه داخل شد و بدین‌وسیله یقین حاصل کرد که مأمورین فرمانداری نظامی همان دور و برها هستند و در کمین نشسته‌اند و باید هرچه بیشتر احتیاط کند. چه باک! برای خاطر نرگس میارزد که آدم زنده بماند.

اکنون ضروری بود که موضوع ارتباط آسان‌تر و محکم‌تر ـ شاید به وسیلهٔ تلفن ـ با بالاترها مطرح گردد. از این جهت اصرار داشت که جلسهٔ مسئولین تشکیل شود. آمدند و رفتند و گفتند و شنیدند، نه و نو کردند و فرود و رفقائی که با او هم‌عقیده بودند پا فشردند و عاقبت او را و دیگران را به جلسه دعوت کردند.

قرار بود دو روز این جلسه طول بکشد. نرگس سلامتی‌اش را باز یافته بود و سر کارش می‌رفت. وقتی شنید که فرود دو روز به خانه نخواهد آمد الم شنگه راه انداخت. تهدید می‌کرد که باز غش می‌کند و بی‌یار و یاور خواهد شد. فرود ناچار سوگند خورد که در اولین فرصت پیش او برگردد و اگر ممکن شود با او با تلفن ارتباط برقرار کند.

در روز معین همه حضور یافتند. از همه جا آمده بودند؛ از جنوب و تهران و آذربایجان. هفت نفر شرکت کردند از جمله تقوی و ترازوئی و فرود.

جلسه سه شب و روز طول کشید. بحث دربارهٔ برنامهٔ سیاسی تحت

اوضاع و احوال جدید، برنامهٔ تشکیلاتی، در حدود فعالینی که هنوز در اختیار بودند، و از همه مهمتر مسئله ادامهٔ اقامت خسرو در ایران بود که نمی‌خواست وطنش را ترک کند. همه جز تقوی عقیده داشتند که او باید از ایران خارج شود. به وجود او دیگر احتیاجی نیست. کار تشکیلاتی نمی‌تواند انجام دهد و حفظ او مقداری از وقت و فعالیت افراد باقیمانده را می‌گیرد. در هر صورت ماندن او در ایران به ضرر حزب است. تقوی با این استدلال مخالف بود. منتها لجوجانه پا می‌فشرد که این بحث بی‌فائده است چون او خودش سرسختانه مقاومت می‌کند نمی‌خواهد از ایران خارج شود. هیچکس نمی‌داند آیا این اظهار مبنی بر حقیقت بود یا نه. کمیتهٔ مرکزی هم قبلاً به او چنین دستوری داده اما خسرو زیر بار نمی‌رود.

روز دوم هم جلسه پایان می‌یافت. شب را همه در آن خانه می‌ماندند. روز بعد تقوی به بهانهٔ اینکه باید به جائی، به منظور یک امر فوتی تشکیلاتی تلفن بزند، از جلسه خارج شد. وقتی او هم به فکر افتاد برای دلداری نرگس تلفن بزند و اجازه خواست دیگران مخالفت کردند. از نظر امنیتی این کار درست نبود. تازه به فکر افتاد که تقوی هم نباید به این بهانه از خانه خارج می‌شد. شکی عجیب وسوسه‌اش کرد: آیا رفته است که به مأمورین اطلاعاتی گزارش کار را بدهد؟ از آن لحظه به بعد خود را به دست تقدیر سپرد و بی‌آنکه بگذارد دیگران متوجه حالت او شوند، در بحث‌های بعدی با بی‌حالی و بی‌تفاوتی شرکت کرد. خودش هم نمی‌دانست چرا هر لحظه انتظار دارد که مأموران به داخل خانه بریزند و آنها را دستگیر کنند. آیا تقوی از محل چاپخانه و کارگران آن و چاپخانهٔ

موقتی و محل اختفای خسرو با خبر است؟ و آیا او باعث لو رفتن بقایای حزب باید شمرده شود؟ پس از ختم جلسه وقتی فرود از آن خانه خارج شد با وسواس دور و برش را پائید ببیند آیا کسی رد پای او را می‌گیرد یا نه. به خیر گذشت. ظاهراً مأمورین تصمیم گرفته بودند همه را یک‌جا دستگیر کنند. چنین هم شد و کلیهٔ افراد حاضر در آن جلسه جز تقوی و ترازوئی، که به خارج سفر کرده بود، گرفتار شدند.

از زمان تشکیل جلسهٔ فعالین، سرشب گاهی با کمال احتیاط سری به خانهٔ نرگس می‌زد، دوا و غذای نرگس را فراهم می‌ساخت و اگر در خانه بود ساعتی با او به سر می‌برد و برای خواب به جای دیگر می‌رفت، بخصوص که آقا جلال هم به او تذکر داده بود یک روز صبح که می‌خواسته اربابش را به سفر ببرد دیده است که افسری در جیپی سر چهارراه ایستاده و مواظب کسانی است که از این چهار خیابان گذر می‌کنند. از این اتفاق نرگس هم خبر داشت و هربار که فرود دیرتر به خانه می‌آمد در هراس بود.

«فردا شب باید حتماً اینجا بمانی. اگر من غش و ضعف کنم چه؟»

«ترس نداشته باش، میام.»

گفتنش آسان بود اما وحشت بی‌سابقه‌ای تمام وجودش را به لرزه می‌انداخت. هرجا می‌رفت، هرکجا کسی را می‌دید که به او خیره نگاه می‌کند پشتش تیر می‌کشید. بعد به خودش دل و جرأت می‌داد. خودش را آنقدر ترسو نمی‌دانست. شب‌ها از صدای خش و خش برگ و باد از جا می‌پرید. همه جا با غش و ضعف نرگس روبرو بود. تشخیص نمی‌داد؛ برای جان خودش می‌ترسد و یا به خاطر نرگس؟

۱۷

دو ماه پس از آن اجلاس سه شبانه روزه، فرود و رفیق رابطش هشیار گیر افتادند. در کوچه پس کوچه‌های وسط شهر گردش می‌کردند. هوا تاریک بود. نخست مبادلهٔ اطلاعات صورت گرفت و بعد دربارهٔ اوراقی که باید تا یک هفته دیگر حاضر می‌شد حرف زدند. مقالات را باید تقوی و فرود می‌نوشتند. او هیچ نگفت که دیگر به تقوی اعتماد ندارد. فقط اشاره‌ای به آن کرد بی آنکه یقین داشته باشد که هشیار مقصود او را درک کرده است.

«شنیدی که سید هاشمی، اهرامی و مهندس عالی را با هم گرفته‌اند و سید هاشمی حالا در زندان کیا بیاست. همه جا هست و از همه چیز خبر دارد؟»

در واقع تا موقعی که فرود یقین حاصل نکرده بود حق نداشت به کسی، تنها روی حدس و قرینه تهمت بزند.

ناگهان جیپی در کوچه به سرعت از کنار آنها رد شد و فرود احساس کرد که سرنشین آن رویش را به آنها برگردانده بود. این تصور یک آن بیشتر طول نکشید و دو رفیق با خیال راحت دربارهٔ مقاله‌ای که قرار بود

فرود برای چاپ در چاپخانهٔ جدید بنویسد صحبت می‌کردند. در رشت پنج نفر از زندانیان سیاسی را کشته بودند و کلیهٔ زندانیان سیاسی به عنوان اعتراض اعتصاب کرده بودند. به قصد پشتیبانی از این اعتصاب باید مردم اطلاع حاصل کنند و خانواده‌های آنها تشویق شوند به حمایت کسان زندانی خود بشتابند.

فرود می‌خواست از هشیار بپرسد چرا خود تقوی که بیشتر وارد است این مقاله را نمی‌نویسد. این بار هشیار هم متوجه شد که جیپی آهسته دنبال آنها می‌آمد. جیپ از کنارشان گذشت و نرسیده به سه راهی در چند قدمی توقف کرد. نور قوی چراغ‌های جلوی جیپ هنوز از آنها نگذشته تمام کوچه را روشن کرد.

فرود جیپ چند لحظه پیش را شناخت. دو رفیق از جیپ گذشتند. هشیار برگشت تا نگاهی به آنها بیفکند اما نور چشم‌هایش را زد. فرود با آرنج به پهلویش زد و گفت:

«به چه نگاه می‌کنی؟ برگردیم و فرار کنیم.»

هشیار را ترس برداشته بود. با صدای لرزانی گفت:

«نه، بلکه با ما نباشند. شاید می‌خواهند ادرار کنند.»

«من برمی‌گردم.»

از طرف سه راهی مرد و زنی به کوچه پیچیدند و همین که دیدند چراغ‌های جیپ همه‌جا را روشن کرده برگشتند، زنی هرجایی که از سوی سه راه می‌آمد در روشنائی سر و سینه‌اش را باز کرد و برایشان عشوه آمد. گدائی با ناله و استغاثه به مردم وعدهٔ بهشت می‌داد و کمک می‌طلبید، و گربه‌ای از بام کوتاه خانه‌ای به پائین پرید.

هشیار گفت:

«وایسا، شاید با ما کاری نداشته باشند.»

فرود برگشت. می‌خواست پا به فرار بگذارد که جیپ چراغهایش را خاموش کرد و در یک قدمی آنها مردی از جیپ پائین پرید و ندا داد. آدم چاق و گنده‌ای بود. هشیار کنار دیوار ایستاده و فرود در عرض خیابان از او فاصله گرفته بود و می‌خواست از سوی چپ از کنار جیپ رد شود. صدا تکرار کرد:

«آقا با شما هستم. بفرمائید بالا، یک دقیقه برویم فرمانداری نظامی. با شما هم هستم.»

مخاطب فرود بود. یک آن به فکرش رسید که اگر سلاحی داشت از خودش دفاع می‌کرد. عجب خریتی است که دست بسته باید تسلیم شود. مرد شکم‌گنده در فاصلهٔ نیم متری سینه به سینهٔ او ایستاده بود و دست‌ها را به دو طرف باز کرده گفت:

«به هردوی شما می‌گویم. اگر به زبان خوش اطاعت نکنید به زبان دیگری هم می‌توانم به شما حالی کنم.»

با دست چپ دامن کتش را بالا زد و هفت تیرش را که مختصر برقی زد، نشان داد.

به یک چشم به هم زدن افکاری که ماهها خاطرش را مشغول داشته بود از نظرش گذشتند: «باید در موقع دستگیری مسلح بود و در برابر مأمورین مقاومت کرد.» به خودش لعنت فرستاد که چرا در تهیه سلاح این همه اهمال کرده است. فکر نمی‌کرد به این زودی دستگیر شود. حماقت محض بود که آدم همینجوری مفت و مسلم گیر بیفتد بخصوص

باد صرصری بود و رفت» اما این‌طور نبود. فرود دیگر در جیپ و اسیر مرد هفت‌تیر به دست نبود. آزاد بود... دوید به سوی کوچه مقابل. کوچه بن‌بست بود. آه، این دیگر چه صیغه‌ای است. همه چیز را پیش‌بینی کرده بود مگر کوچهٔ بن‌بست را. یک در باز نبود. یک در پنجرهٔ آهنی‌دار نبود که بتوان از آن بالا رفت و وسط حیاط یاباغ جهید. هیچ دکانی باز نبود که بتوان به درون آن چپید. نه درختی و نه تودهٔ خاکی که بتوان در پناهش قایم شد. سنگ را بسته و سگ راگشاده‌اند. چاره‌ای نبود. باید برگشت. هنوز وقت هست. عیب ندارد. آنها دو نفر هستند. هشیار از این لحظهٔ پریشانی مأمور راننده استفاده می‌کند. او جان سالم به در می‌برد، او حتماً در می‌رود. خوب شد. چاپخانه نجات یافت. روزنامه درمی‌آید. مقاله را کی می‌نویسد؟ تقوی؟ فکر این جاسوس که افتاد خشکش زد. یکی دیگر می‌نویسد. هشیار بالاخره یک نفر را پیدا می‌کند که مقاله بنویسد. راننده که نمی‌تواند مراقب دو نفر باشد. سرش گیج رفت. حس کرد که فکرش بر تمام اوضاع و احوال تسلط ندارد، راننده که مأمور مراقب نبود. مراقب، هفت‌تیر به کمر داشت، راننده کار خودش را می‌کرد و مراقب کار خودش را.

کوچه بن‌بست بود. ناچار برگشت. اما هشیار را دید که آرام در جیپ نشسته بود؛ راحت، بی‌خیال، اتفاقی نیفتاده بود. غرب کوچهٔ بن‌بست یک پمپ بنزین بود، آن طرف خیابان. فرود چاقالو را دید که هفت‌تیر به دست به او نزدیک می‌شود. کتش را از تنش درآورد. آنرا به روی صورت مراقب انداخت و دید او را ازش گرفت: «کت را که دور نمی‌اندازد، آنرا بررسی می‌کند شاید سندی به دست آورد. شاید پول

گیرش بیاید. اینجوری نیست که او هیچ فکر و هـدف و قصدی جـز دستگیری فرود نداشته باشد. او هم زندگی دارد. باید فکر فردایش باشد.» همچنان می‌دوید. به کجا؟ چیزی یادش نیست. صدائی شـنید. گـرمب. گلوله‌ای در هوا ترکید. به او چه. او باید بگریزد. همین و بس. به او که نخورد. تیر هوائی بود. آنقدر نامرد نیست که سر او را هدف قرار داده باشد. اما مثل اینکه ریگی به پس گردنش خورد. گرم شد مانند ساچمه‌ای که در شهر ولایتش صورتش را خراشاند. بیش از یک نیش زنبور چیزی حس نکرد. تیر نبود. باز صدای گرمبی آمد. هوائی می‌اندازد. این دیگر حسابی صدای گلوله بود. یک‌هو احساس کرد سنگی نوک‌تیز به پشتش خورد. اما هنوز می‌تواند بدود. سبک شد، مثل اینکه عرق حسابی خورده و در عالم هوش و بیهوشی است. تصورات بچگانه، تصویری که حاجی آقا از خدا و آسمان و بهشت و دوزخ برایش کشیده بود، جان گرفتند. او، فرود بندۀ بی‌گناه خدا، دارد به آسمان صعود می‌کند. وزن ندارد. قوۀ ثقل بی‌تأثیر است. عجیب این بود که هنوز می‌تواند بدود. دارد می‌دود، اما پـاها داشت از کـار مـی‌افتاد. پـاهایش در اختیارش نبودند. حرکت می‌کردند، به میل خودشان. فرود به خود گفت: «خوب، این هم پایان کار! راستی آن روز آن مرد به او چه گفت: «این هم بالای تو» هیکل نرگس را دید که غش کرده و به زمین افتاده. فرود افتاد. نتوانست جنب بـخورد. روی زمین پهن شده بود. دید از پشتش مادۀ لزج و غلیظی می‌چکد. دست در جیب برد که دستمالی درآورد. ای وای کلیدی در مشتش آمد. دیگر نتوانست مشتش را باز کند. کلید چاپخانه بود. حالا خر بیار و باقالی بار کن.

همهمهٔ جماعتی گوئی از فاصلهٔ دور به‌گوشش رسید. کسی داد می‌زد: چرا زدی؟ تو که کشتیش. دیگر چیزی درک نکرد. زمزمه از دور به گوشش می‌رسید. گاه‌گاه صدای بلندتری می‌شنید ولی معنای آنرا درک نمی‌کرد. همه‌اش همهمه بود، مانند صداهائی که از در بینهٔ حمام زنانه به گوش می‌رسد. صدای خفیف جیر و جیر گنجشکان حیاط خانه‌شان هنگام صبح، وقتی که سلام و صلوات حاجی آقا شنیده می‌شد، اما خیلی آهسته‌تر و بازهم آهسته‌تر تا جائی که فرود دیگر هیچ نشنید. مثل اینکه به خواب رفت.

او را سوار چیزی کردند. حدس می‌زند که بیمارستان شمارهٔ دو را هم می‌بایست شنیده باشد. آنچه به خاطرش می‌رسد این است که مدتی طول کشید تا او را جابجا کردند. کلید در دستش نبود. ظاهراً آنرا در مرکبی که سوار شده بود در فاصلهٔ میان دوشک و پشتی پنهان کرده بود. صدائی گفت: «بیائید برویم.» او که نمی‌توانست حرکت کند. کسی گفت: تو که می‌تونستی مثل قرقی بدوی حالا چرا اینجوری شدی؟ به نظرش حرف خنده‌داری بود اما عضلات دهن به خنده باز نمی‌شدند. دوباره احساس کرد که کلید در دستش است. ظاهراً رانندهٔ تاکسی و یا کس دیگری باید آنرا به او داده باشد.

غیظش گرفت. «بالاخره این کلید لعنتی عاقبت مرا به... خوری می‌اندازد.»

کسانی که او را بغل کردند، از پله‌ها بالا بردند و روی تخت گذاردند. بسیار تلاش کرد بفهمد با او چه می‌کنند. پس معلوم می‌شود که هنوز زنده است. هنوز نمرده است. به سختی نفس می‌کشید و با هر نفس دهنش پر

خون می‌شد.

او را روی تخت که خواباندند احساس کرد یک پایش دارد آماس می‌کند و فشار کفش او را می‌آزارد. دکمه‌های او را باز می‌کردند. مچ دستش را چیزی می‌گزید. این گزش ناگهانی برطرف شد. آهاه فهمید ساعتش را از مچش باز کردند. آخر مگر نمی‌دانند که فرود این ساعت را لازم دارد. پس چگونه سر وقت سر قرار حاضر شود؟ دیگر چیزی به خاطر ندارد. چرا، یک اشارهٔ دیگر هرگز از یادش نمی‌رود.

شبح پیرمرد مو سفیدی را دید که با دست عرق صورت و پیشانی او را پاک می‌کرد و گفت:

«اینجا فرمانداری نظامی نیست. ناراحت نباش.» و پرسید: «اسمت چیست؟» فرود قصد نداشت اسم خودش را بگوید. پس از چند لحظه کسی اسم مستعار او را به زبان آورد. و بعد هم خودش را معرفی کرد: «من هم سرهنگ وجاهت، از فرمانداری نظامی.»

پیرمرد سپید مو را تیمسار صدا می‌زند. فرود دهانش را باز کرد چیزی بگوید اما نتوانست. تیمسار گوشش را نزدیک برد. کلمهٔ «بیهوشی» را دریافت.

به هر وسیله‌ای بود به او حالی کرد که او را بیهوش کنند چون دیگر طاقت درد نداشت.

در این دو سه روز بیهوشی تصویرهائی خودنمائی کردند که آشفته‌تر از خوابهای پریشان بودند. آنچه او درک می‌کرد دهن‌کجی‌های زندگی بود. قیافه‌های آشنا ادا درمی‌آوردند. همه به هیکل‌های کتاب امیرارسلان می‌ماندند. شاخ داشتند و چنگ‌هایشان پر از ناخن‌های دراز بود.

دندان‌های گراز، گونه‌های زخمی و خونالود، خنده‌های زشت و چاق و
قداره و تیغ و سرنیزه از هر سو به گوش و چشم و دهان و سینه و ران او
فرو می‌رفتند. گوشت تنش را می‌دریدند و می‌کندند. فرود نمی‌توانست آه
بکشد و ناله کند دست دراز می‌کرد که سیلی به آن‌ها بزند. بازویش در هوا
خشک می‌شد و از کار می‌افتاد. کسی او را پرت می‌کرد در فضای
بی‌آغاز و پایانی، و ساعت‌ها خود را در میان زمین و آسمان معلق می‌دید.
یاران دیروز به او پوزخند می‌زدند. از همه زهرناک‌تر چشم‌های از حدقه
درآمدهٔ فیروز بود. گوئی نقاب تیره به صورت زده و او را دائماً در
مهمانخانه، پس از شنیدن گزارش دربارهٔ عشقش به نرگس برانداز می‌کرد.
نرگس همه‌اش در حال غش و ضعف بود. مه غلیظی او را فراگرفته بود.
دستش به او نمی‌رسید. عروسی پدر و مادرش را تماشا می‌کرد در حالیکه
منیره و بدری آن‌ها را می‌آراستند. حوض خانه‌شان پر از آتش بود. شعله‌ها
تا بام سر می‌کشیدند. با این آتش بدری بازی می‌کرد. هیولاهائی با
شاخک‌های از دهن بیرون جسته و چشم حفره هائی گود به رنگ زننده
با انگشت‌های استخوانی مرده‌ها و ناخن‌های تیز قلب او را می‌خراشیدند.
خیال می‌کرد داد می‌زند و فریاد می‌کشد اما کسی صدای او را نمی‌شنید.
سه تا دیو گرز به دست از سه سو او را فراگرفته بودند. روی تخت او
ماری می‌لولید. فرود می‌ترسید، خود را مچاله می‌کرد اما حرکت دست و
پایش در اختیار او نبود. از خودش می‌پرسید مرگ همین است؟ گاهی
تمام این هیکل‌های شوم درهم می‌لغزیدند، پخش می‌شدند، از هم جدا
می‌شدند و یک هو همه‌شان دسته جمعی و تک تک به او می‌تاختند.
دست می‌انداختند توی سینه‌اش و همه چیز را می‌دریدند. آن وقت دیگر

چیزی نمی‌دید، حس نمی‌کرد، به خواب می‌رفت، از درد پشت بیدار می‌شد. شُر شُر از دهنش خون می‌ریخت. هیچ‌کس به دادش نمی‌رسید. چطور این همه آدم‌های جورواجور دور و بر او فریادهای کمک‌خواه او را نمی‌شنیدند؟ شاید اختیار از دست آنها هم در رفته باشد.

گاهی سفیدپوشی به او چیزی می‌گفت اما سه هیولا باگرزهایشان او را می‌تاراندند. تا کفن‌پوش دهان باز می‌کرد او را خفه می‌کردند.

روز سوم به نظرش آمد که چشم‌هایش را می‌تواند باز کند. دو سرباز دو طرف تخت خوابش ایستاده بودند، با تفنگ. چه اطاق بزرگی، یک سرباز هم پائین تخت او ایستاده بود. به خیال خودش متلکی گفت اما کسی به خوشمزگی او نخندید خودش هم خنده‌اش نگرفت.

پرستار جوانی خوشگل و خوش‌اندام همین که دید فرود چشم‌هایش را باز کرده رفت و باکس دیگری آمد. دکتر لباس نظامی تنش بود. وقتی سربازها را دید پرسید شما نگهبان این... هسـتید؟ می‌خواست بگوید «مردنی» متوجه شد که چشم‌های فرود باز است، مکث کرد و «مرده» را طوری ادا کرد که فرود نشنید. بیمار زخمی از پـزشک پـرسید: «دکتر دنده‌ام شکسته؟»

پزشک جواب داد: «خدا باباتو بیامرزه، ریه‌ات سوراخ شده احوال دنده تو می‌پرسی؟»

از حیرت فرود تعجب نکرد. او را دلداری داد.

«چیزی نیست، خطر از سرت گذشته.»

فرود لبخندی زد، پزشک هم.

«جان به در بردی.» گفت و زخم‌بندی‌های روی سینه و شکـم او را

بررسی کرد.

فرود پرسید: «تمام سینه و شکم پاره پوره شده؟»

«نترس، هنوز برای چند گلوله جا هست. در هر صورت در مسابقهٔ زیبائی دیگر نمی‌تونی شرکت کنی.»

پزشک نگاهی به لولهٔ گلوکز انداخت و بعد به پرستار چند دستور داد و رفت.

افسر بدعنقی آمد. همین که دید چشم بیمار باز است فرمان داد:

«شنیدید؟ هیچ‌کس حق ندارد با زندانی مجروح حرف بزند. هروقت چیزی خواست به سرجوخه بگوید و او پرستار را صدا می‌زند.»

هی هارت و هورت کرد. حالا فرود همه چیز را می‌فهمید. ذهنش کار می‌کرد. کلمات پخش و پلا مانند بریدهٔ کاغذ که روی زمین بیفتد برای خود جا باز می‌کردند: زندانی خطرناک، امر سرهنگ وجاهت، رئیس حزب. همین جور نشان و درجه بود که به فرود می‌دادند. معنای برخی کلمات به مرکز درک و فهم نمیرسید. آنها را خودش جا می‌داد.

افسر چنان حکم می‌کرد که گوئی دارد یک گردان را به میدان جنگ می‌فرستد. این فرمان را سرجوخه عیناً اطاعت می‌کرد. پرستار خوشگله آمد از فرود چیزی پرسید سرجوخه تشر زد. پرستار نوار سفید رنگی را که در دست داشت روی میز کنار تخت گذاشت و با صدائی که فرود هم شنید داد زد:

«پس خودت بیا این شکم را وصله پینه کن.» گفت و داشت می‌رفت. سرجوخه کوتاه آمد:

«تقصیر من چیه؟ من وظیفه‌ام را انجام می‌دم.»

«منم همینطور.»

فرود برای پشتیبانی از پرستار از او پرسید:

«آخه شکمم را چرا آنقدر پاره پاره کردید؟»

«پس می‌خواستی با این همه خون که تو دل و رودهات ریخته چه بکنیم؟»

دیگر قرق شکسته شد. بیماران دیگر هم که آنجا بودند جرأت یافتند. می‌آمدند از پهلوی او رد می‌شدند. مثلاً با خودشان حرف می‌زدند اما مخاطب فرود بود. یکی به دیگری می‌گفت:

«این را بپا، پس از سه روز می‌پرسد که چه بلائی سرش آورده‌اند.»

دیگری می‌گفت: «کاشکی این همه خون که از او رفت به من می‌دادند، چاق و چله می‌شدم.»

سومی: «ایوالله، ناز شستت بابا، خیلی مردی.»

یکی از دور چیزی گفت که فرود نفهمید. از گروهبان یا سرجوخه پرسید: «چه می‌گوید؟»

سرجوخه جواب نداد. کس دیگری که کنار او خوابیده بود و سر و گوشش را بسته بودند جواب داد:

«حالا چه خبرتونه، بذارید ببینیم میمیره یا میمونه؟»

فرود گفت: «بهش بگو بادنجان بم آفت نداره.»

سرجوخه به روی خودش نمی‌آورد. حتی رویش را برمی‌گرداند و می‌خواست قسم بخورد که چیزی ندیده و نشنیده. دو سرباز دیگر را هر روز عوض می‌کردند.

روزهای اول فرود دردی احساس نمی‌کرد. گوشش را تیز می‌کرد

ببیند کسی چه می‌گوید. از پزشک نظامی خوشش می‌آمد. هردو اهل شوخی بودند و به هم متلک می‌گفتند. یک روز از فرود پرسید:

«کجا مشق کرده بودی از جیپ در حال حرکت بیرون بپری؟»

«تمرین لازم نداره. الآن منو بذارید توی یک حیپ ببینید چطور پرواز می‌کنم.»

«از رو که نمی‌ری.»

«ما کوچک شما هستیم.»

روزی دو مرتبه به او سر می‌زد. هربار دلداریش می‌داد. به او روحیه و جرأت می‌بخشید. پس از چند روز او را به اطاق دیگری بردند. همه جور آدم‌هائی آنجا بودند. کسانی را آنجا منتقل می‌کردند که دیگر عمل جراحی لازم نداشتند. خوشحال بودند که جان سالم بدر برده‌اند. همین‌که فرود را به آن اطاق بزرگ آفتاب‌رو که پنجره‌هایش رو به باغ باز می‌شد آوردند. چند نفر گفتند: باز یکی دیگر را عزرائیل جواب کرده و نپذیرفته. منتها وقتی متوجه شدند که دو نگهبان سرنیزه به دست همراه او هستند تو لب رفتند، سر جای خود نشستند و خاموش ماندند.

همسایه‌اش سربازی بود که سر و صورتش پر از زخم و زیل بود. تقریباً تمام تن او را باندپیچی کرده بودند. فقط چشم‌هایش پیدا بود. همین که در عرض چند روز ترسشان ریخت و سرجوخه هم رام شد داستان خودش را برای فرود نقل کرد. همهٔ هم اطاق‌ها با سرگذشت او آشنا بودند منتها وقتی سرجوخه هم قهقهه زد شادی به همه سرایت کرد و تمام بیماران از خنده روده‌بر می‌شدند.

قصهٔ معمولی زن جاافتادهٔ یک افسر سالخورده با مصدرش بود:

«آنقدر پیر نبود امّا آخر پستانهایش سیرابی سلطان وکپلش شل و ول بود. آخه من تازه عروسی کرده بودم. این عجوزه انگشت کوچکهٔ زنم هم نمی‌شد. یک بار ناچار بله. بعد عقم‌گرفت. زیر بار نرفتم. پتیاره خط و نشان کشید. برام پاپوش دوخت.گفت خیال بد درباره‌اش داشتم.» او را به زندان انداختند. داستان را در دژبانی برای سربازان دیگر حکایت کرد. افتضاحش درآمد. چند ماهی او را در زندان انداختند. شنید که تازه عروسش ددر می‌رود. از زور غیظ خودش را آتش زد. می‌گفت و می‌خنداند و می‌پرسید:

«حالا بگو، کی بیشتر آنجاش سوخته، من یا پیر عفریت پتیاره؟»

مدتی فرود را زن کارآزموده‌ای پرستاری می‌کرد و همان پزشک جوان به معالجه‌اش می‌پرداخت. روزی باز دختر خوشگله پیدایش شد. بسیار زیبا بود. فرود به او اطمینان پیداکرد. دل به دریا زد. هم به او و هم به سرجوخه که حالا دیگر روی چهار پایه‌ای دم در می‌نشست و کاری به او نداشت و فقط مواظب افسر بدعنق بود.

روزی دختر پرستار یک جعبه شوکولات زیر بالش فرودگذاشت و او به خود جرأت داد از او خواهشی کند:

«می‌تونید پیغامی به کسی برسونید؟»

«وای نه، من از این کارهای سیاسی بلد نیستم، نمی‌کنم. خاطرتان خیلی عزیز است اما از این چیزها از من نخواهید.»

«پیغام سیاسی نیست. می‌خواهم به خواهرم نرگس بنویسم کجا هستم به سراغ من بیاید.»

«راست می‌گید؟»

«قِصِر در رفت، مگر اینکه من کلکش را بکنم.»

هر سه خندیدند. آن دو رفتند. فرود سرش را به طرف آنها برگرداند و مدتی به آنها نگاه کرد. فیروز دم در یک بار دیگر به او نظر انداخت و پشت در ناپدید شد. این ملاقات صفائی در قلب او برانگیخت. این زن بیچاره حتی به فیروز هم متوسل شده بود که خبری از او بگیرد. چگونه توانسته بود نرگس فیروز را به بیمارستان ارتش بفرستد؟ پهلوی خودش جور کرد. بالاخره اینها همه پزشک هستند. از کجا این ستوان جوان یکی از همشاگردی‌های نرگس نبوده؟ آفرین به جرأت فیروز، آفرین به دلداری نرگس. هرچه درد جسمی بیشتر فروکش می‌کرد خاطره‌های شیرین از نرگس جاندارتر و برجسته‌تر می‌شدند.

تدریجاً داشت به محیط عادت می‌کرد. سرجوخه دیگر آدم بی‌آزاری شده بود، آن مرد سابق نبود. به سلامتی و نجات او علاقه‌مند شده بود. فهمید که فرود آنقدر هم خطرناک نیست و با این همه زخم تاب گریز از بیمارستان را ندارد. با فرود راحت شده بود.

هنوز در خواب وحشت و دهشت دست از او برنمی‌داشت. در کابوس‌های شبانه نرگس هربار به صورت‌های تازه‌تری مجسم می‌شد. او را در کسوت دختر بچه‌ها که به او و خواهرش بزرگتری می‌فروخت، به مثابۀ دانشجوئی که به او محبت می‌کرد و دل می‌برد، در حالت غش و ضعف در بستر کامبرداری می‌دید و همه جا در هر حالتی دور و بر او هیولاهای بی‌قواره می‌لغزیدند، می‌رقصیدند، ادا درمی‌آوردند، نیش می‌زدند و فرود و نرگس را آزار می‌رساندند.

با دیدن این کابوس‌ها در خواب فریاد می‌زد، جیغ می‌کشید و سرباز

سر و تن سوخته به کمکش می‌شتافت و پرستار می آمد و دکتر حبّی به او می‌خوراند و آرامش می‌کرد. هرچه حالش بیشتر به جا می آمد کسان دیگری پیشش می‌شتافتند، با او حرف می‌زدند، برایش میوه و شیرینی می آوردند. کسی از بهداری ارتش سری به فرود زد و او نمی‌داند از چه رو به او لطف فراوان کرد. خودمانی هم شد.

روزی از سربازی که هنگام شنیدن داستان تیرخوردن او اشک از چشمش سرازیر شد پرسید: می‌توانی پیغامی به نرگس برسانی. سرباز رویش را برگرداند، به اطراف خود نگاه انداخت، سر جوخه را زیرنظر گرفت و با چشم اشاره کرد که حاضر است و پیغام می‌برد. فرود دیگر او را ندید و نفهمید که آیا به قولش وفا کرد یا نه.

این سربازانِ بیمار و زندانیان سیاسی که در بیمارستان ارتش معالجه می‌شدند آدم‌های جورواجوری بودند. برخی از او می‌ترسیدند و خیال می‌کردند که فرود کافر است و چون گناه کرده باید مکافات ببیند. سیاسی‌هائی که او را نمی‌شناختند از او پرهیز می‌کردند. برخی برعکس، چه سرباز و چه سیاسی، بسیار مهربان بودند. برای او چائی می آوردند، به او کمک می‌کردند که چند قدم راه برود. هروقت درد داشت و یا تب می‌کرد به یکدیگر تذکر می‌دادند که آرام شوند. فرود داشت احساس می‌کرد که دیگران او را یک نوع قهرمان به شمار می آورند و میل داشتند که چنین پهلوانی جان سالم به در ببرد. این خود قمپز درکردن در قبال سرکردگان، منتها به حساب کسی دیگر بود. اینها که خود جرأت و شهامت نداشتند در مقابل بی‌عدالتی‌های آقا بالاسرها قدعلم کنند خوشحال می‌شدند که کسی نیرومندتر از آنها، دلیرتر از خودشان پیدا

می‌شود که حق ظالمان را کف دستشان بگذارد. او را تشویق به مقاومت می‌کردند. برای هر کامیابی‌اش کف می‌زدند و تصور می‌کردند که خودشان دارند قصاص می‌کنند. وقتی درد بر فرود مسلط می‌شد احساس شکست می‌کردند.

روزی به حدی شکمش درد گرفت که برخلاف همیشه ناله‌اش درآمد. همه در شگفت بودند. یکه مرد که نباید ناله کند. با ناله شروع می‌شود و به زاری می‌رسد و به عجز و لابه منتهی می‌شود. عرق از تنش می‌جوشید. فرود به یاد شکنجه‌هائی افتاد که حتماً در انتظارش بود. از خیالش گذشت، از این شدیدتر که دردی نیست. سپس تب به سراغش آمد. تب سخت تا آنجاکه دائماً هذیان می‌گفت. در عالم بیهوشی بازهم قیافهٔ پرستار خوشگله پیدا شد. به او قرص می‌داد، آمپول تزریق می‌کرد و دست به پیشانی‌اش می‌کشید و عاقبت پس از چندین ساعت تب او را پائین آورد.

قریب دو هفته این مصیبت دوام یافت. حالش داشت بهتر می‌شد. همان پزشک همراه تیمسار دکتر پیدایش شد:

«آقای فرود، خدا خوب عمر دوباره به شما داد.»

«متشکرم از لطف شما تیمسار، به پیشانی من نوشته که من حداقل باید هشتاد سال عمر کنم.»

«به شرط اینکه از توی جیپ بیرون نپرید.»

این از جیپ پریدن روی سر فرود هوار شده بود. کسی از تیرخوردن اسمی نمی‌برد.

قریب چهار هفته او را در بیمارستان نگه داشتند. گاهی تب می‌کرد اما

علت آن چرک کردن برخی از زخم‌ها بود.

روزی آمدند که او را به فرمانداری نظامی تحویل دهند. فرود این خبر را از سرجوخه شنید:

«خودت را به ناخوشی بزن، می‌خواهند ببرندت به زندان.»

چگونه خودش را به ناخوشی بزند. دیگر جز پوست و استخوان چیزی از او نمانده بود. چشم‌هایش گود رفته مچ دستش از مال منیره، وقتی بچه بود، باریکتر می‌نمود. سرجوخه می‌خواست به او روحیه بدهد. می‌دید که او دائماً خسته و کوفته است. برای تسکین درد به او مرفین می‌زنند و اغلب در حال خواب و بیهوشی است. بیچاره می‌خواست ابراز همدردی کرده باشد. برعکس، فرود از رفتن به زندان فرمانداری خشنود بود. با وضعی که او داشت دیگر شکنجه‌ای درکار نبود. به او تلنگر بزنند کله معلق می‌شود. خوب، اگر می‌خواستند شبانه یک میرغضب می‌فرستادند و خفه‌اش می‌کردند. اینکه کاری نداشت. برعکس، شاید در زندان امید داشته باشد که نرگس به ملاقاتش بیاید. از سرجوخه خواهش کرد تا برایش سلمانی خبر کند و سر او را بزنند. یکی از بیمارهای بستری حسابی زلف‌های مشکی او را با قیچی و ماشین چنان قاط قاط زد که راستی او را از ریخت انداخت. وقتی پرستار خوشگله او را به آن ریخت دید یکه خورد:

«وای، این چه ریختی است که خودتان را درست کرده‌اید؟»

«دیگر زیبا نیستم؟ ازم خوشتان نمی‌آید؟»

«دل آدم باید صاف باشد.»

«ناراحت نباشید، آنجا که مرا میبرند بلاهائی بدتر از این سر آدم

درمی‌آورند. من خودم پیشدستی کردم که زحمت آنها را کم کنم.»

فرود میل داشت کمی سر به سر این صنم بگذارد اما وقت گذشته بود. مأمورین فرمانداری نظامی آمده بودند. پزشک ارتش موافقت نمی‌کرد که او را تحویل دهد. اسمی که فرمانداری نظامی داده بود با اسم ثبت شده در بیمارستان جور درنمی‌آمد. آمدند و رفتند و تلفن زدند و رسید گرفتند و اسم مستعار را با اسم حقیقی در دفتر زندان طبق صورت جلسه عوض کردند. مأمورین فرمانداری به پزشک ارتش قول دادند اگر تب فرود در زندان بالا رفت او را دوباره به بیمارستان برگردانند:

«شاید هم بازپرس او را اصلاً مرخص کند!»

رخت‌های او را آوردند. چیزی نداشت جز یک پیراهن و یک شلوار. ساعتش نبود. چند ده تومانی هم که در جیب داشت سگ‌خور شده بود. بازهم مسئله کلید پیش آمد. آن را بغل تخت خوابش گذاشت. از همسایگان خداحافظی کرد. مصدر جناب سرهنگ برخاست و او را در آغوش گرفت. لب‌هایش را تنگ گوش فرود گذاشت و پچ‌پچ کرد:

«مثل من نشی‌ها، خود تو آتش نزنی‌ها، مرد باش، قصاص مرا بگیر.»

فرود لرزش گرفت. چشم‌هایش سیاهی رفت. نزدیک بود روی تخت سرباز نیم‌سوخته بنشیند. دندان روی جگر گذاشت. نه می‌شد صورت او را بوسید نه دستش را فشار داد و نه بازویش را گرفت. چشم به چشمش دوخت و چند ثانیه‌ای به او خیره شد و هیچ نگفت می‌خواست از در سالن بیرون برود که خوشگله آمد و کلید را به او داد و گفت:

«این مال شماست.»

با یک تا پیراهن سردش شد. ماه آذر بود.

به او دستبند زدند. سوار یک اتومبیل باری‌اش کردند. سرجوخه‌ای که او را تحویل داده بود آمد ازش خداحافظی کند. فرود کلید را در مشت او گذاشت که آن را در نهر کنار خیابان انداخت. آیا آب آن را برد و در لجن چال کرد و یا اینکه هنوز آنجاست؟

فرود را به زندان زرهی بردند و تحویل گروهبان ساغر دادند. این ساغر یاروئی بود با قد بلند، خوش‌هیکل، سبزه‌رو، اخمو، با لهجهٔ ممقانی‌ها. در ده سالگی از دهشان فرار کرده بود. در تهران زیردست آخوندی که بعداً محضردار شده بود خانه شاگردی می‌کرد. پیش او کمی خواندن و نوشتن یاد گرفته بود. همه رنگی زده بود. ارسی‌دوزی، سیرابی‌فروشی، نوکری در خانه یک سروان ارتش. یک‌بار هم برای چند روز گزارش به زندان افتاده بود. بعد از گذراندن دورهٔ سربازیش در ارتش مانده و حالا اگرچه به ظاهر گروهبان ساده‌ای بیش نبود اما در زندان زرهی همه‌کاره بود و در آنجا بی‌اجازهٔ او آب از آب تکان نمی‌خورد.

وقتی چشمش به فرود افتاد تمام تصوراتی که از او طبق گزارش‌ها و دستورها در مخیله‌اش نقش بسته بود زدوده شد. چه آدم خطرناکی به او معرفی کرده بودند؟ جلوی او مردکی ایستاده بود نزار که با یکتا پیراهن خونیش و استخوانهای برآمدهٔ سینه‌اش و رنگ زرد و لبهای کبود مانند صلیبی بود که چند پاره کهنه به آن بند کرده باشند. از همه بدتر خندهٔ بی‌مزه‌ای بود که مانند وصلهٔ ناجور به قیافه‌اش چسبیده بود. ساختگی بود و بهش نمی‌آمد. وقتی به او حکم کرد: «با من بیا» خودش نمی‌دانست حالا زندانیان و نگهبانان دیگر که به گوششان خوانده بود یک زندانی آتشپارهٔ خطرناک خواهد آمد که هیچکس حق ندارد به او نگاه کند چه

او را به دستشویی بردند. مگر می‌شود خون را با آب خالی پاک کرد؟ «تا پیراهنت را پاک نشوئی از اینجا بیرون نمی‌آیی.» گفت و در دستشوئی را قفل کرد و رفت. این هم برای فرود مشغولیتی شد. پتو را سخت به پر و پای خود بست و آنقدر پیراهن را چنگ زد تا رنگ سیاه خون خشک تبدیل به لکه‌های کبود شد. پیراهن را تنش کرد و سرجوخه که از سوراخ در مواظبش بود در را باز کرد و او را به انفرادیش برگرداند. فرود متوجه شد که رفقا سفرهٔ شاهانه پهن کرده و ناهار اعیانی برایش آورده‌اند.

فرود تمام بعدازظهر را در حال اغماگذراند و شب راحتی را به‌سر برد و فقط سرما بود که گاهی او را بیدار می‌کرد. پشتگرمی به اینکه باز میان رفیقان است احساس آرامش کرد. داشت مطمئن می‌شد که دیگر سر به نیستش نمی‌کنند.

فردا صبحانه‌ای مرکب از نان و کره و مربا و کیک برایش آوردند. بعدها وقتی او را از انفرادی به عمومی بردند متوجه شد که رفقا هرچه داشته‌اند تقدیم او کرده‌اند و خود به جیرهٔ زندان قناعت کرده‌اند. شایع شده بود که فرود آنقدر ناتوان شده که اگر با غذا و دوا تقویت نشود نفله خواهد شد.

نزدیک غروب نگهبان عوض شد و سرباز دیگری مأمور انفرادی او گردید. همین که به سر پست خود آمد در را نیمه‌باز کرد و گفت: «مخلص شما هستم. از این بیشتر کاری از من ساخته نیست. اگر دست من بود می‌گذاشتم هواخوری هم بروید.»

فرود به نظرش آمد که این سرباز را جائی دیده است، نه در لباس

نظامی. هرچه در خاطرش گشت و کاوش کرد چیزی دستگیرش نشد. از او پرسید:

«گویا یکدیگر را جائی دیده‌ایم و با هم آشنا هستیم.»

«نه، من شما را نمی‌شناسم. شنیدم که شما تیرخورده‌اید و باید سخت مراقبتان باشم.»

فرود باور نکرد. اطمینان داشت که در جائی او را دیده است و حالا سرباز مصلحت نمی‌بیند که بروز دهد. آن وقت از او تشکر کرد و گفت: «نه، از شما چنین توقعی ندارم.»

با ورود این سرباز وضع عوض شد و مهندس عالی آمد به حجره‌اش: «عرق می‌خوری؟ پس پاشو بیا.»

بغل انفرادی فرود در حجرهٔ دیگری مـردی تـرک‌زبان مـی‌نشست. می‌گفتند اتومبیل فروشی بوده است. بچه‌ها او را باکوئی می‌نامیدند. ادعا می‌شد سردستهٔ کسانی بوده که می‌خواسته‌اند شاه را واژگون کنند و بـه جای او این مرد را بر تخت بنشانند. او ماجراجوی فلک‌زده‌ای بود کـه شاید در حال بدمستی بلندپروازی کرده و حرف‌هایی از دهنش گنده‌تر بر زبان رانده بوده است. تمام کسانی که با او به مثابهٔ یاغی و عاصی گرفتار شده بودند از سه نفر تجاوز نـمی‌کردند هـمان سـه نـفری کـه بـا او در میکده‌ای عرق دو آتشه به سلامتی‌اش خورده بودند. از این جور آدم‌ها زیاد در زندان زرهی و قزل قلعه بودند. مهندس عالی بعضی از آن‌ها را به فرود می‌شناساند. وقتی می‌آمدند و از در انفرادی رد مـی‌شدند کـه بـه دستشوئی بروند آن‌ها را به اسم و یا برحسب جرمی که به آن‌ها نسبت داده بودند معرفی می‌کرد، با توضیحاتی از این قبیل: در صحبت با او احتیاط

کن. زیاد سر به سر ساغر نگذار. این یارو رفیق خوبی بوده حالا عقلش پاره‌سنگ می‌برد. آن یکی تمام تنش پر از داغ و درفش است. آن کچله را برای خبرچینی به زندان زرهی فرستاده‌اند. اهرامی بـه کـلی زه زده، دیگر چیزی از عمرش باقی نمانده. دکتر خنده را بـه زودی مـرخـص می‌کنند. اعدام کسانی در سن و سال او غیرقانونی است. کلک مرا فردا یا پس‌فردا می‌کنند. شما دست دومی‌ها را دیر یا زود به حسابتان می‌رسند و رهاتان می‌کنند، و از این قبیل چیزها.

در سلول مهندس عالی ساعت‌ها گپ زدند. فرود فقط یک گیلاس عرق خورد، به او مزه نکرد. بیش از دو گیلاس به او نمی‌رسید. مهندس یاد روزهای اقامت در ولایت افتاد. به شوخی ازش پرسید هنوز هم از ننه‌ات می‌ترسی عرق بخوری؟ آنقدر هم سبیل نیست. من می‌خورم به سلامتی تو. فرود سرگذشتش را برای یار دیرین نقل کرده از عشقش برای او صحبت کرد. با او مصلحت کرد چه رویه‌ای در قبال نرگس پیش گیرد. آیا می‌توان زنی را چند سال چشم به راه گذاشت؟ و اگر نه چه کند؟ از او نمی‌توانست دست بردارد. خیلی خاطرش را می‌خواهد. تا گرفتار نشده بود نمی‌دانست که عشق تا این اندازه می‌تواند پاگیر باشد.

مهندس عالی این جوان انقلابی را هیچوقت آنقدر زبون ندیده بود. فکر می‌کرد چه پندی به آدمی بدهد که با مرگ یک قدم بیشتر فاصله ندارد. همان بهتر که او را به حرف زدن تشویق کند تا دلش را خالی کند.

مدام از او سؤال می‌کرد می‌کوشید گوشه‌ای از زندگی خصوصی او را روشن سازد. نرگس چه‌کاره است؟ از چه خانواده‌ایست؟ چه می‌کند؟ آیا از زمانی که گرفتار شده هیچ سراغ او را گرفته است؟ چه تصور می‌کند؟

آیا آمدن فیروز به بیمارستان ارتش نشانهٔ علاقهٔ نرگس به او بوده و یا علامت کنجکاوی رقیبی که اینک بار دیگر امیدواری گمشده‌ای یافته است. فرود از پدر و مادرش سخن گفت و بالاخره صحبت به بدری کشید که موضعی خصمانه نسبت به حزب گرفته و با وجودی که صمیمانه برادرش را دوست دارد با او دربارهٔ حزب و حقانیت آن اصلاً نمی‌توان بحث کرد.

«من حدس می‌زنم باگروهی که نظرخوشی با حزب ندارند ارتباط پیدا کرده.»

«ممکن است به نظر می‌رسد این روزها دارد یک جریان‌هائی شکل می‌گیرد که اعضای آنها دیگر به مبارزه مسالمت آمیز اعتقاد ندارند. از قرار معلوم اینها گروه‌های خودجوش و پراکنده‌ای هستند که با همه اختلاف‌نظرها و سلیقه‌ها در یک چیز باهم موافقند: خیال می‌کنند که ایران در آستانهٔ انقلاب قرار گرفته و فقط یک شورش مسلحانه می‌تواند دستگاه استبدادی را براندازد. اینها حزبی‌ها را بورژوازده می‌نامند و به غلط یا صحیح گناه اوضاع فعلی را به گردن ما می‌اندازند. تحلیلشان این است که اگر ما در ۲۸ مرداد دست روی دست می‌گذاشتیم این استبداد امروزی بر مملکت حاکم نمی‌شد. چندتا از بچه‌های وابسته به این گروه‌ها را من در زندان موقت دیده‌ام. بچه‌های باایمان خوبی هستند. بدبختانه بی‌تجربه‌اند و هرکدامشان یک نوائی می‌خوانند: بعضی‌هاشان
گرایش‌های مارکسیستی دارند و خودشان راکمونیست می‌دانند و بعضی ۲
دیگرهاشان به اصول اسلام پابندند و مسائل را از زاویهٔ فکر دینی تحلیل می‌کنند منتها حرف‌هائی هم قاتی استدلال‌هاشان می‌کنند که به گمان

خودشان از افکار مارکسیستی و سوسیالیستی گرفته‌اند.

فرود پرسید: شما گفتید برخی از آنها بچه‌های خوبی هستند. شما نظرتان به‌کلی دربارهٔ این جمعیت‌ها و یا نهضتی که دارد به وجود می آید جیست؟»

مهندس عالی جواب داد: «نظر من شرط نیست. چه می‌دانم خوب یا بد اگر منظور این گروه‌ها عملی شود و دست به فعالیت چریکی، و یا به قول دولتی‌ها خرابکاری یا تروریستی بزنند باید اعتراف کنم که اقدامات آنها ضرورتاً نتایج کارهای ناتمام و بی‌عرضگی‌های ماست. ما کوشیدیم اعتراض مردم را به ظلم و خودسری و فساد و آدم‌کشی به یک جریان مسالمت‌آمیز اندازیم، حالا آنها دارند کلیهٔ امکانات را در دست می‌گیرند. کار در دست آنها افتاده. این موضوع‌ها را بگذاریم برای بعد. دربارهٔ نرگس صحبت کنیم. هیچ عجله نکن. گفتم شماها را زیاد نگه نمی‌دارند. یقین دارم که ترا بیش از دو سه سال محکوم نمی‌کنند. بسته به این است که خویشانت چقدر زور داشته باشند. می‌دانی که هشیار را مرخص کرده‌اند. خیال نمی‌کنی که او ترا لو داده باشد؟»

«باور نمی‌کنم. نمی‌دانم چرا به این زودی او را آزاد کرده‌اند.»

«در هر صورت نظر من این است که به این زودی دربارهٔ نرگس تصمیم نگیر.»

«پس شما چرا زنتان را طلاق دادید؟»

«من با تو فرق دارم. ببین، سن من از شصت گذشته است. دست بالا پنج سال یا بیشتر یا کمتر از زندگی من باقی نمانده. ارزشی ندارد. به علاوه اینها قربانی لازم دارند. مرا خواهند کشت. چه بهتر که این زندگی ننگین زودتر

خاتمه یابد.»

«تا آنجا که بنده اطلاع دارم زندگی شما آنقدر ننگین نیست. نشنیده‌ام که شما کسی را لو داده باشید، نه کسی را و نه چیزی را.»

«زندگی ما ننگین است. این هیاهو سر هیچ، این افتضاحی که مـا در آوردیم حد و حصری ندارد...»

مهندس عالی گیلاس دومش را سر کشید و فرود هم ته گیلاس خود را خالی کرد. مهندس بلند شد:

«بس کنیم. آخر شب ساغر باز سری می‌زند. اگر ما را بـا هـم بـبیند زورش به من نمی‌رسد اما برای تو بد می‌شود. طوری رفتار کن که بات بد نشود، آدم رذلی نیست، اما زود بهش برمی‌خورد، مواظب خودت باش.

از هم جدا نشده فرود پرسید:

«چرا می‌گویی هشیار مرا لو داده؟»

«برای اینکه با تو او را گرفتند و پس از چند روز مرخصش کردند.»

«نه، دلیلش این است که هشیار خویشان آخوند و ملای کله گنده‌ای دارد که ازشان حساب می‌برند.»

«عجب! او هم نه سر سیر بود و نه ته پیاز، می‌خواستند چـه کـارش بکنند. ترا هم کاریت نمی‌کنند. شاید اگر از جیپ بیرون نمی‌پریدی ترا هم صدقه‌سری او آزاد می‌کردند، اگرچه هشیار جزو کسانی که در جـلسۀ مشورتی مسئولان شرکت کردند، نبود. البته فرق میان شـما دوتـا زیـاد است.»

آن شب به فرود حالت خفقان دست داد. نفسش درنمی‌آمد. هوا را به زور می‌توانست فرو ببرد. این حالت یکی دوبار در بیمارستان هم به او

«لباست را درآر و بنشین روی تخت.»

همین‌که فرود پیراهن را از تنش کند دکتر خنده گفت:

«اُی، تو که همه‌اش استخوان هستی. اصلاً یک تکه گوشت برات نمانده.»

فرود داستان تیرخوردن خود را به تفصیل برای او، بی‌متلک‌گوئی‌های معمولی شرح داد و پزشک از شگفتی دهانش باز مانده بود:

«په، چوبو اگه از این طرف تو سینهٔ آدم فرو کنند و از اون طرف درآرن که آدم می‌میره.»

«آره دکتر. امّا اینکه از پشت من رد کردن یک چوب آلوده نبود، یک گلوله آتش تر و تمیز و ضدعفونی شده بود.» گفت و جلوی خنده‌اش را نتوانست بگیرد و صدای خندهٔ دکتر تا آخر کریدر رفت.

پزشک تشخیص داد که بیمار هنوز جان به در نبرده. بی‌خود بیمارستان او را جواب کرده. هنوز سرفه می‌کند، سرفه‌های خشک که دلخواه هیچ طبیبی نیست. بعد افزود:

«تو حتماً قلبت جای دیگر قرار گرفته والاّ معنی نداره که تیر به ریه بخوره و قلب سالم بمونه.»

این تشخیص را پزشک ارتش هم داده بود. از همین جهت از قلب او عکس گرفتند و دیدند قرص و پا برجا سر جای خودش نشسته است. آن وقت حدس زدند که موقع تیراندازی فرود ترسیده و قلبش بالا رفته و یا اصلاً یک چیز غیرعادی در ساختمان بدنش وجود داشته که جابه‌جا جان به عزرائیل نداده است.

همین را گروهبان ساغر برای فرود پیراهن عثمان کرده بود و همیشه

می‌گفت:

«تو هیچ چیزت مثل آدمیزاد نیست والا باید حالا زیرخاک پوسیده باشی.»

ساغر وسیلهٔ دیگری هم پیدا کرده بود که او را دست بیندازد. فرود در گفتگو با پزشک ارتشی در حضور ساغر گفته بود گمان می‌کند که با کلت به او تیراندازی نکرده بودند و مأمور با سلاح دیگری او را هدف قرار داده است. از آن روز ساغر همیشه تکرار می‌کرد:

«آره، چون کلت نبود پس تو زنده ماندی، فقط تیر کلت می‌تواند ترا بکشد. خوب شد که این را فهمیدم. گزارش می‌دهم که کلکت را با کلت بکنند.»

خلاصه، دکتر خنده با پزشک ارتش قرارشان راگذاشتند و همان شد که این آخری و همکارش هر وقت که از او عیادت می‌کردند شربت‌های مقوی از کیفشان درمی‌آوردند و پنهانی به خورد او می‌دادند و شاید همین باعث شد که فرود کمی سرحال آمد و آبی به زیر پوستش رفت. با اینهمه بی‌خوابی شبانه، داد و فریاد در خواب، اعتراضات بچه‌ها، خوش‌قلبی پزشک ارتش و حتماً گزارش‌های گروهبان ساغر باعث شد که او را به «نقاهت‌خانه» منتقل کردند به شرطی که با کسی حرف نزند. معلوم شد کسی که چنین دستور ابلهانه‌ای را داده بود هرگز «نقاهت‌خانه» را ندیده بود والاّ چنین حکمی صادر نمی‌کرد. مگر می‌شود با جمعی زندگی کرده و با آنها حرف نزد؟

«نقاهت‌خانه» جای رجال محترم سیاسی بود، از جمله سرهنگی که معلوم نشد اختلاس او به چه دلیل جنبهٔ سیاسی پیدا کرده بود. حالا سید

هاشمی هم که می‌گفتند «خدمتگذار» است جزو رجال به شمار می‌رفت. «خدمتگذار» به این معنی بود که مجرم یا متهم در ضمن کار حزبی مأموریت دولتی خود را انجام می‌داده و یا بعد از گرفتاری همکاری می‌کرده است. دیگری یکی از سران یکی از ایلات بود، مردی تحصیلکرده، با معرفت و خوش‌صحبت، لوطی درست و حسابی.

یک ماهی گذشت و روزی در روزنامه‌ها خبری منتشر شد که باقیماندهٔ سران حزب را هم دستگیر کرده‌اند و دیگر کسی باقی نمانده است. اینها آخرین افراد کمیتهٔ مرکزی هستند. جزو آنها نام فرود هم خوانده می‌شد. همه برایش دست گرفته بودند:

«ما نمی‌دانستیم که تو آنقدر کلفتی، از ما هم پنهان می‌کردی؟»

فرود حسینی را هم، که از طریق او شبکهٔ نظامی حزب لو رفته بود، در همین جا دید، در گوشه‌ای کز کرده بود و با هیچکس حرف نمی‌زد. با ریش تراشیده و چشم‌های گود رفته با خودش حرف می‌زد. صدایش شنیده نمی‌شد، لبهایش تکان می‌خورد. اگر چیزی می‌خواست به سید هاشمی می‌گفت و او برایش آماده می‌کرد. سید هاشمی اما اصلاً ککش نگزیده بود و مثل شاخ شمشاد راه می‌رفت و همیشه سرحال و با نشاط بود گوئی هرگز رگ نداشته است. همه نگهبانان از او حرف شنوی داشتند. حتی به ساغر هم دستور می‌داد و او با کمال بی‌اعتنائی اطاعت می‌کرد.

فردای آن روز آمدند و فرود را به حیاط بردند و از او عکس گرفتند، با یک کت قزمیت بر تن آدمی لاغر که زخم بغل گردنش هم چرک کرده بود. از این هیکل مفلوک‌تر پیدا نمی‌شد. عکس را با عکس‌های دو نفر دیگر، که تازه گرفتار شده بودند و فرود از دستگیری آنها بی‌خبر بود، در

روزنامه‌ها منتشر کردند. چه چیزها که به آنها نسبت نداده بودند: اعتصاب، حریق، انفجار انبارها، عیاشی و هرزگی و تا دلت بخواهد کارهای باور نکردنی. آش آنقدر شور بود که حتی ساغر هم نتوانست هضم کند. البته کسانی هم بودند که این دروغ‌های شاخدار را قبول داشتند، مثلاً سرهنگ فحتلس از آن روز به بعد هرجا فرود را می‌دید رویش را برمی‌گرداند.

فرود همچنان شب‌ها بی‌خوابی می‌کشید، پیچ و تاب می‌خورد، اما فکر اینکه ممکن است او را شکنجه دهند از خاطرش رفت. کافی بود به او تلنگری بزنند تا نفله شود.

روزی برایش یادداشتی آوردند، به خط غیر آشنا و بی‌امضاء، همراه با یک پتو. بوی خوشی که از پتو برمی‌خاست آشنا بود و همین معلوم می‌کرد که کی آن را فرستاده است. بار دیگر جان گرفت. به خود دلداری می‌داد. نباید به زانو افتاد، باید راست ایستاد. باید زندگی کرد. نرگس هنوز هست، عشقش جان‌بخش است. پایداری، پایداری و بازهم پایداری. شب پتو را روی خود می‌کشید همان بوئی را می‌شنید که از تن گرم و سینهٔ پر از نعمت نرگس می‌تراوید. چه حالتی؟ چه کیفی؟ آه، زندگی چه شیرین است، چه شیرین می‌تواند باشد. فراغ و وصل توأم بودند. وقتی پتو را تنگ به تن خود می‌پیچید احساس می‌کرد که یار نازنین را در بر گرفته. این دیگر یک لذت جسمانی گذرا نبود، این خطّ معنوی پایدار بود.

نشانه‌ای از نرگس او را به زندگی امیدوار ساخت. حق با مهندس عالی بود. بالاخره چند پیراهن از او بیشتر پاره کرده است. بیشتر تجربه دارد. نباید زه زد. خواهی نخواهی مرخص می‌شود. دو سال یا پنج سال بیشتر یا

کمتر. هشیار را هم آزاد کردند. چه فرقی میان او و هوشیار است؟ اصلاً چه گناهی به او نسبت می‌دهند؟ چه کرده است؟ دزدی کرده؟ آدم کشته؟ به کسی تهمت زده؟ مقاله‌هائی که نوشته همه مستدل است. به کسی بد و بیراه نگفته، شعرهای او دلیل صمیمیت و حقانیت اوست...

ناگهان رشتهٔ تفکرات او برید. دید دارد مبتذل می‌شود. مگر برای اینگونه جرم‌ها کسی را به زندان می‌اندازند. عجب این پتوی خوشبو او را، فرود را، عوض کرد. آدم دیگری شده بود.

باز شوخی‌اش گل کرد. حالا میل داشت خودش را دست بیندازد.

پتو را روی کولش می‌انداخت راه می‌رفت. در بیداری خواب می‌دید. رؤیا نقش‌های جورواجور به او عرضه می‌کرد. تنها در گوشه‌ای می‌نشست و یا در حیاط گردش می‌کرد و هیچ چیز جز نرگس نمی‌دید. عشوه و ناز و غمزهٔ او فرح می‌آورد. می‌توانست چشم‌هایش را ببندد و کیف کند. بداخمی و خشونت نگهبانان هم در او تأثیری نداشت. اگر کسی بدخلقی می‌کرد به آنها لبخند تحویل می‌داد، نه به قصد اینکه خشم آنها را برانگیزد بلکه بیشتر به این نیت که آنها را رام کند. همهٔ نگهبانان هم از او حساب می‌بردند. یکی به دیگری خبر داده بود که او دو مرتبه تیرخورده و باز جان سالم به در برده است. حتی به او احترام می‌گذاشتند و نازش را می‌کشیدند.

اصلاً آن دوره‌ای که نگهبانان کینه‌توز به قصد اذیت و آزار زندانیان سیاسی به زندان زرهی گسیل می‌شدند سپری شده بود. این همان دورانی بود که در این دوستاق مردم را با بچه خرس می‌ترساندند مخصوصاً زنها را. آن بچه خرس حالا دیگر گنده شده بود. آزادشدگان داستانها از این

خرس نقل کردند و چون رسوائی آن در داخل و خـارج پیـچیـده بـود ناگزیر او را کشتند.

نگهبانان تازه سربازان عادی بودند و وظیفهٔ خود را انجام می‌دادند. مواظب بودند در زندان سر و صدائی راه نیفتد و خبر آن بـه خـارج و خارجه سرایت نکند.

این بوی خوش پتو توشهٔ راه فرود شد. چند روز بعد شادی دیگری نصیبش شد. یک گروهبان بیلمز خبر آورد که مادرش آمده است:

«فقط پنج دقیقه، سلام و والسلام!»

فرود را پیش مادرش بردند دم در. حاجیه خانم نگو شیرزن بگو. بلند بلند با سرباز سرنیزه به دست بگو مگو می‌کرد: پسرش رشید است. از حبس نمی‌ترسد. عار ناید شیر را از سلسله. خیال می‌کنی به همین آسانی اینجا آمدم. هرچه بلد بودم به سرکرده‌تان گفتم. خیال می‌کنی از حبس و داغ و درفش می‌ترسم؟ پسرم را گرفته‌اید خودم را هم بگیرید.

تا چشمش به فرود افتاد از هفت هشت قدمی خـود را بـه سـوی او پرتاب کرد. پسر مادر را از هوا گرفت و الّا روی زمین پخش شده بود. او را در آغوش کشید. لبهایش را محکم روی هم فشار می‌داد که اشک از چشمش نریزد و روبه روی سربازی که برایش رجز خوانده بود زبونی به خرج ندهد. همه‌اش می‌پرسید: چه کم و کاستی دارد؟ چه مـی‌خواهـد برایش بفرستد؟ ناهار و شامش حسابی است، پسرم، از تو که هیچ چیز نمانده، پوست و استخوان خالی هستی.

گروهبانی که او را همراهی کرده بود با سرباز سرنیزه به دست دم در صحبتش گل کرده بود. فرصت پنج دقیقه از یادش رفت. مادر و فرزند را

به حال خود واگذار کرد. مادر برای پسرش حوادث خانواده را حکایت می‌کرد.

خواهرش خبر دستگیری فرود را از رادیو شنیده بود امّا به او و حاجی آقا چیزی نگفته بود. از طلبه‌ها هم که پیش حاجی آقا می‌آمدند هیچ‌کس در این‌باره حرفی نمی‌زد تا اینکه عکسش در روزنامه درآمد. فیروز اقرار کرد که خودش فرود را دیده و دیگر خطری در میان نیست. امام جمعه به دیدن حاجی آقا آمد و خبر سلامتی ترا تأیید کرد. به کمک امام جمعه توانسته بودند به دیدن او بیایند. نرگس دم در سربازخانه ایستاده است. نگذاشتند تو بیاید. یواشکی شیشهٔ کوچک گلاب از زیر پیراهنش در سینه درآورد. نرگس سلام می‌رساند. خواهرانش خوب هستند. منیره آبستن است. بدری دیگر از هیچ‌کس حرف‌شنوی ندارد. اصلاً و ابداً در فکر شوهر کردن نیست. به برادرش رفته همه‌اش سرش توی کتاب و کاغذ است. با کسانی آمد و شد می‌کند که باب طبع ما نیست. پدرش لوسش کرده است. بدری باز پای فیروز را به خانهٔ آقا معلم باز کرده. پیش ما هم می‌آید، ما هم ممنون او هستیم چون همیشه خبری ـ نمی‌دانم از کجا ـ از تو می‌آورد. نرگس را هم گاهی می‌بیند. از بابت بدری همه ناراحت هستند. می‌ترسند تو همان راهی بیفتد که برادرش رفته. این هم عاقبت ما.

گفت و گفت. یکی دو مرتبه گروهبان برگشت و با نگاهی پر از استغاثه به آنها نگریست، فرود به ساعت مادرش نظری انداخت. نیم‌ساعتی گذشته بود. او را بوسید و روانه‌اش کرد:

«سلام مرا به نرگس برسان.»

چهارده ماه واندی از روز گرفتاری فرود گذشته بـود و هـنـوز از او
بازجوئی نکرده بودند. ظاهراً توصیه امام جمعه برای دادن ملاقات به او
فرمانداری نظامی را متوجه این امر کرد. اما پیش از انجام بازجوئی اتفاقی
پیش آمد که هیچ‌کس نمی‌توانست پیش‌بینی کند.

سرتیپی آمده بود که به خیال خود روحیهٔ زندانیان را مورد مطالعه
قرار بدهد. سرگرد رئیس زندان نیز، که کمتر آفتابی می‌شد، همراهش بود.
سرتیپ از چند نفر پرسید: پشیمان شده‌ای؟ هرکدام جـواب سـربالائی
دادند: یکی پاسخ داد از کاری که نکرده‌ام پشیمانم. دومی گفت دارم فکر
می‌کنم. سومی که فرود بود اول می‌خواست جواب بدهد به تو چه؟ بعد
فکر کرد چه لزومی دارد تحریکش کنم؟ فقط با سر اشاره کرد یعنی نه. از
نفر چهارم که پرسید تو چطور؟ او جواب داد «نمی‌دانم» بالاخره کفرش
درآمد و داد زد یکی نیست پشیمان شده باشد. پیرمرد شوخی از شورای
مرکزی دستش را بلند کرد و گفت من. سرتیپ سرحال آمد. خوشحال
شد:

«اقلاً یک نفر باشرف توی شما هست.» و رو کرد به فرود و گفت: «نه
مثل این احمق».

کسی که کنار فرود ایستاده بود آهسته درگوشش گفت:

«بی‌غیرت اسم تو را از کجا می‌داند؟»

سرتیپ از شورائی خوشمزه پرسید:

«تو چه کاره بودی؟»

«شوفرم.»

«چه کرده‌ای؟»

«پشیمانم.»

«از چه؟»

«نمی‌دانم اما پشیمانم.»

گفتن همان بود و رگبار خنده همان. سرگرد رئیس زندان غیظش گرفت. نمی‌دانست چه واکنشی نشان دهد. سرتیپ بدجوری تولب رفت. غرغرکنان برگشت و زد به چاک.

گفتند در اثر این گستاخی‌های زندانیان فرماندار نظامی سخت برآشفته و دوباره سختگیری‌ها شروع خواهد شد. دو سه روز پس از این حادثه سرهنگ وجاهت فرود را احضار کرد. دیگر گوشی دستش بود.

وجاهت مرد تندخوئی بود و این تندخوئی در همه چیزش منعکس می‌شد در حرکت چین‌های پیشانیش، گونه‌هایش، لب زیرینش، و در چشمهایش که دائماً دو دو می‌زد. یک آن نمی‌توانست آرام بگیرد. می‌نشست روی صندلی، برمی‌خاست. پایش را روی چارپایه می‌گذاشت و با چوبی که در دست داشت گاه به صندلی و گاه به سر زانویش می‌زد. بعد روی میز می‌نشست. یک زانویش را با هردو دست محکم نگه می‌داشت و آن وقت با انگشتانش چوبدستش را می‌گرداند. باوجود این می‌کوشید آرام حرف بزند. سؤال‌ها اغلب دقیق بود مگر وقتی که خون چشمهایش را می‌گرفت و پرت و پلا می‌گفت.

به فرود رسانده بود که هم پرونده‌هایش همه چیز را بروز داده‌اند. با که همکاری داشته‌اند، چگونه با باقیماندهٔ شبکه‌ها ارتباط پیدا کرده بودند، با چه وسائلی چاپخانه را آماده کرده بودند، از کدام تجارت‌خانه آنرا خریده بودند، حتی چه کسانی را در نظر داشتند به خارج بفرستند تا

مثلاً با دستگاه رهبری تماس بگیرند. همکاران فرود را یک ماه در سیاهچال‌هائی تهدید به مرگ کرده بودند، زجرشان داده بودند، به زنهایشان جلوی چشمشان توهین کرده بودند و، خلاصه دیگر چیزی نبود که فرماندهی نظامی نداند.

وقتی فرود با سرهنگ وجاهت در اطاق افسر نگهبان روبرو شد پسر دهساله‌اش هم آنجا بود. برای ارعاب چوبدستی‌اش را به میز و صندلی می‌زد. چندین بار پرونده‌ای را باز کرد و ورق زد. می‌خندید، دست به پیشانی‌اش می‌کشید، نگاهی به پسرش می‌انداخت، لبخند می‌زد.

فرود در فکر بود چرا پسرش را همراه آورده است. دلیل می‌خواست. شاید حضور پسر وسیله‌ای برای تسکین اعصابش بود که بیش از حدّ جوش نیاورد و این زردنبو را نکشد. یک‌بار دست دکتر خنده را با صندلی شکسته و همهٔ دنیا خبردار شده بود. فرود را ترس برداشت. سرفه‌اش گرفت، سرفه‌های خشک. به نظرش آمد که خود سرهنگ وجاهت هم می‌ترسد. پسر دهساله را به همین جهت همراه آورده. ترس آدم را به کارهای بد بد می‌کشاند.

سرهنگ چند مرتبه سینه‌اش را صاف کرد، از جا بلند شد. آمد روبروی فرود ایستاد. چشم به چشم او دوخت و شروع کرد به یاوه‌سرائی. خائنین، وطن‌فروشانِ دشمن دین و کشور. هی تشر توشور، هی هارت و پورت. پسرش هنوز رو به پنجره پشت به پدر و زندانی ایستاده بود. سرهنگ دوباره رفت سراغ پرونده.

«همه چیز اینجا هست. تو باید فقط حرف‌های دیگران را تصدیق کنی.»

وقفه‌ای رخ داد. این تأمل فرود را به فکر انداخت. مهندس عالی به او
گفته بود: اگر راست است که مادرت به توصیهٔ امام جمعه به دیدنت آمده
خیلی مراعات حالت را می‌کنند. مواظب خودت باش. خودداری کن و
دندان روی جگر بگذار. فرود دل خوش کرد. غریق به هر پرکاهی هم
متشبث می‌شود. نکند خودداری این ظالم هم در اثر دخالت امام جمعه
باشد. از همین جهت پسرش را همراه آورده است.

سرهنگ وجاهت شروع کرد:

«خودت را خسته نکن. ما همه‌چیز را می‌دانیم. رفیق‌هایت همه‌چیز را
اقرار کرده‌اند. همه‌اش را نوشته‌اند. اهرامی مثل بلبل چه چه زده. از تو
فقط تصدیق حرف‌های آن‌ها را می‌خواهیم. راستش را بخواهی فقط برای
بستن پرونده‌ات است. تو باید شرح شبکه‌ای را که اداره می‌کردی بنویسی.
بیا.»

«من شبکه‌ای نداشتم.»

از کوره دررفت. تعلیمی‌اش را بلند کرد که به سر فرود بزند. پسرش رو
به آنها برگشت. ترسیده بود. سرهنگ چوب تعلیمی‌اش را آهسته پایین
آورد.

گروهبان ساغر را که پشت در ایستاده بود فرستاد دنبال یک زندانی.
دوباره نشست و پرونده را ورق زد. کسی که فرود نمی‌شناختش وارد
اطاق شد. از او پرسید:

«این شبکه نداشته؟»

زندانی گفت: «توضیح می‌دهم.»

«دیگر چه توضیحی؟ این مادر... حواسش خیلی پرته، جفنگ می‌گه.

برو فکرهایت را بکن. اگر جون خود تو دوست داری یا نمی‌خواهی که استخوان‌های پوسیده‌ات را از اینجا بیرون ببرند تصمیمت را بگیر.»

به نظر فرود معلوم شد که او بی‌دست شکستن، شلاق و چوب به سر و صورت زدن کاری ازش ساخته نیست.

فرود را برگرداندند، در راه ساغر متوجه شد که دارد وا می‌رود. زیر بازویش را گرفت. وقتی وارد زندان شد دیگر نفسی از او باقی نمانده بود همه ریختند دورش. خیال کردند باز سرهنگ سر و دست شکسته است. از همه زودتر سید هاشمی به فرود سرزد. فهمید چیزیش نیست فقط کمی از حال رفته است.

این سید هاشمی کارهایی می‌کرد که آدم نمی‌دانست انگیزهٔ او چیست. آیا واقعاً دلش به حال رفیق حزبی‌اش سوخت و یا اینکه می‌خواست فی‌الفور با مافوقش، به سرهنگ وجاهت و یا کس دیگری گزارش دهد که اتفاقی نیفتاده، زندانی شکنجه یافته از پا درنیامده و مرگ در انتظارش نیست.

همه از هم می‌پرسیدند که این سید هاشمی چه صیغه‌ایست. فرق بود میان حسینی که دو هفته در قبال همه‌گونه شکنجه و فشار مقاومت کرده و بعد به امید اینکه «رهبری» اسناد و مدارک سازمان نظامی را به محل دیگری انتقال داده بعضی چیزها را لو داده بود و سید که ککش نمی‌گزید و همه چیز را هم از حزب گرفته تا سازمان نظامی و سازمان جوانان، مسخره می‌کرد.

راستی هم که پس از نوشیدن چند قطره دوا و ساعتی استراحت وقتی دکتر خنده نبض فرود را گرفت به همه اطمینان داد که باکش نیست.

منکر نشدند که در روزهای سخت برای اخذ جیرهٔ بیشتری بعضی اطلاعات دربارهٔ رفتار غیرمجاز زندانیان سیاسی را به گوش ساغر رسانده‌اند. یکی دو نفر از این حد هم تجاوز کردند و خود را از سالها پیش جاسوس شهربانی و رکن دوم و فرمانداری نظامی معرفی کردند. محیط ساختگی دوستانه، نشئهٔ عرق و خنده و هیاهو و بالاخره تعهد همگان شریک در جلسهٔ شش نفری به علاوه جاسوس، این آخری را مجبور ساخت خود را بازگو کند و تعهد سپارد که دیگر چنین نکند. این شوخی وقتی همه را از خنده روده‌بر کرد که این خبر روز بعد به گوش ساغر رسید و هر شش نفر را برای حفظ ظاهر به سیاهچال انداخت و خود نیز در شادی آنها شرکت کرد.

بدین‌طریق عید نوروز سال ۱۳۳۶ برگزار شد.

اما فراغت خیال همان یک شب بود و آن هم در عالم مستی. زندان زرهی جائی نبود که آدم بتواند روزی اقلاً چند ساعت، حتی در خواب از ترس و واهمه و وحشت برکنار باشد. دست کم توهین همیشه بود. آدم وقتی می‌دید که مهندس عالی جارو به دست دارد مستراح پاک می‌کند - اگرچه این یک امر عادی به شمار می‌رفت - و کنار او نگهبانی ته سیگارش را به زمین می‌انداخت و توقع داشت که جاروکش برگردد و آنرا نیز بروبد، نمی‌توانست بی‌تفاوت بماند و با بی‌خیالی از کنارش بگذرد.

روزگار بدین منوال می‌گذشت تا اینکه روزی اهرامی را برای مصاحبه در رادیو و تلویزیون بردند و هنگام بازگشت به او یک جلد کتاب «سیر کمونیسم» دادند که آنرا، همراه خود به زندان آورد. این روز را فرود

هرگز فراموش نمی‌کند. فرود این روز را فراموش نکرده است. در نوار عیناً چنین می‌گوید:

«من ماجراجوئی، خودستائی، تکبر، لجاجت و بدخوئی بعضی از رهبران و اعضای حزب را به تجربه دیده بودم. ترس و ضعف و بیمایگی و ندانم‌کاری و بی‌حالی و دست و پاگم کردن از خصائل انسانی است که ممکن است هرکس به تناسب روحیهٔ فردی و اجتماعی خود در اوضاع و احوال خاصی گرفتار آنها شود. اما پستی و بی‌حیائی و بی‌تفاوتی در برابر زشتی و پلیدی و فخر به نامردی آن چیزیست که انسان را به درجهٔ حیوانی تنزل می‌دهد.»

هنوز اهرامی «سیر کمونیسم» را نشان نداده سید هاشمی پرید و آنرا از دست او قاپ زد و توجهی نکرد به اینکه همهٔ بیست تا بیست و پنج نفر حزبی و غیرحزبی علاقه‌مند به خواندن و یا اقلاً تماشا کردن آنند. کتاب را ورق می‌زد و روی بعضی صفحه‌ها مکث می‌کرد و آن قسمت از گفته‌های کسانی را که می‌دانست برای همه جالب است می‌خواند و قهقهه می‌زد. این خندهٔ بیشرمانه نفرت‌انگیز بود. به فحش‌های رکیک برخی از شنوندگان هم اعتنایی نمی‌کرد. قسمت‌هایی از اظهارت و دلائل زبونی اهرامی و دکتر خنده را بلند بلند می‌خواند و گویا بدین‌وسیله می‌خواست ثابت کند که اگر او پادوئیِ امثال سروان هنگامی و سرهنگ وجاهت را پذیرفته کار زشتی نکرده تازه سر بلند هم هست. دیگر هیچ‌کس شکی نداشت که این کتاب و کتاب مشابه دیگری توسط او و یارانش نوشته شده است. حتی از بر می‌دانست که اهرامی در کدام صفحه سرّ فاش کرده. و دکتر خنده در چه صفحه‌ای به دفاع از خود پرداخته. گفته‌های مهندس

عالی برای فرود بسیار جالب بود. همه‌اش از دو صفحه تجاوز نمی‌کرد و همه جا از کارهای حزب دفاع کرده بود، در صورتی که به اهرامی و دکتر خنده چندین صفحه تخصیص داده بودند. این یک هرجا توانسته بود جا خالی کرده بود و آن یک کار را به مرحله‌ای کشانده بود که دیگر ننگین بود. فرود به حدی از این اعترافات ناراحت شد که نتوانست خودداری کند و به او بگوید: «بدکاری کردی؟ پای دیگران را چرا به میان کشیدی؟ خوب، آمدیم و یک حزب هم عقیده به شما کمکی کرده باشد، خوبست آدمی مثل تو چنین سرّی را فاش کند؟» در جواب چه داشت بگوید؟ جز اینکه خودشان همه‌اش را می‌دانستند. اینها را خلج اقرار کرده بود. شب‌ها فرود کنار او می‌خوابید. دوشک پهنی داشت که جای دو نفر را می‌گرفت. هوا زیر درخت چنار گرم بود. فرود خوابش نمی‌برد. هروقت یک ناراحتی وجدانی برایش پیش می آمد این عذاب خواهی نخواهی با وجود نرگس ارتباط پیدا می‌کرد. وجه ارتباط این بود. حالا که کار بدین جا کشیده او چرا باید سالها در این دوستاقخانه بماند؟

فرض کنیم که او را، فرود پسر حاجی علی‌اصغر واعظ و حاجیه خانم را ماجراجوئی و جاه‌طلبی به اینجا کشانده است. نه، این را فرود قبول نداشت. اگر فقط جاه‌طلبی بود که راههای دیگری هم برای ارضای آن وجود داشت. لیسانسیهٔ حقوق، شغل در دادگستری، پشتکار، طبع شعر، قلم روان و هزار هنر دیگر داشت و می‌توانست از نردبان ترقی بالا رود. چرا باید در کومه‌ها، در طویله‌ها به سر برد، جانش را به خطر اندازد و شب‌ها، مثل بچه‌ها، در تنهائی در رختخوابش زار زار گریه کند؟ نه، فقط خودخواهی و جاه‌طلبی نبود. مگر نمی‌دانست که در حزب حلوا تقسیم

نمی‌کنند؟ حالا او جرم کرده، به زعم سروان هنگامی و سرهنگ وجاهت مرتکب جرمی شده، تقصیر نرگس چیست؟ راه‌گریز نیست. پس بهتر است که آب پاکی روی دست این دختر بریزد. خلاصه آن شب فرود خوابش نبرد و دید که اهرامی هم دائماً غلت می‌خورد، با خودش، بی‌آنکه صدایش شنیده شود، حرف می‌زد. هردوشان در رختخواب نشستند و باهم گفتگو کردند. پیرمرد گریه‌اش گرفت. چندی بعد مرخصش کردند ولی چند ماهی نگذشت که قلبش از کار ایستاد و دم در حیاط خانه‌اش نقش زمین شد.

یک سال بدین منوال گذشت تا آنکه داستان سرکردهٔ یاغی‌ها پیش آمد. راست و دروغش باخداست. گفتند یقهٔ سربازی راگرفته و قصد داشته به او تجاوز کند. این حادثه برای سازمان امنیت اعلان خطر بود. هیاهو راه انداختند که سیاسی‌ها خورده‌اند و خوابیده‌اند و هار شده‌اند.

تصمیم تازه‌ای دربارهٔ آنها گرفته شد. آنها را به زندان قزل‌قلعه منتقل کردند.

آن روزها اسم قزل‌قلعه را که می‌بردی به خودی خود رنگ‌ها می‌پرید. کسانی را که به این دوستاق می‌بردند دیگر برگشت نداشتند. یا تیرباران می‌شدند و یا می‌مردند و یا دیوانه می‌شدند. اقلاً تصور عموم چنین بود. می‌شد برای هر سه شق نمونه آورد. از همه بدتر تسلیم و رضای محض به داده‌ها و شرایط این قلعهٔ دربسته بود. آدمیزاد را تبدیل به جانوران زبان‌بسته می‌کرد.

در عرض چند ساعت همه را آماده انتقال کردند. دستور دادند همه جل و پلاسشان را جمع کنند. بسیاری از اثاثیه‌ای را که به نظر زندانبانان

زيادى بود از آنها گرفتند.

ساغر ايستاده بود و با قيافهٔ گرفته به آنها نگاه مى كرد گوئى مى خواست به آنها حالى كند آنجا آدمى مثل من نيست كه لوطى گرى سرش بشود. بد نيست برويد تا قدر مرا بدانيد.

از همان دم در زندان تشريفات ترساندن و جنگ اعصاب و تـحقير كردن و ترساندن آغاز مى شد. اثاثيه را مى گشتند. چه گشتنى؟ جيب هاى آدم را خالى مى كردند. در بعضى موارد آدم را لخت مـى كردنـد، «تـو سوراخ ...» انگشت مى زدند. به قول خودشان اين مراسـم جـنبهٔ ايـمنى داشت. چنين ادعا مى كردند. سركوبى ارادهٔ زندانى نيّت و هدف بود. فرود وقتى شنيد كه بايد سر صف ايستاد و دعا خواند و بقاى تاج و تخت را از درگاه الهى طلب كرد و تنفرنامه نوشت و بلند در صف در حضور همه خواند زانوهايش سست شد. در حضور ساغر كه مراقب بود زندانيان چه چيز در اثاثيهٔ خود مى برند كه موجب مسئوليت براى او نشود بر زمين نشست و داشت از حال مى رفت. ساغر سربازى را دنبال پرستار فرستاد. اصرار كرد هـمان كسى را بياورد كـه فـرود را مـى شناسد و بـه او دوا مى رساند. شايد نيم ساعتى طول كشيد. ساغر همه جا سر مـى كشيد امـا هرلحظه نگاهش رو به فرود بود كه مانند يك كپهٔ بدبختى روى زمين كنار پتويش گلوله شده بود. پرستار آمد و چند قطره توى حلقش ريخت.

و حالش را جا آورد. وقتى چشمهايش باز شد گروهبان بـا مـحبت گفت:

«حالا اين دم آخر لازم نيست اينجا نفله شوى. از اينجا برو هرجا دلت خواست بمير.»

از همه بدتر اینکه در زندان قزلقلعه ارتباط میان زندانیان و خانوادههایشان قطع و یا دست کم سست میشد. فرود در راه از هرکس میپرسید چه بکنیم؟ چه باید کرد؟ جوابی نمیشنید، همه میگفتند برویم ببینیم چه میشود. هرچه پیش آید خوش آید. این واکنشها آدم را از زندگی بیزار میکرد. مثل اینکه تمام تن او را در حوض یخ فرو میکنند. کرختی عجیبی ایجاد میکرد.

در هر صورت قبل از رفتن به این زندان همه مرعوب، دست و پا بسته و وامانده شده بودند. در خود زندان محیط از این هم خردکنندهتر بود.

از در بزرگی وارد شدند. هشتی بود که از سمت راست به سالن مانندی منتهی میشد. آن را بعدها به دو بخش تقسیم کردند. یک قسمت نگهبانی بود. قبلاً از آنجا به جای قهوهخانه استفاده میشد. در بخش دیگر بعدها خسرو را نگه داشتند. دوتا گردن کلفت، یکی با قد کوتاه با سینه و بازوهای خالکوبیده و دیگری جاهلی که همشهری فرود از آب درآمد، ادای قلدرها را درمیآوردند. یکی به جرم قاچاق اسلحه گرفتار شده بود و دیگری جزو آن گروهی به شمار میرفت که خیال داشتند سلطنت را واژگون کنند. هر دوشان لولوی سرخرمن بودند. اینها را آنجا گمارده بودند که تازهواردان را بترسانند. اما برخلاف هیبت ظاهریشان بیآزار بودند. بچهها یکی را رستم صولت و دیگری را افندی پیزی مینامیدند. اینها فقط در آشپزخانه و قهوهخانه کار میکردند و پادوی رئیس زندان به شمار میرفتند.

زندانیان زرهی را در چهار اطاق که سابقاً انبار اسلحه باید بوده باشد جا دادند. هر اطاق یک سرکرده داشت. رئیس اطاقی که فرود را در آن

جا دادند واروژ نام داشت که با زندانبانان همکاری می‌کرد. این مرد چهل ساله که در سی سالگی وارد حزب شده بود جرثومه‌ای بود باورنکردنی. از آنهایی بود که از عهدهٔ چند تا کجوری و کاظمی از حیث هوش و پشتکار برمی‌آمد. زندان او را به این روزگار انداخته بود. همه‌اش ادا درمی‌آورد. دهن کجی می‌کرد. حرف‌هائی می‌زد که نه سر داشت و نه ته. به همه، بی‌توجه به دوست و دشمن ناسزا می‌گفت. وقتی همه جل و پلاسشان را به اطاق آوردند نعره کشید: «مادر...ها اطاعت مرا نمی‌کنند.» رو کرد به فرود و داد زد: «مادر سگ، به تو هم هستم.»

به قول خودش تیاتر درمی‌آورد. از جمله چشمهای خودش را با دستمال می‌بست و فرمان می‌داد: «آتش!» بعد خودش را روی زمین می‌انداخت. مهندس عالی نقل کرد که این بلا را سرش آورده‌اند. او را چشم بسته به باغی برده به درختی طناب پیچ کرده‌اند. از روی صحبت‌های دو نفر میرغضب شنیده است که شاه حکم اعدام او را صادر کرده است. بعد فرمان آتش به گوشش خورده و تیری در رفته که به او اصابت نکرده است. آن وقت به طوریکه خودش نقل کرده شنیده است که گفته‌اند این چه بازی است که اول حکم اعدام می‌آید و بعد لغوش می‌کنند. از آن زمان به بعد تصور و واقعیت درهم آمیخته و هشیاری‌اش را از دست داده است.

حالا دیگر چه فرقی داشت که از این سروان و یا از آن سرهنگ حرف شنوی داشته باشد. عمده این است که دیگران از او اطاعت کنند.

باوجود نکبتی که نصیبش شده بود صفات نیکی هم در اعماق وجودش نهفته بود. جنبه‌های مثبتی داشت. فرود همان هفته‌های نخست

یقین کرد که روزی او مرد باایمانی بوده وگاهی بی آنکه خودش بخواهد یا قصدی داشته باشد از زیر پوست کبره بسته‌اش هائی از مردانگی تراوش می‌کند.

عصر شد، موقع دعا، چه باید کرد؟ باید مرد یا ماند؟ فرود می‌ترسید، می‌لرزید، قلبش داشت از کار می‌افتاد. کنار او یک زندانی ایستاده بود که روزی یک انقلابی دوآتشه و با ایمان بود. فرود با او، که جز تبعیت از نص صریح مارکس و لنین قانون دیگری را به رسمیت نمی‌شناخت در حوزه‌های جور واجور بحث‌ها و جدل‌ها کرده بود. آنقدر مقاومت کرده بود که تقریباً نعش او را به زندان آوردند. اما آن دوران دیگر سپری شده بود. دیگر بلائی نبود که سر او نیاورده باشند. حالا به همه چیز ناسزا می‌گفت. حالا نه رئیس زندان و نه گردن کلفت‌ها حریفش می‌شدند. فقط مرگ می‌توانست حریفش باشد. چه کارش کنند؟ خودش همین‌جوری هم می‌مرد. همه را مسخره می‌کرد، به همه فحش می‌داد. به آنها می‌گفت از ما که گذشت. باید با آنها همان کنند که با ما کردند. او را از زندانی به زندان دیگر منتقل می‌کردند. هر زندانبانی خوشحال می‌شد که او را منتقل می‌کنند. جوری خودش را می‌برد ـ به زبان زندانیان ـ که می‌شد این جور حرف‌ها را زد و این جور کازها را کرد. وقتی این جوان، به اسم علی پرستار، و واروژ دیدند که فرود خشکش زده است هردو زیر بازویش را گرفتند و کشاندند سر صف. قلبش داشت می‌ایستاد. اما دعا را خواند برای حفظ تاج و تخت. آنهای دیگر هم چنین کردند؛ هم مهندس عالی و هم پیرمرد بیمار. برای قدیمی‌ها دیگر عادی بود مانند جارو کردن اطاق و تمیز ساختن مستراح و ادرار کردن و مسواک زدن. حتی بلند بلند سه مرتبه

آمین می‌گفتند. دستور بود. اگر کسی آمین نگوید و فقط دهانش را باز کند و ببندد مسئولیت دارد، یعنی پدرتان را درمی‌آوریم، یعنی شما را به روز واروژ و علی پرستار می‌اندازیم.

روزهای بعد قرار بود پسری مرخص شود. باید قبلاً توبه‌نامه بنویسد و آنرا سر صف بخواند. این جوانک هم اطاقی فرود بود. اصلاً ذوق نمی‌کرد. گفتند تازه عروسی کرده که دستگیر شده است. بچهٔ دوساله‌اش را هنوز ندیده. نه می‌خندید و نه گریه می‌کرد. فقط این چند کلمه را زمزمه می‌کرد: «این آخرین ترانهٔ من است!» این همان ترانه‌ایست که آنروزها الهه، آوازخوان از رادیو پخش می‌کرد و فرود این آهنگ را که شنید چندشش شد. از خودش می‌پرسید چطور می‌شود که آدم یک مشت جفنگیات را با خونسردی بنویسد و این آهنگ را بخواند. روزی شد که خود فرود، که نمی‌توانست سر صف برود و دعا بخواند و سه بار آمین بگوید و دیگران باکمال مهربانی زیر بازویش را گرفتند و سر صف بردند و بعد کرخت شد و چند لحظه نتوانست از جا تکان بخورد و یک ربع ساعت قلبش گرفت ؟ و گرمپ گرمپ صدا کرد، همین تشریفات را بی‌خیال و بی‌عذاب وجدانی و روحی انجام می‌داد انگار که دارد تنش را می‌خاراند. همه کارهٔ زندان پس از رئیس، استواری بود که تمام رشته‌ها از لای انگشتان او رد می‌شد. هرچه او می‌گفت وحی الهی بود. شمر اگر می‌دانست چنین موجودی روزی روی زمین پیدا خواهد شد، قبل از جنگ با آل علی می‌ماند تا اول از او درس بگیرد. اینجور بچه‌ها او را معرفی می‌کردند. رحم و مروت و اغماض سرش نمی‌شد. دلش می‌خواست یک شمشیر شمری دستش بدهند تا هر وقت با کسی

درمی‌افتاد گردنش را از قفا بزند. همان روز اول چون فرود جلوی پای او از جا برنخاست خشمناک و ناسزاگویان به سوی فرود خیز برداشت که او را بزند. ابتدا واروژ و بعد علی پرستار جلوش را گرفتند و خودشان را وسط انداختند و گفتند: «به این کاری نداشته باش. این مریض و مردنی است.» راستی هم استوار دید که زهوارش در رفته و کسی نیست که مشت و لگد او را تحمل کند.

این مصیبت‌ها را می‌شد تاب آورد اما طاق‌فرساتر برای فرود ضجه و ناله‌ای بود که گهگاه در ساعات پس از نیمه‌شب از پشت دیوار، به گوش می‌رسید. به خوبی صدای شلاق شنیده می‌شد و به دنبال آن فریاد، عربده، زار زار تا نالهٔ ضعیف و بعد سکوت مرگبار بود که فولادین تن‌ها را متلاشی می‌کرد.این شکنجه‌ها گاهی ساعتها ادامه می‌یافت. شلاق می‌زدند، داغ می‌کردند، می‌سوزاندند و خدا می‌داند چه‌ها که نمی‌کردند.فرود هرگز شکنجه کردن را ندیده بود. اما چه چیزها برای او نقل کردند که ابتدا نمی‌توانست باور کند. وقتی با سرنوشت سلطانی آشنا شد دید از آنچه به گوشش رسیده وحشیانه‌تر بوده است. قبل از شکنجه زنی را لخت دیده بود که با او مأموری زنا کرده بود. این ضجه و ناله‌ها هم برای کسانی که بیش از یک سال در قزل‌قلعه به سر برده بودند عادی شده بود.

وضع غذا هم روز به روز بدتر می‌شد. ازجملهٔ زندانیان این دوستاقخانه چندین قاچاقچی ثروتمند بودند که می‌توانستند از قهوه‌خانه و آشپزخانه به بهای گران جنس بخرند. روز به روز از تعداد این جمع کاسته می‌شد. زندانیان سیاسی بنیهٔ مالی نداشتند که جای خالی آنها را پر

کنند. در نتیجه از درآمد زندانبانان کاسته می‌شد. می‌گفتند رئیس زندان اتوموبیلی خریده که اقساط آن در حدود ماهی پانصد تومان باید از این ممّر پرداخته شود. گاهی گروهبان‌ها عرق می‌آوردند و آنرا به دو برابر قیمت به زندانیان می‌فروختند. برای جبران خسارت قهوه‌چی می‌کوشید سیاسی‌ها را وادار کند تا بیشتر از کالای دکاندار گرانفروش مصرف کنند. اینها هم لج کرده بودند و حتی چای هم نمی‌خوردند. فرود که کمی قند در روز به او نیرو می‌بخشید چای نمی‌خورد. مثلاً به این ترتیب به وضع زندان اعتراض می‌کرد. حقیقت این بود که فرود از قهوه‌چی و همکارانش در آشپزخانه بیزار بود و توهین و تحقیر آنها را نمی‌توانست تاب آورد و تا می‌توانست از تماس با آنها خودداری می‌کرد. روزی ساعت دستی خود را به مچ یکی از گروهبانان آشپزخانه دید و از او پرسید:

«تو همان نیستی که مرا تیر زد؟»

این گروهبان مردی چاق و خپله بود و اصرار داشت که در آن ماجرا شرکت نداشته و ساعت را هم از یکی از همقطارهایش خریده است. به نظر فرود تیرانداز به همین ریخت و هیکل بود و به همین دلیل تردیدش در مورد او کاملاً رفع نشد.

تنبیه کسانی که جلوی پای استوار برنمی‌خاستند هم این بود که می‌داد سر آنها را بتراشند. یک بار داد سر فرود را هم تراشیدند. جرم او این بود که گروهبان آشپزخانه را متهم کرده بود به او تیراندازی کرده و ساعتش را دزدیده است.

به علاوه دشمنی استوار دلیل و علت نمی‌خواست. اگر او با کسی چپ

می‌افتاد به هر وسیله‌ای بود زهرش را می‌ریخت. طبیعتش اقتضا می‌کرد که عاصیان را مسخ کند. از صورت عادی‌شان بیندازد و به جلد علی ورجه درآورد. از فرود از این حیث بدش می‌آمد که با آن جسم نزارش هنوز نشکسته است و نمی‌شود مثل یک تکه سنگ با نوک پا او را به این طرف و آن طرف پرتاب کرد.

دو سه بار پیغام داده بود، تهدیدش کرده بود، اگر زیاده‌روی کند به حسابش خواهد رسید. فرود نمی‌توانست چه زیادروی کرده است، ظاهراً گناهش این بود که نمی‌توانست به محیط زندان خو بگیرد و نظم آنرا تحمل کند.

اگر از آنجا جان سالم به در برده مدیون علی پرستار است. مهندس عالی علی پرستار را خوب می‌شناخت. فرود هیچگاه او را در خارج از زندان ندیده بود. در همان هفته‌های اول روزی که زیر بازوی او را گرفته برای هواخوری به حیاط هدایتش می‌کرد گفت:

«میدونی چرا خاطر تو می‌خواهم؟ تو مردی و زه نزدی. اقلاً تونستی از خودت دفاع کنی.»

فرود از مهندس عالی جویای حال او شد:

«این را این‌جوری نگاهش نکن. در بیرون از زندان شیر مردی بود. می‌توانست بیست ساعت پشت سر هم کار کند. اتوموبیل براند، یکسره تا تبریز برود و برگردد. خواب و خوراک نداشت. شیطان هم زورش به او نمی‌رسید. از آب کره می‌گرفت. از کسانی بود که موقع دستبرد حزب به بانک درعرض سه روز از چهار شمر با چک قلابی پول گرفت. این آدم در زندان و زیر شکنجه داغون شده و حالا فقط سایه‌ای است از آنچه

قبلاً بوده.

ساعتها شکنجه او را خرد نکرده بود. تمام تنش پر از داغ بود، حتی لای پایش. زیر تنۀ خود را به کسی نشان نمی‌داد. او را از مردی انداخته بودند. جرمش این بود که تا اعدام افسران حاضر نشده بود اسم کسی را ببرد. هرگونه اتهامی را پذیرفته بود. اکنون پرستاری مختل‌المزاج‌هـای قزل‌قلعه را داوطلبانه او به عهده داشت. فرود استثناء بـود. حمامشان می‌برد. تر و خشکشان می‌کرد. اگر کسی سیگاری به او می‌داد آن را برای آنها نگه می‌داشت. خودش هم دیگر عقل درستی نـداشت. مـی‌گفت می‌خواهد مسیحی بشود، از این جهت پرستاری بیماران را قبول کرده بود. هروقت یکی از آنها مأمور نظافت مستراح می‌شد و عـلی پـرستار احساس می‌کردکه طرف میل به این کار ندارد و یا از عهده‌اش برنمی‌آید آستین‌هایش را بالا می‌زد و جور او را می‌کشید. روزی گاراژدار بوده و با چندین ماشین باری امور خود و خانواده‌اش را اداره می‌کرده است. هرگز شکایت از سـرنوشتش نکـرد. تـنها یک روز وقتی فـرود مـدتی از او زیرپاکشی کرد از دهنش دررفت:

«این بی‌غیرت‌ها روز روزش نگذاشتند که ماگیوه‌هایمان را ور بکشیم و بزنیم به چاک.»

روزی در عالم بی‌چارگی، فرود خواست سرگذشت خودش و نرگس را برایش نقل کند، دست گذاشت روی دهن فرود، از جا بلند شد و گفت:

«نه، نه، از این حرف‌ها نزن. این حس‌ها در من کشته شده. من دیگر اخته شده‌ام، طاقتشو ندارم که یادی از زن و بچه‌ام بکنم.»

همان بهتر که اعدامش کردند. به چه جرمی؟ گفتند در قتلی شرکت

داشته است.»

جنگ اعصاب روز به روز شدیدتر می‌شد. هر روز کارهای الکی دیگری به حبسی‌ها تحمیل می‌شد. وقتی استوار می‌دید که از فرود کاری برنمی‌آید و تمام وظایف او را علی پرستار و جوان شیک‌پوشی که با هیچ‌کس صحبت نمی‌کرد و همیشه تک و تنها راه می‌رفت، انجام می‌دهند بیشتر غیظش می‌گرفت. آن روی سگش بالا می‌آمد و همینطور دور و بر او می‌پلکید. و به او بد می‌گفت، نیش می‌زد، تنبلش می‌خواند و جلویش تف می‌انداخت.

فرود حال راه رفتن نداشت. روی زمین دراز هم نمی‌توانست بکشد.به زخمش فشار وارد می‌آمد. دائم گرسنه بود. جیرهٔ غذا را به حدی کم کرده بودند که نزدیک ظهر نا نداشت. ناهار آب‌زیپوی بدمزه بود. نان کپک زده و آش ماش ترشیده. فرود بدترین روزهای زندگی را به سر می‌برد، هر روز بیشتر تراشیده می‌شد. از وجودش کاسته می‌شد. اینکه می‌گویند روده بزرگه داره روده کوچکه را می‌خورد درست است. همه‌اش خیال می‌کرد اگر چند روز دیگر بدین منوال بگذرد نفله خواهد شد. علی پرستار و جوان شیک‌پوش بخشی از سهم خود را به او می‌دادند تا آنکه آن اتفاقی افتاد که نه‌تنها او بلکه همه را موقتاً از مرگ و بیماری نجات داد. جمعی را مأمور تمیز کردن حیاط کردند. یکی از آنها سلطانی، پسرهٔ لوطیِ خوش‌مشربی بود که هرگز خنده از صورتش نمی‌رفت. رئیس زندان رفته بود مرخصی. برای حفظ ایمنی ـ به تصور خودشان ـ ملاقاتهای با خانواده را حذف کرده بودند. برای سیاسی‌ها از بیرون حتی یک حبّه آب‌نبات هم نمی‌آمد. استوار می‌خواست کلکی بزند: «تمیز

کردن حیاط برای خود شماست. در شهر آنفلوانزا رواج یافته، ما می‌خواهیم جان شما را حفظ کنیم.» در این‌طور مواقع لبخند تلخی در چهره‌ها حک می‌شد. همه سر صبحانه نشسته بودند. چای و نان می‌خوردند. معلوم نشد چرا سلطانی بلند خندید و همه متوجه شدند. استوار در هشتی داد زد:

«سلطانی بلند شو برو سر کارت.»

و او جواب داد:

«صبر کن صبحانه‌ام را بخورم می‌روم.»

خدا می‌داند چه تو جلد سلطانی رفته بود که جرأت کرد چنین پاسخ گستاخانه‌ای به پروردگار زندان قزل‌قلعه بدهد. شاید یک آن یادش رفت که فرمان‌دهنده استوار است و او در زندان قزل‌قلعه به سر می‌برد. آیا عمداً و یا نادانسته آرام از جایش بلند شد. از کریدور گذشت و به سوی هشتی رفت. ناگهان نعرهٔ جانگدازی شنیده شد که همه، هرکس و هرجا بود به طرف هشتی دوید. قرار نبود کسی را در داخل زندان بزنند، زجر و شکنجه پشت دیوار انجام می‌یافت. این نعرهٔ وحشتناک تازگی داشت. حتی فرود جستی زده به سوی هشتی دوید. سلطانی روی زمین افتاده بود. لگدی به تخمش خورده و روی زمین پهن شده بود. روشن شد که سرکار استوار پهلوان پنبه است. رنگش مثل گچ سفید شده بود. خودش را جمع کرده بود. ترس زده به سلطانی که میان او و بچه‌ها افتاده بود خیره شده بود. دو سه نفر از جمله دکتر خنده به سوی زمین خورده شتافتند. بچه‌های دیگر قدم به قدم جلو می‌آمدند. استوار خودش را هی عقب‌تر می‌کشید، پس پسکی می‌رفت و از سلطانی که بیهوش افتاده بود، و یا خودش را به

می‌آورد با اتومبیلش تا دم در خانهٔ نرگس می‌آمد. وارد حیاط نمی‌شد و از همانجا باصدای بلند می‌پرسید: اگر چیزی لازم دارید برایتان بیاورم. دارم می‌روم برای ارباب میوه بخرم. این همان آقاجلال بود که حالا زیر شکنجه فریاد می‌کشید.

تا صبح ناله‌اش به‌گوش می‌رسید. حتی یک لحظه هم نتوانست چشم به هم بگذارد. یازده روز در انتظار ماند. به هردری که زد که خبری از آقا جلال به دست آورد میسر نشد. واهمه‌اش از این بود که حریق به زندگی نرگس هم سرایت کرده باشد. مبادا او را هم گرفته باشند. هیچ دلیلی وجود نداشت. مگر در آن دوران برای گرفتاری اشخاص قانونی وجود داشت؟ کسانی را که فقط کتابی خوانده بودند می‌گرفتند، نه فقط کتاب‌های مارکسیستی بلکه کتاب «جغرافیای گرسنگی» اثر خوزه دوکاسترو هم جزو کتابهای ضاله به شمار می‌رفت. فرود در خانهٔ نرگس هیچ سند و کاغذ و نوشته‌ای باقی نگذاشته بود که بودار باشد. اما کسی چه می‌داند؟ شاید یک جلد کتاب قرمز رنگ به نظرشان مظنون آمده او را هم دستگیر کرده باشند.

روز دوازدهم شنید که آقاجلال را به بیمارستان ارتش برده‌اند. پس از سه هفته او را به قزل‌قلعه آوردند. همین که مهندس عالی او را دیدهمه دیگر دانستند که داستان از چه قرار است.

پس از ۲۸ مرداد رهبران به فکر قیام مسلحانه افتادند. نارنجک ساختند، یک افسر را زخم و زیلی و کور کردند، بعد پشیمان شدند و تصمیم گرفتند نارنجک‌ها را نابود کنند. از کسانی که اتومبیل داشتند و یا در اختیارشان بود خواستند اتومبیل‌هایشان را برای حمل و نقل

نارنجک‌ها به خارج شهر در اختیار حزب بگذارند. یکی از آنها همین آقاجلال بود که باماشین اربابش نارنجک‌ها را به بیابانی برد و تحویل ناشناسی داد بدون اینکه خود بداند چه بار کرده و به‌کی تحویل داده است. از این جهت یک شب تا صبح او را زجر دادند و او نمی‌دانست چه چیز را باید بروز دهد.

وقتی فرود او را دید به اندازه‌ای از ریخت افتاده بود که فرود او را نشناخت. آقاجلال فوری او را به جا آورد:

«مرا نمی‌شناسی؟ صبر کن، چون علم شد سرنگون لشگر پریشان می‌شود...»

می‌خواست برخیزد و او را در آغوش کشد. آقاجلال نگذاشت:

«احتیاط کن، پشت و سینه‌ام پر از زخم است.»

از کارش، از زندگی‌اش و از نرگس پرسید.

آقاجلال از همه چیز حکایت‌ها کرد: زن گرفته، یک بچهٔ دوساله داره، آن خانه را تعمیر کرده، همه خرج آن را خودش نداده و غیره و غیره.

از نرگس چیزی نگفت.

«نرگس هنوز در خانه تست؟»

«آره.»

«خوب، بگو.»

«چه بگویم؟»

آقا جلال دیگر از هیچ‌کس، دل خوشی نداشت. آخر کی او را لو داده؟ حتی این جزئیات را هم بروز داده‌اند. به کی آدم اطمینان داشته باشد؟

فرود پرسید:

«حالا به من سوءظن داری؟»

«آخر یک وقتی ما همه باهم رفیق بودیم. حالا من نوکر اربابم هستم و تو لیسانسیه حقوق، دیگر چه چیز ما را به هم وصل می‌کند؟»

«آقا جلال بی‌ربط نگو. ما هردو زندانی هستیم و بندی.»

«در این صورت باید از هم احتیاط کنیم.»

«آخر تو می‌توانی به من بگویی در آن خانه‌ای که من زندگی می‌کردم چه اتفاق‌هائی رخ داده؟»

اما آقاجلال همه‌اش طفره می‌رفت. آنوقت فرودخود راقانع می‌کرد: راست است. وقتی چیزی ندارد چه بگوید؟

همین که چیزی برای گفتن نداشت مشتی بود که به دهان فرود کوفته می‌شد. مثل اینکه او را در آب یخ فرو کردند و لخت در هوای سرد معلقش ساختند. حتماً یک واقعه‌ای به زیان فرود رخ داده که آقا جلال میل ندارد دربارهٔ آن صحبت کند.

منتها برای این رنج‌های شخصی کسی حوصلهٔ کنجکاوی نداشت. بخصوص آن روز خبر مهمی در روزنامه‌ها و رادیو منتشر شد که همه را به وحشت انداخت. اواسط تیرماه **۱۳۳۶** بود که خبر آوردند خسرو پس از یک ساعت نبرد مسلحانه با مأموران تیرانداز تسلیم شده، گلوله‌ای به او اصابت کرده و از پا درآمده است. یکی از سرجوخه‌ها گفت:

«خسرو تان را هم گرفتیم.»

همان روز عصر یکی دو نفر که از محکمه برمی‌گشتند دیدند که مجرمی را روی تخت بیماران به زندان آوردند. هیچ‌کس حدس نمی‌زد

که خسرو باشد. او را در همان اطاق آشپزخانه سابق جا دادند. دیواری کشیدند که کسی او را نبیند. یکی دو ساعت بعد همه متوجه شدند که مجروح کسی جز خسرو نیست. بعد از انتشار اعلامیهٔ دادستانی ارتش دیگر همکاری رفیق تقوی مورد اطمینان «رهبری» مسلم شد. آنهائی که در سال و ماه‌های اخیر با او ارتباط داشتند آمدند تکه‌پارهٔ اطلاعاتی که داشتند پهلوی هم گذاشتند: خسرو قرار بود فقط با تقوی ملاقات داشته باشد. اگر این ملاقات‌ها صورت نمی‌گرفت خسرو نجات می‌یافت. شاید همان روزی که به قصد تلفن زدن از جلسه خارج شد همهٔ نقشه‌ها ریخته و همهٔ تصمیم‌ها گرفته شده بود. فرود شکی نداشت که تقوی از همان زمان باعث دستگیری شمارهٔ زیادی از فعالین و خسرو بوده است. دلیل دیگری سلطانی داشت. روزی می‌بایست ملاقات کند. اگر سر قرار حاضر نمی‌شد برای همیشه یکدیگر را گم می‌کردند. او نیامد، یعنی مسئلهٔ گیرافتادن او حل شده بود، مأمورین می‌دانستند کجا می‌توانند او را بیابند و دستگیر کنند.

این اطلاعات تمام شب و روز بعد مبادله می‌شدند. برگه‌ای هم فرود داشت. خبر گرفتاری او را همشهری او دو روز بعد از تقوی شنیده بود و تقوی از خانوادهٔ هشیار، اقلاً تقوی چنین ادعا می‌کرد. اما خانواده و خانهٔ هشیار همان روزها تحت نظر بودند. گروهبانی یک هفته آنجا شب و روز همراه چند مأمور کشیک می‌دادند که رفیقان و آشنایان هشیار را بشناسند و بگیرند. پس تقوی نمی‌توانست این اطلاع را از خانواده هشیار به دست آورده باشد. باقی می‌ماند خود فرمانداری نظامی یا سازمان امنیت.

تمام آن شب و روز این رویداد همه را سرگرم ساخته بود. یکبار که فرود چند دقیقه‌ای در این باره حرف زد یکی پرسید چرا اینقدر به این تقوی اهمیت می‌دهی؟ جواب ساده بود:

«این نامرد پس از گرفتاری آخرین افراد کمیته مرکزی عالیترین مقام حزبی بوده و همهٔ رشته‌ها از لای انگشتان او می‌گذشته است. چندی به عنوان اداره کنندهٔ حزب با «رهبران» فراری هم ارتباط داشته و نزدیک بوده است که آنها را هم فریب بدهد.»

فرود می‌خواست به زبان دیگر چنین وانمود کند که «رهبران» فقط ضعف به خرج ندادند بلکه علناً و بی‌شرمانه، بخصوص آنهائی که آخر از همه فرار کردند، گناهانی مرتکب شدند که کمتر از خیانت نمی‌تواند ارزیابی شود و این خطاکاری‌ها فقط با انتخاب تقوی در رأس حزب خاتمه نیافته بلکه با ملحق شدن شاخه‌هائی از خائنین در خارج کشور نیز ادامه پیدا کرده است.

در هرحال تقوی را نگرفتند و اگر او را چند ساعتی توقیف کردند کسی او را در زندان و در توقیفگاه ندید و در همان چند ساعت قرار و مدار خود را با مقامات دولتی گذاشت و «خدمتگذار» شد.

با این توضیح و تعیین نقش تقوی بحث دربارهٔ اینکه از کی نقش جاسوسی را به عهده گرفته پایان نیافت. پس از شکست ۲۸ مرداد و یا سالها پیش از آن؟ آیا همین یک نفر بوده؟ یا شبکه‌ای در تمام حزب داشته است؟ آیا شاخک‌های این شبکه حتی به «کمیتهٔ مرکزی» خارج ایران نیز رخنه کرده بود؟ آیا ترازوئی، که به روایتی به اقرار خودش با سرهنگ وجاهت ملاقات کرده و بعد به خارج گریخته است یکی از

شاخک‌های این شبکهٔ جاسوسی بوده است؟

این نتیجه گیری‌های کشنده‌ای بود که گرفته می‌شد. این همه تلفات، این همه فداکاری و قربانی، این همه گذشت و رنج و درد و عذاب و تحقیر و توهین که در اثر بی‌عرضگی چند نفر به هدر رفت.

گرفتاری خسرو در اثر خیانت یک آدم مفلوک مصیبتی بود که بر سر او هوار شد. حالا دیگر از اینجا رانده و از آنجا مانده شده بود. هیچ پناهگاهی نداشت. پناهگاه؟ هیچ خس و خاشاکی نبود که به آن بچسبد. تا به حال به خود می‌گفت: از گریختن چند نفر فراری دنیا کن‌فیکون نمی‌شود، از بدمستی یک عرق‌خور قرآن خدا بی‌ارزش نمی‌گردد، عالمی به هم نمی‌خورد. آرمان و آرزو بر پایه‌های استواری جا دارند. اما این بنا داشت متزلزل می‌شد. ویرانه‌ای باقی مانده بود. می‌ارزد که آدم عشق نرگس را فدای چنین وهمی کند؟ آخر این عشق هم می‌لرزید، می‌لغزید، گسسته می‌شد. چه چیز خواهد ماند؟ چه بکند؟ باز سر دوراهی وامانده بود. آیا عشق نرگس می‌تواند تکیه‌گاهی برای او باشد؟

زندگی بی‌مبارزه، تلاش و کوشش بیهوده، آن هم در زندان که آدم زندگی‌اش به لطف و اخم امثال ساغر وابسته بود چه امیدی می‌داد؟

باید آواری بر سرش فرود آید تا از نرگس هم دل برکند. بی‌اعتنائی آقاجلال به خواهش و تمنای او، که شمّه‌ای از رفتار و کردار و آمد و شد و خانه و خانوادهٔ نرگس به او بگوید، قطرهٔ زهری بود که حواس او را مختل می‌کرد اما هنوز به آن میزان نرسیده بود که او را بیهوش سازد و تسلیم مرگ کند.

تردید، نخستین قدم در راه زوال است. به محض اینکه ندائی شنید که

زندگی اجتماعی و سیاسی او پایان یافت و یا بـایـد زیـردسـت سـاغـر و
همدوش واروژ و علی پرستار و سلطانی و مهندس عالی جان داد و یا
کاملاً مسخ شد و بـه صـورت سـنگ درآمـد و اصـلاً دیـگـر دردی را
احساس نکرد، آنگاه شوق به زندگی در قلب و مغزش جان گرفت و خود
را به نرگس و عشق او چسباند. مگر پناهگاه دیگری هم وجود داشت. از
این مردمی که دور و بر او از هـمـه‌جا رانـده مـی‌پلکیدند، از بـهترین و
بدترینشان هیچ امیدی نبود. شکست خورده‌ها در فکر حشیشی بودند که
عواطف و شور و تلاش گذشتهٔ خود را با آن دود کنند و به هوا بفرستند.
برخی در فکر آینده خودشان بودند. بـالاخره تـهدید و تـطمیع بـی‌اثـر
نمی‌تواند باشد. چندتن را به محاکمه کشاندند، حبس قطعی بـرایشـان
می‌بریدند و راستی دو سه نـفر را پس از پایان دورهٔ مـحکومیت آزاد
کردند. واروژ را به اعدام محکوم کردند، پروندهٔ مهندس عالی روز به
روز کلفت‌تر می‌شد. خودش می‌خندید و می‌گفت: اعدام روی شاخم
است. مقدمات مرخصی اهرامی داشت فراهم می‌شد. حتماً پهلوی خود
گزمه‌ها خیال می‌کردند چه بهتر که در خارج زندان بمیرد... هرکس به فکر
خویش بود.

در این دوران فرود متوجه شد چقدر عشق مهیج است، مرده زنـده
می‌کند، هزاران‌بار این شعر حافظ را در ذهن خود تکرار کرد: هرگز نمیرد
آنکه دلش زنده شد به عشق. لبانش تکان مـی‌خورد و دیگـران تـصور
می‌کردند که دارد خل می‌شود و چیزی نمانده که به بیماران علی پرستار
بپیوندند. اما او لبخند می‌زد، لبخند تمسخر به آنهائی که درک نمی‌کردند
و نمی‌فهمیدند در درون او چه می‌گذرد. اکنون یقینش شده بود که زندگی

وابسته به وجود نرگس است. شوری در او زبانه کشید که تا به حال نمی‌شناخت. بار دیگر پشتگرمی یافت. انسانی هست که در گرداب بی‌کناره می‌شود به او دست دراز کرد، از او یاری طلبید تا غرق نشود. میان هستی و نیستی یک قدم بیشتر فاصله نبود. پس عشق و عاشقی اینست که به سر او می‌آید. همه چیز در وجود نرگس متمرکز می‌شد. نرگس امید، حیات، تلاش، و هیجان بود. با عطری که از تنش می‌تراوید خوشی را بو می‌کرد. با های دهنش زندگی پر می‌شد. اگر جاودانی واقعیت دارد در محبت‌های او پنهان است، در نوازش‌های او نهفته است، و عشوه‌اش شور برمی‌انگیخت.

همه‌اش به فکر و خیال او بود. با شبحی از تصویرش به خواب می‌رفت. با نوازش‌هایش از خواب بیدار می‌شد. در خواب بوسه‌های آتشین او را بر تن خود می‌چشید. در سر و صورتش تماس انگشتان مخملی او را احساس می‌کرد.

شکی نداشت که همیشه او را دوست داشته است. از زمان بچگی که مانند خواهر بزرگتر با او درمی‌افتاد، از زمانی که از او پشت‌دستی می‌خورد و اخم می‌کرد وقتی می‌گریست و این دختر او را دلداری می‌داد. شش هفت ساله که بود نرگس زیاد ماچش می‌کرد؛ به مدرسه که رفت دیگر قطع شد. یاد نخستین بوسه افتاد. چقدر ابله بوده این فرود پسربچه که به رمز مهربانی‌های او پی نمی‌برده. چقدر این دختر را اذیت کرده است؟ هردو یکدیگر را آزار داده‌اند. فرود: من سرگرمی‌های دیگری دارم، نمی‌توانم تمام هستی خودم را به تو ببخشم. این دختر محبوب دندان روی جگر می‌گذاشته، به روی خود نمی‌آورده، ناخوش

که می‌شد فقط و فقط پرستاری‌های صمیمانهٔ نرگس او را تندرستی می‌بخشید. تمام عوالم گذشته را به یاد می‌آورد.

شیرین‌ترین روزهای زندگیش همان چند روزی بود که فرود از نرگس پرستاری کرد. چه کامی از او گرفت. آیا عشق مغز و ریشه و هستهٔ زندگی نیست؟ آیا چیزی نازنین‌تر از دوستی و دوستی دو یار هم‌داستان هست؟...

خسته خوابش می‌برد. صبح او بود که با بوسه بیدارش می‌کرد و می‌نواختش. فرود خودش را به خواب می‌زد و چشم باز نمی‌کرد.

کسی که در این دوران بیش از همه به فرود که هر روز ناتوان‌تر و بی‌بنیه‌تر می‌گردید، می‌رسید آقاجلال بود. زخم‌های صورتش را باز کرده بودند و چهرهٔ آشنایش خاطرات گذشته را در خانهٔ نرگس جاندارتر می‌ساخت. اربابش که حالا وکیل مجلس شده بود و با زمامداران نوخاسته سر وسرّی داشت به او کمک کرد که پرونده‌اش را به جریان انداختند. برای سازمان امنیت هم مسلم شد که او بی‌اطلاع از وجود نارنجک‌ها بارها را جابجا کرده است. البته بی‌گناهی او دلیل رهائی او نشد. علت عمده گاوبندی‌هائی بود که در آن روزها سر فروش املاک اطراف ساوه و با یکی از سران سازمان امنیت سر می‌گرفت.

خلاصه پس از چندین ماه توقف در زندان آقاجلال را مرخص کردند. فرود در موقع خداحافظی از این رفیق قدیمی خواهش کرد که پیغامی به نرگس برساند.

آقاجلال من و من می‌کرد که دیگر کار سیاسی نخواهد کرد و

می‌ترسد و این آخرین بار است که چنین پیغامی را به نرگس می‌رساند. منتها روزهای آخر که ساعت وداع می‌رسید دست انداخت زیر بازوی فرود را گرفت و گفت:

«برادر، آنقدر پاپی نرگس نباش.»

«چطور مگه؟»

«چه می‌دونم؟ آخر یک دختر چطور می‌تونه چشم به راه مردی باشه که معلوم نیست از زندان درمیاد یا نه؟»

«آقا جلال، بالاغیرتاً اگه چیزی می‌دونی به من بگو.»

«برادر، من چه چیز می‌دونم؟ همین‌قدر دیده‌ام که گاهی فیروز پیش نرگس می‌یاد. از همان روزهایی که تو در بیمارستان ارتش بودی و روزی به دیدنت آمد پای او در آن خونه باز شد.»

فرود هیچ نگفت، آخر شب بود و ساعت سکوت، سربازان پشت اطاق‌ها قدم می‌زدند و کسی اجازهٔ صحبت نداشت. درها را بسته بودند و گاهی از روی صدای پای نگهبانان، که متوقف می‌شدند زندانیان می‌دانستند که دارند از سوراخ در به درون نگاه می‌کنند.

روز بعد موقع خداحافظی آقاجلال گفت:

«بیخود دیشب چیزی به تو گفتم، تمام شب خوابم نبرد.»

«شب هم پیش نرگس می‌ماند؟»

«نه، هرگز.»

«نمیخاد پیغام مرا به او برسانی.»

«چرا؟ ببین، من چیزی علیه او نگفتم.»

«قربون تو، برو خیالت راحت باشه.»

دیگر ضربتی از این شدیدتر نبود. پس از صبحانه معمولاً به کارهائی که به آنها محول می‌شد می‌پرداختند. اما فرود بنیه نداشت. راستی زورش نمی‌رسید. اواخر ماه آبان بود. هوا داشت سرد می‌شد. کله قند سفید کوه البرز بزرگتر می‌شد. فرود در حیاط رو به آفتاب نشست و زانو بغل کرد. جای علی پرستار خالی بود که به او برسد. همه حدس زدند آقاجلال رفته و دلش گرفته است. کاری به او نداشتند آن روز علی پرستار هم نبود. معلوم شد که پرونده خوانی و محاکمه در سازمان امنیت به جریان افتاده. یکی مرخص می‌شود، یکی را محکوم می‌کنند و دیگری را اعدام. دو هفته بعد همه دانستند که علی پرستار را تیرباران کرده‌اند. نمی‌خواست بگذارد چشمهاش را ببندند اما به میل او نبود.

برای فرود هم روزهای عشقبازی با خیال نرگس پایان یافت. مسئله‌ای که هربار در مواقع بحرانی جگر او را می‌خورد پیش رویش قرار گرفت. چه باید کرد؟ قطع رابطه؟ مگر دست خودش است؟ اگر از دلش برمی‌آمد که روزگارش این نبود. علیل و مردنی نمی‌شد، تیر نمی‌خورد، عاشق نمی‌شد، حالا وکیل دادگستری بود یا قاضی در شهری دورافتاده. می‌خورد و می‌خوابید، زن می‌گرفت، بچه درست می‌کرد و تمول به هم می‌زد، زمین و ملک و خانه می‌خرید و هرجوری بود می‌پلکید.

حالا چه کاره است؟ علی پرستار را کشتند، فردا معلوم نیست با دیگران چه می‌کنند. هستی و نیستی‌اش بسته به الطاف ساغر است. پیرمرد بیمار می‌رود پای تلویزیون و رادیو می‌گوید: «اگر مورد عفو قرار بگیرم... دیگر لقمهٔ جاسوسی و خیانت...» افکار و خیالات و نتیجه‌گیری‌ها و

حدس‌ها و دروغگوئی‌ها و دیوانه‌بازی‌ها و جنون‌ها دور سرش وول می‌خوردند، دیدش را تیره می‌کردند، آن وقت سرش گیج می‌خورد، به زمین می‌نشست و قیافهٔ مسخ شدهٔ یاران دیروز با دندان‌های نوک‌تیز از لب بالا بیرون جهیده، چشم‌های ورقلنبیده و بدن‌های لخت پشمالو و خونین از هرسو به او هجوم می‌آوردند وگلوی او را می‌فشردند تا آنجا که نفس او بند می‌آمد و حالت خفقان به او دست می‌داد. شیهه می‌کشید دست و پا می‌زد. جنازه‌اش را به بهداری می‌بردن و به حالش می‌آوردند. همین که به‌هوش می‌آمد برایش واضح بود که واهمه دارد او را به جنون می‌کشاند.

در سه مرحله این حالت به او دست داد. دید اختیار از دستش دارد در می‌رود. خشم بر او غلبه کرد و پرخاش او بر زبونی‌اش شدت یافت و کوشید با آن بستیزد. «این رشته را باید برید.» آنگاه استدلال و تفکر به راه دیگر می‌رفت. «محض خاطر یک زن؟ زنی را که تو هرگز دوستش نداشته‌ای؟» اصلاً عاشقش نبوده‌ای؟ زنی که با تو بازی کرده، دستت انداخته، حالا دارد ترا دیوانه می‌کند. از کجا معلوم است که ترا دوست داشته؟ اگر چنین بود که به ملا فیروز بند نمی‌کرد. ملا فیروز او را دک کند و با ملافیروز بسازد. لاق گیسش. اگر شایسته بود که شوهر دیگری، بهتری گیرش می‌افتاد. توی همهٔ این دانشجویان و پزشکان یک نفر را پیدا نکرد که با او همخوابه شود. آره اصل مسئله همخوابگی است. عشق چه معنائی دارد؟ باید قطع کرد. چه چیز را قطع کند؟ الآن میان آنها رشته‌ای نیست که قطع کند، نرگس را که نمی‌بیند!»

روزها و شبها پر از تشویش گذراند. تصمیم گرفت به او نامه‌ای

بنویسد. به کی بنویسد؟ به نرگس؟ چه بنویسد؟ بهتر است که بـه فیروز بنویسد. دنبالهٔ سخن هفتهٔ عروسی را بگیرد. اقرار کند که گفتگوی آن روز جنبهٔ مصلحتی داشته و واقعیت جور دیگری بوده و آن صحبت‌های در آن مهمانخانه را ندیده و نشنیده بگیرد و فـرامـوش کـند. او در زنـدان ماندنی خواهد بود. اگر تصمیم به ازدواج با نرگس دارد مبارک بـاشد. زودتر دست به کار شود. خوشبختی آنها برای او شادی فراهم می‌آورد، و فرود در زندان نیاز فراوان به دلخوشی دارد.

نه، از این لحن خوشش نیامد، به نرگس می‌نویسد: چرا چندین سال پی در پی او را آلت هوی و هوس خود ساخته؟ نه، این هم خوب نیست، نرگس باهوش‌تر از آن است که کوفتگی و سرگشتگی او را از این لحن پرخاشگر درنیابد. تا آنجا که فرود این دختر را مـی‌شناسد هـمین نـامه موجب می‌شود که اگر صحبتی از زناشوئی آنها در کار است با این چند کلمه نقش بر آب شود.

مگر مقصود همین نبوده است؟

بازهم این پرسش به صورت‌های گوناگون تکرار شد. بالاخره عاشق این زن هست یا نیست؟

۱۸

اما تمام این خیالبافی‌ها با چند کلمهٔ دوستانهٔ ساغر بخار شد و به هوا رفت، عالم دیگری بروی او گشوده شد. بازهم امید به او رخ نشان داد. تمام زندگی او همین بود: بیم و امید، پیروزی و شکست، فراغ و وصلت، شیرینی گذرا و تلخی همیشگی. به محاکمه بردن زندانیان برای فرود هم شورانگیز بود. چه کسانی را آزاد می‌کردند؟ آنهائی راکه در خارج پشت و پناهی داشتند. کلام آخر پدرش این بود... من هرچه از دستم برمی آید کرده‌ام... آیا کسی نیست که بتواند به او کمکی بکند؟ اصلاً به فکر امام جمعه نبود.

ساغر به او اطلاع داد که فردا صبح او را بازپرس احضار کرده است.

همین چند کلمه او را زیر و رو کرد.

وقتی سازمان امنیت و یا فرمانداری نظامی کسی را احضار مـی‌کرد معمولاً همان دمی که او راگسیل می‌داشتند از قضیه باخبرش می‌کردند. امّا ساغر ویرش گرفت که فرود را قبل از ساعت سکوت و خواب مطلع کند. این مژده که ممکن بود روزنه‌ای به سوی آزادی باشد چنان او را به هیجان انداخت که پس از ماهها شبی راحت تا صبح خوابید. قشـری از

رخوت چنان او را منگ کرد که خیالات واهی نتوانست در مخیلهٔ او رخنه کند.

پس از هفده ماه گرفتاری او را بردند برای بازپرسی. سرهنگی به کار او رسیدگی می‌کرد. می‌گفتند معمولاً آدم نرم و ملایمی بود اما فرود نفهمید چرا با او بد تا کرد. البته بی‌تربیتی و فحاشی در کار نبود. بهانه می‌گرفت. معمولاً چند متهم را در اطاق می‌خواست و یکی یکی از آنها بازپرسی می‌کرد. نوبت به فرود که رسید آنهای دیگر را بیرون کرد. برخوردش با او بسیار خصمانه بود. سؤالهای پرت و پلا می‌کرد، بهانه می‌گرفت. ادا درمی‌آورد. مثل اینکه اختیار در دست اوست که متهمی را با قرار منع تعقیب مرخص کند. عاقبت کار معلوم بود. قرار تعقیب و بعد ادعانامه.

سرهنگ در قرار تعقیب تا دلش می‌خواست جرم تراشید. گوئی خودش هم باور کرده بود که فرود هم یکی از سران حزب است، انگار فرود مسبب تمام جرمها و خیانت‌هائی است که به حزب نسبت داده‌اند. هرچه فکر کرد نفهمید که دلیل نامهربانی این آقا، که معمولاً او را مرد منصفی می‌دانستند، چیست. از همه بدتر بداخمی‌هایش بود.

طولی نکشید که فرود و هم پرونده‌هایش را به دادگاه بردند. اللهبختی سروانی را که سابقاً یک کاره‌ای در دادگاه‌های نظامی بود و حالا بازنشسته شده بود، وکیل خودش کرد، یعنی می‌بایست وکیل کند. بیچاره از حقوق بازنشستگی اموراتش نمی‌گذشت و مجبور بود از این راه پول و پله‌ای به دست بیاورد. این جناب سروان یک روز آمد به ملاقات فرود و چند متهم دیگر. اینها تصور می‌کردند حالا پرونده‌خوانی می‌شود و باید

طرز دفاع خود را با او به میان بگذارند و آخرین دفاع خود را آماده کنند. نه، از این صحبت‌ها در کار نبود. جناب سروان بازنشسته بلبلی می‌خواند:

«شما به دفاع کاری نداشته باشید. این جور حرفها در دادگاه نظامی بیخودی است، یک پول نمی‌ارزد، من کارها را در خارج درست کرده‌ام. شما کاری به این کارها نداشته باشید.»

از روی پولی که از خانواده‌ها می‌گرفت می‌شد حدس زد که هرکدام به چند سال محکوم می‌شوند.

محکومیت فرود از روی مبلغی که مادر تعهد کرده بود متوسط بود.

دادگاه نظامی دالانی بود نیمه تاریک با پنجره‌هائی که رو به دیوار بلندی باز می‌شد. بعدازظهر بود و دالان تاریک بود. فانوسی به سقف آویزان بود که در آن یک چراغ برق کار گذاشته بودند. رو به شرق سه اطاق بود با درهای بسته. در هریک از درگاه‌ها یک سرباز تفنگ به دست ایستاده بود. از یکی از اطاق‌ها صدای چند زن و مرد می‌آمد. همه باهم داد می‌زدند و جیغ می‌کشیدند. فرود به نظرش آمد صدای حاجیه خانم را می‌شنود. بعد صدای تحکم‌آمیز مردی در سنین بالا شنیده شد.

«چه خبرتان است؟ ما کسی را محکوم نکرده‌ایم. اینها متهم هستند. متهم که محکوم نیست... متهم به خیانت...»

از توی اطاق صدای حاجیه خانم شنیده شد. گوئی یک حزبی دارد نطق می‌کند. میتینگ می‌داد: «پسرم تا وقتی زیردست ما بود سالم و سر به‌زیر بود. شماها او را اینجوری کردید. خودتان از آنها بدترید. حالا ورق به سود شما برگشته، شماها بالا نشسته‌اید آنها زیردست شما...»

بقیه‌اش را فرود نشنید. در اطاق آخری دالان را باز کردند و زندانیان

را به دادگاه بردند. رئیس محکمه با صورتی برافروخته وارد شد. سروان وکیل مدافع فرود را به او نشان داد. پهلوی خودش خیال کرد که لابد حالا او را به اشد مجازات محکوم می‌کنند. اما سروان درست گفته بود. حبس هرکس را قبلاً تعیین کرده بودند. دفاع مادران و خواهران و کسان و خودشان هیچ تأثیری نداشت. آن وقت فرود پی برد چرا سرهنگ بازپرس به او تاخته است. مادرش حتماً به او حرف‌های کلفت زده و می‌خواسته است دق دلیش را سر او درآورد. از قرار معلوم از همین حرف‌ها که الآن تحویل رئیس محکمه داد به بازپرس هم زده است، فرود خنده‌اش گرفت. چه بهتر که با نطقی در دفاع از خودش روی دست مادرش بلند شود. آخر فایده‌اش چیست. مقدار مجازات قبلاً معین شده است.

نطق دفاعی او از چند جمله تجاوز نکرد تقریباً چیزی به این مضمون: «بیخودی ما را حبس کرده‌اید. ما چه گناهی کرده‌ایم؟ اعضای دست دوم و سوم بوده‌ایم. رهبران همه گریخته‌اند. پس ما را ول کنید به زندگی‌مان برسیم.»

از همه بهتر و خوشمزه‌تر دفاع سلطانی بود. داستان نوازندگان در حضور شاه را که روزی خوب ساز زدند نقل کرد. شاه دستور داد به هریک از آنها به‌گنجایش آلت‌های موسیقی‌شان اشرفی بدهند. به قره‌نی زن یک اشرفی رسید و به طبّال چند صد سکه. روز دیگر شاه از سازشان خوشش نیامد. فرمان داد آلت موسیقی هرکدام را تو هرچه نابدترشان فرو کنند. خوب، فکرش را بکنید چه به سر قره‌نی‌زن آمد در حالی که طبّال صحیح و سالم جان به در برد.

به همه پرونده‌هایش یک سال و نیم دادند. به فرود همان‌قدر، یعنی تقریباً همان‌قدر که از روز تیرخوردن در بیمارستان و در زندان گذرانده بود به برخی دو سال و سه سال بیشتر و کمتر.

این حکم مثل توپ در زندان صدا کرد. در همان دادگاه ناگهان قیافه‌ها عوض شد. به همهٔ کسانی که یک سال و نیم گرفته بودند بدگمان شدند. می‌گفتند فقط ۱۸ ماه؟ کسانی که با فرود خوب بودند چنین تـفسیر می‌کردند: بخت یارت شد که یا فلان‌کس هم جرم شـدی. او را، چـون دیگران را لو داده یک سال و نیم دادند، به تو نمی‌توانستند بیشتر بدهند. این بگومگوها دو سه روز بیشتر طول کشید. از این حرف‌ها همیشه در زندان بود. پس از مدتی آبها از آسیابها می‌افتاد.

این قضاوت فرود را از زمین به آسمان بـرد و از آسـمان بـه زمـین انداخت. باز زندگی در برابر چشم‌های او جلوه‌گر شد: آزاد می‌شود، تا چند هفتهٔ دیگر درهای زندان را به روی او می‌گشایند.

خوب بعدش چه؟ حالا آمدیم چند روزی در محیط خانواده به سر برد، بعد چه؟ چه کند؟ به کجا رود؟

به یاد نرگس افتاد، فوری با دست رد کرد. اسمی از او نباید برد. آن فرود مرد، آن نرگس دیگر وجود ندارد. نمی‌گذارد باش بازی کنند. اکنون خود را میان زمین و آسمان می‌دید. معلق بود، هی فرو می‌افتاد اما پایش به تکیه‌گاهی نمی‌رسید. با خیال کار او فیصله نمی‌یافت.

زندگی را از نو باید شروع کرد، با تلاشی دیگر، با هدفی دیگـر، یـا عشقی نو.

اما با محکومیت کارها تمام نشده بود. ساغر پیغام می‌آورد از رئیس

محکمه، از بازپرس و از همه کس: اگر از خل‌بازی‌هاش دست برندارد ولش نمی‌کنند. اگر فلان کس را آزاد کرده‌اند برای این است که زن و بچه دارد. به نظر سازمان امنیت یک سال ونیم کفایت نمی‌کند، آنها اصرار دارند فرود را بیشتر در زندان نگه دارند. رئیس دادگاه توسط ساغر تهدید می‌کرد خیال نکنند که آنها اعتنایی به توصیهٔ امام جمعهٔ شهرشان دارند. از آیةالله و حجت‌الاسلام هراسی ندارند. یک هفته، دو هفته، سه هفته گذشت. عاقبت محکمهٔ تجدیدنظر تشکیل شد. اکثریت رأی محکمهٔ بدوی را تأیید کرد.

اما هیجده ماه تمام شد و فرود را مرخص نکردند، هم پرونده‌هایش را هم مرخص نکردند. خبر آوردند که رأی دادگاه به فرجام رفته. خوشبختانه خانواده‌ها آنجا کس و کار داشتند و وکیلان مزد بگیری بودند که آنها را به جریان می‌انداختند. راستی هم دوندگی خانواده‌ها و کاغذنویسی حاجی آقا به آخوندهای تهران باعث شد که دیوان عالی کشور همان رأی دادگاه تجدیدنظر را ابرام کرد.

در بهار سال ۱۳۳۷ فرود از زندان آزاد شد. چه آزادی!

دم در زندان ایستاده بود، هیچ‌کس آنجا نبود، هیچ‌کس نمی‌دانست که اصلاً فرودی در این جهان وجود دارد. مردم تک تک می آمدند و می‌رفتند. درخت‌ها تازه جوانه کرده بودند. زمین بوی خاصی می‌داد، بوئی که نه در زندان زرهی و نه در قزل‌قلعه به مشامش رسیده بود. چطور می‌شود که یک نفر آشنا پیدا نمی‌کند. کشور آرام بود. پاسبانی که جلوی در زندان کشیک داشت به کبوتری دانه می‌داد، آمد پیش فرود ازش پرسید:

«چند وقت ماندی؟»

از سر و وضعش فهمید که دزد مزد نیست اما سیاسی هم به نظر نمی‌آمد.

«نمی‌دانم، یکی دو سال بیشتر یا کمتر.»

«پس ضد امنیّتی بوده‌ای.»

«ضد امنیّتی چیه؟»

«یعنی سیاسی بوده‌ای. آخر ما دیگر زندانی سیاسی نداریم. اگر کسی را نداری صبر کن، حالا خیلی‌ها می‌آیند.

فرود گفت: «نه خودم می‌روم.»

خنده‌اش گرفت و به راه افتاد. پس از چند ساعت خود را در کوی نرگس دید، برگشت و شب را در مسافرخانه‌ای گذراند.

دو سه روز سرگردان بود. جرأت نمی‌کرد به خانهٔ نرگس برود. آقاجلال در شهر نبود. بازهم پیش ارباب سابقش که او را از زندان رهائی بخشیده بود، رانندگی می‌کرد. یکی دو مرتبه تا خانهٔ نرگس رفت تا آقا جلال را پیدا کند، او را نیافت. هنگامی به آن کوی می‌رفت که تصور می‌کرد نرگس در بیمارستان است. اگر اتفاقاً کسی از رفیقان گذشته را در کوچه و خیابان می‌دید از او رو برمی‌گرداند؛ یا به جهت اینکه «نفرین‌نامه»شان در روزنامه‌ها منتشر شده بود خجالت می‌کشیدند و یا از ترس اینکه در نتیجهٔ ملاقات با یک زندانی مغضوب گرفتار شوند و زندگی‌شان مختل گردد. فرود مردّد بود، نمی‌دانست به کجا برود. از همه بهتر این بود که به ولایت برگردد، اما قبلاً می‌خواست دلش از نرگس قرص باشد.

از همشهریهایش سراغ فیروز را گرفت. اطلاع یافت که او در مدرسه‌ای نه چندان دور از میدان تجریش ناظم است. همانجا هم خانه‌ای اجاره کرده و زندگی می‌کند. به فکرش رسید که ملاقات با او نه فقط وسیله‌ایست برای جستجوی جال و روحیهٔ نرگس و قصد و تمایلش بلکه هم دینی است که باید ادا شود، در قبال شجاعتی که ابراز داشته و در آن روزهای سخت جان خود را به خطر انداخته و به دیدن او آمده است.

فرود دوست دیرینش را، که زمانی به سختی آزرده بود، در مدرسهٔ تجریش پیدا کرد. باهم قرار گذاشتند یکدیگر را شب در خانهٔ فیروز ببینند.

پذیرائی در خانهٔ فیروز بسیار گرم و دوستانه بود. در باغچه‌ای با دو اطاق مستأجر باغبانی شده بود. بهار جلوه می‌فروخت. هوا نه سرد بود و نه گرم. نم خفیفی برگهای شمشاد را طراوت می‌بخشید. یک باریکه آب از نهرکی به حوض می‌ریخت و از آنجا به خانهٔ همسایه می‌گذشت. چلچله‌ها زیر طاقی در غوغایی راه انداخته بودند و از این سو به آن سو می‌پریدند و به منقارهای زردرنگ جوجه‌هایشان خوردنی می‌چپاندند. فرود خود را غرق در شگفتی صلح و صفائی احساس می‌کرد که سالها از آن محروم مانده بود. فیروز دستش را انداخت زیر بازوی او و به درون خانه بردش.

اثاثیهٔ هردو اطاق با سلیقه و مدرن بود. در اطاق کوچکی میز تحریر کوچکی پر از کتاب و دفترهای شاگردان مدرسه و عکسی از نرگس به چشم می‌خورد. به نظرش آمد این همان عکسی است که باهم پس از خوشگذرانی درعکاسی جوان برداشته بودند و فیروز ظاهراً نیمی از آنرا چیده و فقط عکس نرگس را در قاب قهوه‌ای رنگی جا داده بود. در

گوشهٔ اطاق مجاور تختی بود با یک روپوش عنابی رنگ. فیروز روی آن می‌خوابید و میزی با چند صندلی که روی آن سفرهٔ سفیدی پهن کرده بود با نان و پنیر و کره و ماست و خیار تازه و ترخون و چاقاله و یک بطری عرق و چند گیلاس.

«خانهٔ قشنگی درست کرده‌ای. می‌خواهی در شمیران بمانی؟»

«نه، از خودم اگر بپرسی دلم می‌خواهد به ولایت برگردم اما دست خودم که نیست چه می‌خواهی برایت تهیه کنم؟ اول یک پیاله چای، بعد شام بخوریم. غذای گرم نمی‌توانم درست کنم. ظهرها در رستوران ناهار می‌خورم و یا با کباب بازاری و نان سنگک می‌سازم. شام هم با حاضری برگزار می‌کنم.»

فیروز در حیاط سماور آتش کرده بود. دودکش آنرا برمی‌داشت و به درون سماور فوت می‌کرد. جرقه‌ها از آتشدان در تاریک روشن می‌درخشیدند. فرود در اطاق اول ایستاده بود و به تصویر نرگس نگاه می‌کرد. یک آن به نظرش آمد که دیگر ماندن در این خانه و در این شهر اتلاف وقت است. بهتر است که از اینجا یکراست به ولایت برود. اما یادش آمد که روزی بی‌اراده این آدم خوش‌قلب را آزرده و دلش را شکسته است. صلاح دید اصلاً به روی خودش نیاورد و چنان وانمود کند که می‌خواهد تلافی لطف و محبت و جرأت او را درآورد.

فیروز با یک سینی چای و قند و آب لیمو برگشت و آنرا روی میز تحریر کنار دفترها گذاشت.

«چرا نمی‌نشینی؟ حالت چطور است؟ هنوز هم ناراحتی داری؟»

فیروز همه‌اش حرف می‌زد و منتظر نمی‌شد جوابی از فرود بشنود و

همین عادت همیشگی دوست دیرینش دلخواه او بود. چه داشت بگوید، تکرار مکرر است. فیروز چون از سکوت دوستش می‌هراسید به گفتگوهای خود ادامه می‌داد، به خصوص که فرود چشم از عکس نرگس برنمی‌داشت.

«زندگی من اینجا موقتی است. کمی صرفه‌جوئی کرده‌ام. در ولایت هم از خانهٔ پدری چیزی به من رسیده. می‌خواهم آنرا بفروشم و خانه و اثاثیه‌ای که به زندگی امروزی بخورد تهیه کنم. با این رادیوی کوچک امر آدم برگزار نمی‌شود. می‌خواهم تلویزیون بخرم، یخچال هم لازم است. امروز نمی‌توان بی‌این چیزها زندگی راگذراند.»

«پس کی عروسی می‌کنید؟»

«هنوز معلوم نیست. قبل از گفتگوهای پرونده خوانی و بازپرسی و محاکمهٔ تو داشت عروسی سر می‌گرفت. اما آقا معلم توصیه کرد کمی صبر کنیم بلکه تو هم مرخص بشوی، حالا گمان نمی‌کنم اشکالی داشته باشد. اما خوب، خود نرگس و آقا معلم باید تصمیم بگیرند. از همه بهتر این است حالا که آمده‌ای این کار را هرچه زودتر فیصله بدهی.»

«من؟»

«کی از تو بهتر؟ هم دوست قدیمی من هستی و هم با نرگس آشنائی. راستی باید بگویم که من از تو باید معذرت بخواهم. صحبت آن روز در مهمانخانه را من اصلاً فراموش کردم. تو دروغ مصلحت آمیزی گفتی. می‌دانستم که هرگز علاقه‌ای به نرگس نداشتی. شاید برعکس صحیح باشد. عقیدهٔ من این است که امشب دیر شده فردا شب در شهر جائی همدیگر را پیدا می‌کنیم و باهم به دیدن نرگس می‌رویم، یا می‌خواهی خودت تنها

بروی و موضوع را حل کنی.»

«نه، نه، این کار من نیست.»

«حتماً باید تو دخالت کنی. دیگر بیش از این نمی‌خواهم انتظار بکشم.»

سر شام رفتند. با مزهٔ ماست و خیار و نان تافتون شمیران عرق خوردند. سرشان گرم شد و از همه دری سخن رفت جز آنچه جان فرود را آتش می‌زد. در حال مستی شروع کرد به هق هق گریه کردن. فیروز هم در زار زار گریستن شرکت کرد و عاقبت هر دو دست به گردن یکدیگر انداختند و به حیاط رفتند و روی زمین نمناک افتادند و شرشر آب را گوش دادند و چشم به ستاره‌های آسمان کبود رنگ دوختند و آرام شدند.

شب را فرود در خانهٔ فیروز گذراند. با یک لحاف و دوشک روی زمین دراز کشید و صبح که از خواب بیدار شد دید که فیروز لباس پوشیده، صبحانه را آماده کرده می‌خواهد منزل را ترک کند.

فرود دلش صاف شده بود. از او هیچ دلخوری نداشت. به نظرش آمد که داستان عشق او افسانه‌ای بیش نبوده و گذشته است. داشت تصمیم می‌گرفت فوری از همانجا به ولایت برود. از دیدار نرگس چشم بپوشد و تهران را ترک کند. یادش آمد که در حال مستی به او قول داده بود بعدازظهر همدیگر را ملاقات کنند و باهم به دیدن نرگس بروند. به وعده‌اش وفا کرد و همان روز عصر دو دوست در چهار راه نادری، نزدیک ایستگاه اتوبوس‌های شمیران بهم رسیدند. ساعت پنج بعدازظهر بود. نرگس معمولاً ساعت شش بعدازظهر و گاهی دیرتر به خانه می‌آمد. قرار بود با تاکسی به خانه نرگس بروند. بنا به پیشنهاد فیروز پیاده رفتند. در راه فرود حس کرد که رفیقش چیزی می‌خواهد بگوید. هیچ شتاب

نداشت که زودتر به خانه برسد، مثل اینکه نمی‌خواست سر ساعت شش آنجا باشد.

در راه فیروز نمی‌توانست خاموشی گزیند. بی‌اختیار و یریز حرف می‌زد. از آقا معلم که دیگر پیر شده و آخرین یک شاهی که عایدش می‌شود کتاب می‌خرد، حرص برش داشته، و برحسب عادت شب‌ها را با حاجی آقا به سر می‌برد. اگر او بیمار باشد در اطاق کتابخانه هستند و تا نیمهٔ شب با هم گپ می‌زنند و حالا حاجی آقا دل به بدری بسته و در وجود او سایه‌ای از فرود می‌بیند. از حاجیه‌خانم صحبت کرد، و منیره که دارای دو فرزند شده و از شوهرش که روز به روز تمول بیشتری به هم زده و بعید نیست به زودی وکیل شود. همه جا بند و بست دارد.

فرود می‌شنید و نمی‌شنید. او حواسش جای دیگر بود و تعجب می‌کرد چرا فیروز در راه‌پیمائی آنقدر کند است و هیچ شتاب ندارد که زودتر سر وقت به خانه برسد. حوصله‌اش سر رفت:

«مگر نمی‌خواهی تا ساعت شش برسیم؟»

«چرا می‌خواهم امّا...»

«اگر صلاح نیست من می‌آیم.»

«نه، برعکس، می‌دانی، برای جلوگیری از غش و حمله نباید تحریک شود. هر زمان که به او هیجانی دست می‌دهد باز همان آش است و همان کاسه...»

«پس من رفتم....»

راستی هم می‌خواست یکراست به گاراژ برود و هرچه زودتر برای سفر آماده شود.

پس هنوز این بیماری هست. چه خاطراتی این غش و ضعف زنده می‌کرد؟ بهترین روزهای زندگی او بود. آن روزها را گرفتاری، غم و غصه، ترس و واهمه، شکست و تحقیر احاطه کرده بـودند. چند روز خوش‌گذرانی میان اقیانوسی پر از امواج تاریک و بلعنده. یک آن فرود چشم‌هایش را بست و سرش را تکان داد.

این خاطرات باید از مخیله‌اش زدوده شود. نه، بگذار برود.

فیروز آستینش را گرفت:

«چرا آنقدر عجله می‌کنی؟ مدتی است منتظر مرخصی تـو است. از خدا می‌خواهد که ترا ببیند. امروز سعی کردم آزادی تو را به او با تلفن خبر دهم. چندین مرتبه به او تلفن زدم پیدایش نکردم. حالا مـی‌ترسم غافلگیر شود. بهتر این است که تو چند دقیقه دم در بمانی تا من بروم و کم کم حالیش کنم.»

«این که چیزی نیست. پس چرا زودتر نمی‌گفتی؟»

«روم نمی‌شد.»

بعد، از بیماری نرگس صحبت شد. فیروز دیگر خودش یک پا دکتر شده بود. می‌دانست وقتی این حالت به او دست می‌دهد باید دراز بکشد سرش را روی زمین بگذارد، پائین تر از دوشک و یا بالش، و برعکس پاهایش بالاتر قرار گیرند، هوای تازه استنشاق کند، دکمه‌های لباسش باز بماند، به تنش آب سرکه مالیده شود. وقتی در حال بیهوشی است هرگز آب و یا آبکی نخورد والاّ ممکن است مایع وارد ریه شود و اگر بیهوشی طول کشید باید حتماً پزشک بیاید و تزریق کند. اگر علت غش و ضعف فشار خون زیادی باشد باید در غذا خوردن امساک کند....

فیروز می‌خواست در این مبحث همچنان به سخن خود ادامه دهد اما فرود حرف توی حرف آورد و او را از تطویل کلام بازداشت. نزدیک به خانهٔ نرگس رسیده بودند. سر خیابان نطنز ایستاد و به تماشای دکانها و مغازه‌ها پرداخت و فیروز را روانه کرد.

هرگز باور نمی‌کرد دیدار نرگس پس از رهائی از زندان بدین نحو باشد. همیشه تصورش این بود که معشوقه با مادرش دم در زندان به پیشواز او می‌آیند و او را به خانهٔ آقای ترشیزی می‌برند و او بی‌آنکه مجبور شود شرم و حیا کند اول حاجیه خانم را می‌بوسد و سپس نرگس را در آغوش می‌گیرد و به اصرار و ابرام او هر سه یکراست به ولایت می‌روند و روز از نو و روزی از نو آغاز می‌شود. فرود در دادگستری شهرشان کاری می‌گیرد و حقوقی دریافت می‌کند و همیشه نرگس یار و یاور اوست. او یقین داشت که در این زندگی نو پدرش و آقای پایدار زیر بازوی او را می‌گیرند و او فرصت پیدا می‌کند زخم پهلویش را مداوا کند و گذشته را به کلی از یاد ببرد و با استفاده از تجربه‌های اندوخته سود ببرد و زندگی اجتماعی نوینی طبق مقتضیات زمان پیش گیرد.

زمینهٔ همهٔ این تصورات و توهمات عشق نرگس بود که در سایهٔ آن همیشه کامیابی نصیبش می‌شد.

در ضمن سیر و سیاحت در خیابان نطنز جلوی مغازهٔ گل‌فروشی ایستاده بود و به گل‌های سرخ زیبائی که در گلخانه نشو و نما یافته بودند و قریب دو سال در زندان و دربدری نظیرش را ندیده بود، می‌نگریست. دلش می‌خواست چندتا از زیباترین گل‌ها را بخرد و با آنها پیش نرگس برود. ناگهان عالم واقعی او را کرخت کرد. مبهوت شد. دید چند تومان

بیشتر در جیب ندارد و اگر سلطانی چند تومان به او نمی‌داد نمی‌توانست از قزل‌قلعه خود را به شهر برساند. واقعیت خیلی بی‌رحم بود.

در همین عوالم فیروز دست انداخت زیر بازوی او و همراه با یکدیگر به سوی کوچه‌ای که ته آن خانهٔ نرگس بود سرازیر شدند. فرود از دوستش پرسید:

«من فردا می‌خواهم بروم ولایت. می‌توانی کمی پول به مـن قـرض بدهی.»

«فکرش را نکن. حالا چند روزی پیش ما بمان. شاید اگر کـار مـن فیصله یابد همه با هم به ولایت برویم.»

ته کـوچه بـا دیـوارهـای کـاه‌گـلی، هـمان‌جـا کـه روزی اسب‌هـا و درشکه‌های ارباب آقاجلال از آن عبور می‌کردند، نرگس در آستانهٔ در ایستاده بود، با زلف‌های پریشان، با هـمان لبـاسی کـه مـی‌پوشید و بـه بیمارستان می‌رفت. این زن که آنقدر به خود می‌رسید و ساعت‌ها برای عیش و خوشی می‌توانست خود را آرایش دهد و دل ببرد و طنازی کند از فرط ذوق فراموش کرده بود دستی به سر و صورت خودش ببرد. دندان روی لب گذارده بود و از همهٔ نیروهای خود یاری می‌طلبید که وانزند. وقتی چند قدم فاصله میان آنها باقی ماند طاقت نیاورد. دستش را دراز کرد و گفت:

«قربانت بروم، دو روز است از زندان بیرون آمده‌ای و امروز پیش من می‌آیی؟ رحم نداری؟»

فرود ماتش برده بود. نمی‌دانست چه واکنشی نشان بدهد. رو برگرداند

ببیند که فیروز چه می‌کند و چه می‌گوید و چه قیافه‌ای نشان می‌دهد. اما فیروز نبود. آنی به نظرش آمد توطئه‌ای در کار است. در این بازی هر دو شریک‌اند. فیروز به این قصد که آنها را چند لحظه‌ای تنها گذارد تا «کار او را فیصله دهند» و نرگس به این نیّت که در لحظهٔ نخست دیدار فرود را از خود مأیوس نکند، مبادا بلائی سر خود بیاورد. اما این توهمی بیش نبود. نرگس دستش را گرفت و کشید برد به اطاق و به او گفت:

«فیروز را فرستادم چیز میزی برایمان بخرد. نترس الان برمی‌گردد.»

این نخستین‌بار بود که اسم فیروز را بدون لقب «ملا» بر زبان می‌آورد.

این نرگس بود، زنی که در شوم‌ترین ساعات زندگی مایهٔ امید و نشاط او به شمار می‌رفت، زنی که او را چزانده و باز شفا داده بود. این همان نرگسی بود که با عطر دلاویزش در سیاهچالهای تنگ و نمناک و در خواب‌های هراس‌انگیز او ظاهر می‌شد. این نرگسی بود که شاید اگر هرگز نبیندش، زنی که او را می‌کشاند و میراند چه شوخی غم‌انگیزی سرنوشت با او می‌کند که «کار را فیصله دهد».

نرگس در این دو سال هیچ تغییری نکرده بود. زیباتر شده بود، خط ملیحی کنار چپ لبش جا باز کرده بود. هیچ آرایشی نداشت. اطاق به همان صورتی بود که او دو سال پیش دیده بود. شاید قالی‌ها نوتر و گران‌بهاتر می‌نمودند. دو تا مبل توگود ماشی رنگ و پرده‌های خاکستری راه راه و یک چراغ پایه‌دار همرنگ و دو چهار پایه رویه‌دار و دو نقاشی از هنرمندان نوکار که به دیوار آویخته بود به اطاق رنگ و جلوهٔ امروزی می‌بخشید. یک گلدان بی‌گل روی میز کوچکی در گوشه اطاق با نمای

تمام اثاثیه جور درمی آمد.

فرود جرأت نمی‌کرد به چشم‌های شفاف و درخشندهٔ او بنگرد. می‌ترسید که حوادث دو سال گذشته را فراموش کند و خود را به پای او اندازد و او را در آغوش گیرد و تمنا کند که از او دست برندارد به تصور اینکه میان آنها دو سال فاصله پیش نیامده است. این کار جرأت می‌خواست و پرروئی و نامردی و بی‌اعتنائی به عواطف آدمی که روزی زندان و شکنجه را به جان خرید که خبری از او بگیرد و دلی به دست آورد. آخر فیروز هم دلی دارد.

چه سودی دارد که بیشتر اینجا بماند؟ خودداری هم حدّی دارد. نمی‌تواند تاب بیاورد. مگر چه شده؟

فرض کنیم دو سال در زندان بوده، حالا برگشته است. آیا به این خاطر باید تمام عوالم گذشته فراموش شود؟ در خانه‌ای از او پذیرائی کند که مرد دیگری، که باید شوهرش بشود، هرآن وارد شود. از طرفی دلداری هم وجود داشت. این نرگس آن زنی که او می‌شناخت نیست. آن زن همان دم که او را سوار جیپ کردند عوض شد. دیگر عشقی وجود نداشت. به جای آن کمی دلسوزی آمد، امّا فرود به دلسوزی نیازی نداشت.

تمام حرکات و سکنات نرگس نشان می‌داد که به مرحلهٔ دیگری رسیده است. دوران گذشته گذشته است. قول و قرارها از خاطره‌ها رفته‌اند. روزی از بیخ و بن فکر ازدواج را رد می‌کرد، اما اکنون او را در هشتی در آغوش گرفت و بوسید، سر و گردن او را نوازش کرد و حالا چشم به قیافه‌اش دوخته است و مترصد است که یار سال‌های پیش چه

عکس‌العملی از خود نشان می‌دهد.

نرگس قلبش تیر می‌کشید. لب زیرینش را دندان می‌گرفت و به خودش فشار می‌آورد که عواطفش سرریز نکند و درون خود را فاش نسازد. احساسات مادرانه‌اش غلو کرده بود یا دلباختگی‌اش؟ کاری است شده، قولی است داده، دیگر برگشت ندارد.

آیا فرود می‌داند، خبر دارد چه رخ داده؟ چه کشیده؟

فرود خطر را احساس می‌کرد. خطر نه، بلا را می‌دید که دارد به سوی او می‌تازد و خردش می‌کند. حتی در نوازش و بوسه‌هایش آن گرمای سابق نبود. کلمات دیگر معنائی نداشتند. آنچه باید گفته شود ناگفته بیان می‌شد. سابقاً پس از چند روز فراغ هروقت به وصال می‌رسیدند نه تمام بدنش می‌لرزید، مقدمات غش و ضعف فراهم می‌شد. اما این‌بار گوئی خود را مدتها آماده کرده بود که قید اسارت را درهم شکند. شگفتی در این بود که این‌بار خودداری و گذشت از سوی نرگس نموده می‌شد. در جسم و جان فرود کشش بیشتری غلو می‌کرد، عواطفش رقیق‌تر و عشقش لگام گسیخته‌تر بود.

«بی‌خود فیروز را فرستادی تهیه ببیند. من فقط چند دقیقه‌ای آمدم به تو سلامی کنم و بروم.»

«بسیار لطف فرمودید آقا پسر. از کی تا به حال اینقدر افاده‌ای شده‌اید؟»

«بهتر است نمانم و بروم.»

«هیچ بهتر نیست، برعکس بدتر است. صبر کن فیروز بیاید. از او هم خداحافظی کن، بعد برو.»

این دیگر بیرون کردن بود به تمام معنی. به نظر آمد که نرگس هم خوش دارد او را از سر واکند. غیظش گرفت.

«خداحافظ، من رفتم. از فیروز هم از طرف من خداحافظی کن.»

این را گفت و به سوی در رفت.

«فرود، اینجور نباید از هم جدا بشویم. رشته‌ای که ما را به یکدیگر ربط داده این جوری بریده نمی‌شود. بیا باهم دوست باشیم.»

«ما هرگز نمی‌توانیم باهم دوست باشیم.»

داشت وارد حیاط می‌شد که فیروز در خانه را باز کرد با مقداری آت و آشغال، شیرینی و میوه‌های نورس و سبزی و شراب و غیره. دم در کوچه باهم رودررو شدند.

«داری می‌ری؟ پس من این همه چیز را برای کی خریدم؟»

«باید بروم گاراژ بلکه برای فردا بلیط بخرم. چقدر پول داری به من قرض بدهی؟»

«یک دقیقه صبر کن الآن برمی‌گردم.»

فیروز آنچه خریده بود به درون اطاق برد. بعدش نرگس رفت. نرگس به او اصرار کرد که نگذارد فرود برود و او را برای شام نگهدارد. مبلغی فیروز پول از جیب خود بیرون آورد و به سوی در کوچه رفت. نرگس روی پلکان ایستاد و به فرود، که پشت به او و رو به کوچه ایستاده بود نگاه می‌کرد.

فیروز نمی‌توانست حدس بزند چه اتفاقی افتاده. در فکر بود چگونه او را وادار سازد که برگردد و اقلاً شامی باهم بخورند.

دم در پول را به فرود داد و پرسید:

«راجع به من باش صحبت کردی؟»

«نه، نشد.»

«حیف، خیلی امید داشتم که این کار امروز به کمک تو فیصله یابد. جز تو من کسی را ندارم. حیف شد.»

فرود پول را از دست فیروز گرفت. یک هو احساس کرد که دارد به این بیچاره نارو می‌زند. روزی را به یاد آورد که فیروز با روپوش سفید همراه با پزشک نظامی به دیدارش آمده بود. خجالت کشید. نزدیک بود اسکناس‌ها را توی صورتش پرت کند و بگریزد. این دیگر خیلی جبن بود. دو احساس متباین درون او را زیر و رو می‌کرد، چنگ می‌انداخت، دل او را می‌چلاند: کینه نسبت به این مرد کودن که مانع خوشبختی او شده بود و دلسوزی به حال یک آدم صاف و صادق که می‌تواند با این زن غمّاز سر کند.

برگشت، دست فیروز راگرفت و همراه او به اطاق آمد.

نرگس برای اینکه چشم‌های از اشک سرخ شدهٔ خود را پنهان کند در این فاصله خود را آراسته منتظر بود. همین‌که هرسه در اطاق جمع شدند فرود بی‌مقدمه سر صحبت را باز کرد:

«خوب، حالا حرف جدی بزنیم، کی عقدکنان شما دوتا خواهد شد.»

فرود چنان نقاب خشک و معامله‌گرانه به صورت خود زده بود که هیچ‌کس تصور نمی‌کرد روزی کوچک‌ترین علاقه‌ای میان او و دو طرف عقد وجود داشته باشد. ابتدا به نرگس نگریست، لحظه‌ای به او خیره شد و سپس رو به فیروز کرد و جواب خواست. هیچکدام باور نمی‌کردند که بحث و مذاکره با چنین پرسش آغاز شود.

«آخر ما هنوز در این باره با هم صحبت نکرده‌ایم.» این عکس‌العمل نرگس بود».

«خوب، بنشینید همین امشب صحبت کنید.»

«آخر...»

«آخر چیه؟ بالاخره باید روزی قرار و مدارتان را باهم بگذارید. فیروز تو چه می‌گوئی؟»

این دیگر دستور بود، با یک لحن آمرانه. نمی‌شد آنرا میانجی‌گری خواند. قاطعانه می‌خواست کاربری کند. این اصطلاح «فیصله» حرصش را درآورده بود. این بیچاره ملافیروز معلوم نبود این‌کلمه را از کجا پیدا کرده بود. اگر کسی این سه نفر را نمی‌شناخت و از اطاق دیگری تحکم فرود را می‌شنید تصور کرد پدر ستمگری حوصله‌اش سر رفته و می‌خواهد دو نفر را به زور باهم پیوند دهد.

«چه عرض کنم؟ اختیار دست خانم است.»

«از همه بهتر این است که همین الان فیروز همراه من بیاید و برای فردا سه تا بلیط اتوبوس بخرد و هرسه فردا صبح به ولایت سفر کنیم و مقدمات عقدکنان را فراهم کنیم.»

«مگر می‌شود؟ مگر من می‌توانم بیمارستان را ول کنم؟ بیمار دارم.»

فیروز هم افزود: «فردا که نمی‌شود.»

«خوب، پس فردا، بنشینید صحبت‌هایتان را بکنید. من فردا می‌روم. شما تلگراف کنید کی می آئید.»

گفت و بلند شد. فیروز خواست همراه او برود، نگذاشت. نرگس یقین کرد که فرود از او بیزار شده و از این راه دارد کینه‌توزی خود را بروز

می‌دهد.

فرود در راه بغضش گرفت. دیگر هیچ‌چیز در زندگی نداشت. جز رو کردن به خانواده راهی برای او باقی نمانده بود. برود پدر و مادرش را ببیند و خواهرش را وگوشه‌ای بنشیند و مصائب زندگی خودش و دیگران را روی کاغذ بیاورد. آیا شعر می‌تواند تسلی‌خاطر او را فراهم کند؟

یک آن راه فراری به نظرش رسید: خودکشی. نه، نه. اگر چنین چاره‌ای وجود داشت چرا روی تخت بیمارستان، وقتی نصف شب بیدار شد لولهٔ گلوکز را بیرون نکشید که از گرسنگی بمیرد؟ این همه رنج و تحقیر و خفت برای چه بود؟ نه، نه. خودکشی نه. عرضه‌اش را نداشت. زورش نمی‌رسید. پس چه کند؟ احساس کرد زیر پایش خالی شده، دارد سقوط می‌کند و دستگیره‌ای هم وجود ندارد که خود را به آن بیاویزد. سر چهار راه ایستاد. به کجا برود؟ اصلاً جائی نداشت که بخوابد. یکهو دید باز جلوی گل‌فروشی ایستاده است، گل‌های سرخ به آدم می‌خندیدند. گل‌فروش نبود. چه خوب بود اگر دکان به خودی خود باز می‌شد و او می‌توانست شب را همانجا صبح کند. حالا این وقت شب در خانهٔ کدام هم‌شهری را بکوبد؟ از حزبی‌ها دیگر کسی به او جا نمی‌دهد. یاد فیروز افتاد. سر چهار راه ایستاد، هر آن نگاه به کوچه‌ای میانداخت که از آن ممکن بود بیرون بیاید. عاقبت فیروز پیدایش شد. او را به شمیران برد و به او جا داد.

هردو باهم شام حاضری، که فیروز همیشه داشت، خوردند. بعد دو سه جام شراب که در یک بطری باقی مانده بود نوشیدند. با هم به میدان تجریش رفتند. یک بطری عرق خریدند و آمدند و نشستند و خوردند.

یکی از فرط خوشحالی و ذوق و شادی که عنقریب به وصال یار خواهد
رسید و دیگری از یأس و کوفتگی و بی‌هدفی و غم و غصه. آنگاه هر دو
مست کردند و شعر خواندند و گریستند و مثل مرده روی دوشک و تخت
خفتند، مانند شب پیش.

فرود راحت خوابید و روز بعد راهی ولایت شد. وقتی به شهرشان
رسید که دیگر هوا داشت گرم می‌شد. در هر حال هوای آنجا گرم‌تر از
تهران بود. پدرش زیر درخت چنار که برگ‌های سبز خوشرنگی داشت
روی یک تخت چوبی افتاده بود. فقط پوست و استخوانی از او باقی
مانده بود. پزشکان هم دیگر از او امیدشان قطع شده بود و تقریباً از
مداوای او چشم پوشیده بودند. می‌گفتند جز پیری بیماری خاصی ندارد
و به او تنها مسکّن می‌دادند. همهٔ اهل خانه دور و بر او بودند. حاجیه
خانم کارش فقط پذیرائی از مهمانان جور واجور بود و از اهل خانواده
منیره و شوهرش و یک بچهٔ شیرخواره و یک پسر سه ساله، و آقای
پایدار، که برخی از عیادت‌کنندگان از جمله آخوندها و ملاها را به
خانه‌اش می‌برد و از آنها مانند صاحبخانه پذیرائی می‌کرد. حتی بدری
نیز، که در مواقع دیگر اغلب یا در خانه نبود یا مهمان داشت و یا در
خارج از خانه با دوستان و آشنایان به سر می‌برد، حالا دائم به پرستاری
پدر می‌پرداخت و خود را موظف می‌دانست هر میل و خواهشش را
برآورده کند. حتی نمی‌گذاشت که مادرش او را تر و خشک کند و
شب‌ها او را به اطاق برساند. پیرمرد وقتی چشمش به فرود افتاد جانی
گرفت. از اطرافیان امام جمعه شنیده بود که سه روز است پسرش مرخص
شده است. از اینکه این همه او را چشم انتظار نگه داشته گله‌ای نکرد. با

احوالپرسی از نرگس اشاره‌ای کرد که درک می‌کند چرا پسـر سـه روز دیرتر به سراغ پدر دم مرگش آمده است.

آن روز حاجی آقا سرخوش شد. خوش و بش کرد و به امام جمعه، که اغلب توسط محررش احوالش را می‌پرسید، پیغام داد و سپاسگزاری کرد که فرزندش را تندرست تحویل داده است. آنقدر جان گرفته بـود کـه می‌خواست از جا برخیزد و او را در آغوش گیرد. فرود زانو به زمین زد، صورت او را بوسید و دستش را و ریش سفیدش را نوازش کرد و کنار تخت نشست و چند کلمه‌ای با ا و رد و بدل کرد.

حاجی آقا آن روز به حدی بشّاش مـی‌نمود کـه گـوئی بیمـاری از جلدش گریخته و در راه بهبودی است. فردایش حتی توانست با چند نفر از عیادت‌کنندگان صحبت کند و باز آرزو داشت به کربلای معلا و عتبات عالیات مشرف شود. این آرزو برآورده نشد. عصر آنروز تدریجاً تحلیل رفت و جان سپرد. پدر زمانی رخت از این دنیا بـربسـت کـه هـیچ چیـز نداشت، عین باباش که تمام دارائی خود را وقف بی‌چیزان کرد و چیزی جز تن خود نداشت که به خاک بسپرد.

حالا دیگر فرود خود را آزاد آزاد می‌دید. نه مالی داشت، نه حزبی، نه معشوقه‌ای، نه پدری و نه خانمانی. عوضش گرفتاری تازه‌ای که امان او را می‌برید از زیر باران به زیر ناودان افتاد.

پس از مرگ پدر و برگزاری مراسم عزاداری بدری پا در یک کفش کرد که باید ولایت را ترک کرد و به تهران رفت. حاجیه خانم از تـمام دارائی پدریش علاوه بر خانه‌ای که در آن می‌زیستند، باغ کوچکی در خارج شهر داشت و چند دکان که آنها را اجاره داده و از درآمد آنها

می‌توانست زندگی خود را بگرداند، البته به شرطی که فرود سر کار برود و خودش با درآمد مرتب نیازی به کمک مادر نداشته باشد.

اصرار بدری ابتدا برای فرود شگفت‌آور بود و برای حاجیه خانم از این جهت دشوار می‌نمود که نمی‌دانست آیا با درآمد چند دکان می‌توانست زندگی آبرومندی درخور حیثیت و آبروی مرحوم حاجی آقا در تهران دائر کند یا نه. از این عوائد هر ماهه مبلغی خرج بنایی و تعمیر و مالیات و هزار برج دیگر کاسته می‌شد. دشواری دیگر خاطره‌ها و یادبودهایی بودند که سی و چند سال زندگی در این خانه و محیط در وجودش لانه داشتند و دل کندن از آنها برایش سهل نبود، بسیار هم ناگوار بود.

فرود می‌خواست علت گریز بدری را از این خانه دریابد. چرا مادرش و برادرش را تهدید می‌کرد که اگر آنها موافقت به نقل مکان نکنند از خانه و مادر و برادر دست برخواهد داشت و تک و تنها به تهران خواهد رفت؟ هرجا جستجو می‌کرد، از هرکس که می‌دانست روزی با خواهرش اخت و همدم بوده است می‌پرسید رازی گشوده نمی‌شد. هاج و واج مانده بود. اگر موضوع خاطرخواهی و دلدادگی است این که آنقدر پنهان کردن ندارد. دختر است و شاید شنیده باشد که در تهران جوانان، پسران و دختران باهم آشنا می‌شوند و می‌رقصند و همدیگر را می‌بوسند و بعد باهم جور درمی‌آیند و یا دوستی برای خود پیدا می‌کنند و بعدکارشان به عروسی می‌کشد و یا نمی‌کشد. خوب، بدری هم چنین زندگی را دوست دارد و چرا فریفته نشود؟ در ولایتشان هنوز از این خبرها نبود و به علاوه به دختر حاجی علی اصغر واعظ نمی‌آمد. همهٔ این مطالب را می‌شد به

فرود و یا خواهرش منیره گفت.

بدبختانه بدری به فرود اطمینان نداشت و مایل نبود جز درباره مسائل معمولی با او گفتگو کند. حتی روزی که حاجیه خانم اطاق مرحوم حاجی آقا را جمع می کرد و لای قرآن جزوه ای به عنوان «ضرورت مبارزهٔ مسلحانه» پیدا کرد و فرود آنرا ورق زد و از خواهرش پرسید چگونه حاجی آقا با چنین رساله ای سر و کار پیدا کرده است، بدری به برادر بزرگترش برخلاف عادت پرخاش کرد و با لحنی برخورنده گفت:

«من چه می دانم چرا حاجی آقا از این جور کتابها می خوانده است؟»

«تو هم از این جور کتاب ها می خوانی؟»

«برادر، تو هرگز به من نگفتی در حزب چه کاره بوده ای و چرا گرفتار شدی و چطور شد که مرخصت کردند.»

اوه، باز همان حرف ها که رفقای مشکوک درزندان پس از تعیین حکم محکومیت می زدند و زخم زبان بود و سوءظن که لابد چون در برابر دستگاه به زانو درآمده و گشاد داده او را به زندان کوتاه مدت محکوم کرده اند.

«بدری جان، خواهرم، با تو باید بیشتر نشست و صحبت کرد اما نه حالا. شاید روزی خودت میل داشته باشی در کارهائی که داری با من مصلحت کنی.»

بدری هیچ نگفت. فقط لحظه ای به برادرش خیره نگاه کرد. اما این نگاه بسیار پرمعنی بود، مثل اینکه بخواهد بپرسد با تو؟ که شکست خورده ای؟ و ایمانت را از دست داده ای؟ که موش از خشتکت بلغور می کشد؟ و یا از تو که ترس برت داشته و حتی از ریسمان سیاه و سفید

می‌ترسی؟ همهٔ این معنی‌ها را این نگاه در بر داشت.

این گفتگو هرگز صورت نگرفت، در عوض حاجیه خانم تا فرود در شهرشان به سر می‌برد هرلحظه که فرصت می‌یافت و فرزند را دَرگوشه‌ای تنهاگیر می‌آورد از او می‌خواست راهی برای منصرف کردن بدری ازرفتن به تهران بیابد.

«مادر، شاید کسی را دوست دارد و آن آدم در تهران است و می‌خواهد پیش او باشد؟»

«خدا می‌داند. به نظرم نمی‌آید، چیزهای دیگری باید باشد.»

«چه چیز؟»

«چرا از خودش نمی‌پرسی؟»

«به من نمی‌گوید. از وقتی آن رساله را لای قرآن پدرم پیداکردم همهٔ کتاب‌هایش را پنهان کرده و هیچ چیز بروز نمی‌دهد.»

«به تو نگفته که دو مرتبه تنها به زیارت قم و مشهد رفته؟»

«چرا تنها؟»

«آخر پس از رفتن تو و عروسی منیره دیگر سوگلی حاجی آقاش شده بود. هرچه می‌خواست می‌کرد. حاجی آقای مرحوم به او صد درصد اطمینان داشت. دهان باز نکرده تقاضای دخترش را برآورده می‌کرد. وقتی به آن مرحوم گفتم چرا می‌گذاری یک دختر به این سن و سال و با این آب و رنگ بی‌یک بزرگتر به سفر برود گفت: چاره چیست؟ بدری آبروی ما را نمی‌ریزد. حالا دخترها تنها به فرنگستان می‌روند و شوهر می‌کنند، چرا دختر ما به مشهدو قم نرود؟ پرسیدم آخر پیش کی می‌فرستیش؟ جواب داد: نامه‌ای به ملاهای آنجا نوشته‌ام، مراقبش

خواهند بود. یکبار وقتی برگشت سربند سیاه بسته و پیراهن بلند سیاه تنش بود، عیناً مثل عرب‌های سامره.»

گفتگو با منیره و شوهرش هم بی‌نتیجه ماند. شوهر منیره یک بازاری زرنگ و پول دربیار می‌دانست که این‌جور زن‌های با سربند سیاه که موهایشان را زیر لچک مشکی پنهان می‌کنند در تهران هم دیده می‌شوند؛ معلوم نیست سرشان به کجا بند است؟ به گروه‌های جدیدالاسلام یا آخوندهای مشهد و قم؟

وضع بدری در خانه و خانواده روز به روز خصمانه‌تر می‌شد و تمام مخالفت مادر را با نقل مکان به تهران از چشم برادر می‌دید و با او اصلاً طرف مکالمه نمی‌شد تا اینکه روز عزیمت فرود از شهرشان به تهران رسید و فرود در حضور بدری به حاجیه خانم گفت:

«من باید بروم تهران دنبال کار، از جیب شما نمی‌توانم امرار معاش کنم. به نظرم شماها هم باید به تهران بیائید.»

«من حرفی ندارم، نمی‌دانم پیش از عقدکنان فیروز و نرگس می‌آئید و یا پس از آن؟»

هردو یک صدا پرسیدند:

«حتمی است که عقدکنان است؟»

«خیال می‌کنم.»

بدری از این خبر خوشحال شد. خندید و برادرش را بوسید. دلیل شادی بدری برای فرود پنهان ماند. آیا خوشحال بود که برادرش در تمام جبهه‌ها شکست خورده و یا محبت کودکانه به نرگس که مانند خواهر بزرگتر او را دوست داشت، انگیزهٔ این انبساط خاطر بود؟ اما این شادی

یک آن بیش طول نکشید. پیشانیش چین برداشت:

«ما به عروسی آنها چه کار داریم؟»

«چطور کار نداریم؟ مگر اینها مثل خواهر و برادر شما نیستند؟»

«خواهر و برادر بله، اما حالا دارند عروس و داماد می‌شوند، مبارک است انشاءالله.»

در این جملۀ آخری، ریشخندی پنهان بود. فرود از جا برخاست.

«در هرحال یا زودتر یا دیرتر از عروسی بالاخره قرار ما براین است که در تهران خانه‌ای اجاره کنیم و همه باهم باشیم.»

بدری اضافه کرد:

«اگر بشود بله، اگر هم نشد جدا از هم، بالاخره تو هم می‌خواهی آزاد باشی و زن بگیری.»

در این اظهار هم نیشی بود که نشست و اثر خود را در قلب فرود باقی گذاشت. باوجود این برادر دست انداخت گردن خواهرش و او را بوسید و رو به مادر گفت: «حاجیه خانم، بدری جان مقصودش این است که آنجا شوهر می‌کند و من و تو تنها می‌مانیم.»

وداع را گذاشتند به وقتی که خواهر و مادر او را به اتوبوس عازم تهران برسانند. قبلاً می‌خواست سری به آقا معلم بزند و از او خداحافظی کند. آقای پایدار دیگر پیرمردی شده بود شکسته و پا لب گور. فوت دوست چهل ساله کمر او را شکسته بود. در گوشۀ اطاقی که با یک قالی بزرگ خوش‌رنگ و چند میز و صندلی و چراغ حباب‌دار پیرایش شده بود روی دوشکی نشسته به رختخواب تکیه داده بود. کتابی در دست داشت و کنار میز کوتاهی به ارتفاع چهل سانتی متر مقدار زیادی کاغذ و قلمدان و

تومار پخش بود. آقامعلم کمرش درد می‌کرد و دیگر نمی‌توانست روی صندلی بنشیند و از این جهت میز تحریر و صندلی لهستانی را خالی گذاشته بود وروی زمین به رختخواب بسته به جای مخده تکیه می‌کرد.

فرود با نوک انگشت به در کوفت و در دو لنگه را باز کرد، آقای پایدار خوشحال شد و خواست از حا برخیزد که جوان به سوی او دوید و دستش را فشار داد و نگذاشت از جایش بلند شود.

کلام اول آقا معلم این بود:

«فرود، هیچ در این چند روزه که اینجا بودی فرصت کردی سری به امام جمعه بزنی؟ خیلی حق به‌گردن تو دارد. می‌دانی؟»

فرود با اینکه می‌توانست روی صندلی بنشیند چهار زانو روی زمین نشست و جواب داد:

«نه، ایشان که شخصاً مرا نمی‌شناسند.»

«نشناسند، اهمیت ندارد. اگر به گوششان برسد که تو برای عرض سلام خدمتشان رسیده‌ای کافی است.»

آقا معلم جانماز و مهر و تسبیح را که کنار دوشک پهن بود، جمع کرد و زیر میز گذاشت و گفت:

«خوب، حالا که دیگر فعالیت سیاسی نداری؟ چه می‌خواهی بکنی؟»

فرود از وضع خودش صحبت کرد و از امیدش که ممکن است کار سبکی پیدا کند. می‌خواهد بیشتر کتاب بخواند و خاطرات خود را بنویسد و رساله‌ای برای دکتری دربارهٔ مسئله دهقانی در ایران آماده کند، بعد افزود:

«گمان می‌کنم که فعالیت سیاسی دیگر ـ اقلاً از جانب امثال من ـ به

نتیجه‌ای نرسد.»

«یقین داری؟»

فرود تعجب کرد. مثل اینکه سالخوردهٔ تجربه اندوخته می‌خواست بگوید: «از کجا می‌دانی؟» مقصودش این بود که فعالیت سیاسی همیشه وجود دارد و همه وقت ـ دیر یا زود به نتیجه می‌رسد.

«از کجا یقین داشته باشم؟»

«صحیح است. حرف مرابشنو و سری به امام جمعه بزن. از ما و شما ارسی به پاهاکاری برنیامد. اما اگر این نعلین پوشان با چکمه پوشان درافتند شاید عرضه‌شان بیشتر باشد.»

پیرمرد دیگر در این مبحث حرفی نزد. گوئی خسته شده بود و می‌خواست استراحت کند. فرود می‌خواست صحبت را به بدری بکشد.

«می‌خواهید بگویید که بدری دستی در این محافل دارد و از این جهت به قم و مشهد سفر کرده و اصرار دارد در تهران زندگی کند، و لچک سیاه به سر می‌بندد؟

«من چیزی ندارم بگویم. تو خود حدیث مفصل بخوان از این مجمل. امروز یا دیروز خبری از نرگش داشتم. همین روزها همراه فیروز می‌آیند که ازدواج کنند. من به آنها نوشتم عقدکنان باشد پس از چلهٔ آن مرحوم.»

فرود افزود: «مبارك است انشاءالله.» گفت و از جا برخاست.

نیم ساعتی بیش در خدمت آقا معلم نماند. تصور می‌کرد می‌تواند اطلاعاتی دربارهٔ فکر و ذکر سالهای آخر عمر پدرش و کارهای بدری به دست آورد. فکر می‌کرد در ضمن گفتگو با آقا معلم دربارهٔ پدرش و عقاید سیاسی‌اش و تأثیر او در رفتار و کردار بدری شاید به تاریکخانه‌ای

که زندگی خواهرش را محصور کرده بود، رخنه کند. آقا معلم در تمام دوستی چهل ساله‌اش بـا حاجی عـلی‌اصـغر او را مـردی تیزهوش، آینده‌نگر، بصیر و مردم دوست تشخیص داده بـود: البته کـه در دورۀ مبارزه نفت زمان مصدق بسیار امیدوار شده بود. اما آقا معلم نمی‌تواند دقیقاً بگوید که عقاید سـیاسی او از چـه قـرار بـوده است. بـرای امثال حاجی آقا نسبت مصدقی بودن کسر شأن است، اما آیا این را یقین می‌داند که در سالهای اخیر با امام جمعه شهر مراوده داشت و مکرر خـدمت ایشان می‌رسید و در همان زمان یکی دوبار خود آقای پایدار هـم بـه حضور ایشان مشرف شده است.

آنچه جوان‌ها در آینه می‌بینند این پیرمردها در خشت خام می‌بینند. فرود خیلی دلش می‌خواست بداند «ضرورت مبارزۀ مسلحانه» در لای قرآن پدرش چه معنایی دارد، اما پیرمرد خسته به نظر می‌آمد، به علاوه هرجا می‌رفت باز صحبت را به عقدکنان فیروز و نرگس می‌کشاند و این بیشتر باعث دلخوری می‌شد و ناچار نقاب دوروئی به صورتش می‌خورد و به راستی او میل داشت در یک برهۀ زمان در گفتگو با امثال پدرش صادق باشد. آقا معلم پرسید:

«نمی‌مانی تا پس از عقدکنان آنها؟»

«نه، با اجازۀ شما مرخص می‌شوم.»

این‌بار پیرمرد هم بلند شـد. فـرود را بـوسید و او را تـا دم در اطـاق مشایعت کرد و افزود:

«شاید این بار آخر باشد که همدیگر را می‌بینیم.»

اما چنین نشد. این بار آخر نبود.

وقتی فرود از حیاط آقامعلم خارج شد بدری را دید که با لباسی نامرتب و شلخته با کفش کتانی در پا و یک روسری رنگ و رو رفته بر سر دارد در کوچه را باز می‌کند. دمی ایستاد تا خواهرش از در بیرون رفت. زیر درخت انار که برگ‌هایش سبز شده بودند توقف کرد و به خود گفت، «دیگر دارم به کلی تنها می‌شوم.»

درعوض برخورد با منیره و بچه‌هایش شادی‌آور بود. آنها هم آمده بودند از برادر و دائی‌شان خداحافظی کنند. منیره پرسید:

«برادر، می‌بینی که بدری چه ریختی خودش را درست می‌کند؟ اگر دستی به خودش ببرد صدتا شوهر برایش پیدا می‌شود. یکی از خویشان شوهرم دارد درِ خانهٔ ما را از پاشنه درمی‌آورد. هروقت بدری را دعوتش می‌کنیم که با هم آشنا شوند نمی‌پذیرد، اصلاً اعتنای سگ به پسره نمی‌کند. از این جور دخترها دیگر ندیده بودم.»

منیره بچهٔ شیرخواره‌اش را در بغل داشت و دختر سه ساله در دامن فرود نشسته بود و با عروسکش بازی می‌کرد. منیره همین‌طور اختلاط می‌کرد. و از هر دری سخن می‌گفت. این زن مانند برف صبح پاک و شفاف بود. درونش مانند بلور مرئی بود. هرچه می‌گفت از ته دلش تراوش می‌کرد.

فرود، اگر اختیارش در دست خودش بود می‌توانست ساعت‌ها بچه‌اش را به سینه‌اش بچسباند. ببوسدش و گوش به حرف‌هایش بدهد. هرچه می‌گفت، چه مهم و چه غیر مهم، شیرین بود، آواز روحش بود. چشم به لب و دهان خواهرش می‌دوخت، گوش می‌داد و زلف‌های بچه را نوازش می‌کرد.

«بالاخره یک روز نیامدید تمام روز را با ما باشید. شوهرم شیفتهٔ شماست. مخالف شماست اما بهتان احترام می‌گذارد...»

آن وقت از دست و دلبازی شوهرش داد سخن داد. کیسه کیسه برنج به خانه می‌آید. ماش و عدس و لوبیا همیشه در خانه هست. از بازار اصلاً کره و روغن نمی‌خرند. خود دهاتی‌ها می‌آورند دم در تحویل می‌دهند و در عوض در بازار قند و شکر می‌خرند و می‌برند. اگر بدری اینجوری شده یک خرده هم تقصیر حاجی آقایمان بوده. خیلی لوسش می‌کرد. از وقتی که ما رفتیم عزیز دردانه شده بود. مگر شما نمی‌دانید؟ بابامان مصدقی شده بود.»

«این را از کجا شنیده‌ای؟»

«آقا جواد میگه.»

«آقا جواد کیه؟»

«دِ شوهرم میگه همه بازار می‌دونند که بابا مصدقی بوده.»

«خوب، دیگه چه می‌دونند؟»

«بعد سرش را نزدیک گوش برادر آورد و آهسته گفت:

«آخه، مگه نمی‌دونید. پس به شما نگفته‌اند که بدری هم مصدقیه؟»

«خودش گفته؟»

«نه، خودش به ما هیچوقت حرف سیاسی نمی‌زنه، اما تمام آنهائی که با او آشنا هستند و معاشرت دارند از همین اینها هستند.»

منیره سرش را برگرداند ببیند کسی در نزدیکی آنها هست که صدایش را بشنود. گربه‌ای لب حوض نشسته بود و به قصد صید ماهی پنجه‌اش را به آب زده شلپی کرد و از این جهت منیره تصور کرد کسی گوش ایستاده

است:

«برادر، به کسی نگوئید: اگر حاجیه خانم بفهمد دق می‌کند. یک شب یکی از دوستان بدری پیش حاجی آقا خوابید. صبح که می‌خواست از در خانه بیرون برود او را گرفتند. همان روزهائی بود که دولت مخالفان را از همه‌جا جمع می‌کرد و می‌گرفت. آقاجواد حدس می‌زد ممکن است بدری را هم بگیرند. بدری آن آقا را آن شب در اطاق حاجی آقام قائم کرده بود. اگر این را میدانستند حتماً او را گرفته بودند.»

این اطلاعات برای فرود از بند رسته مهیب‌تر از گرفتاری خودش بود. یاد انداختن خرس به جان زنان افتاد و بدنش لرزید. اینجور نمی‌شود. باید کاری کرد که بتوان بدری را از ورطهٔ هولناکی که لب آن ایستاده است و هرآن ممکن است سقوط کند. نجات داد.

فرود نتوانست روز بعد اتوبوس برای حرکت به تهران پیدا کند. مجبور شد یک روز دیگر هم بماند. از این فرصت می‌خواست استفاده کند شاید بتواند اعتماد خواهر بی‌پروا را جلب کند. اقلاً سازشی میان خودشان برقرار سازد و تا در آینده بشود باهم مشورت کنند. اما چگونه ممکن بود این سازش صورت گیرد.

روز بعد، نرگس و فیروز، پیش از آنکه نامهٔ آقای پایدار به دستشان برسد، وارد شدند. عقدکنان به عقب افتاده بود. یک هفته مرخصی گرفته بودند و می‌بایست پس از چند روز به سر کارشان برگردند. فیروز وسائلی فراهم آورده بود که او را از شمیران به تهران منتقل کنند و قصد داشت از آقا معلم درخواست کند نفوذ خود را به سود او به کار اندازد.

ورود نرگس قوزی بالای قوز شد. برای ملاقات با امام جمعه مسافرت

فرود به عقب افتاد. در اطاق کتابخانهٔ پدر انزواگزید. ساعت‌ها کتاب‌ها را ورق زد به امید اینکه اطلاعاتی دربارهٔ افکار سیاسی پدر و فعالیت او، و شاید هم اشاره‌ای به کارهای خواهرش کشف کند. یک نظر تازه وجود او را زیر بار سنگینی می‌فشرد. باید از سیاست، که رموز آن بر عموم مکتوم است، کناره جست. اما چگونه؟ او می‌خواست از سیاست دست بردارد اما مگر سیاست از او دست برمی‌داشت. بدری لب پرتگاه است. فرود نمی‌توانست به او توصیه کند در جلد زندگی منیره برود. واعظ غیر متّعظ نمی‌تواند بشود. دلواپس بود. در دورانی که او به حزب وارد شد مخاطراتی مشهود نبود. این روزها اگر در کیف کسی کتابی می‌دیدند کافی بود که برای چند سال آدم را به زندان بفرستند چه برسد که اسم مصدق را جائی ببرد.

حالا باز سر و کلهٔ نرگس هم پیدا می‌شود. چه نرگسی! نه آنکه همه می‌شناختند: آن دوران که با لوندی‌هایش دل هر مردی را می‌برد سپری شده بود. شوق و هیجان خاصی، حتی برای تهیهٔ لباس و اسباب عقد و آینه و شمعدان هم نشان نمی‌داد، هیچکس هم تعجب نمی‌کرد. همه می‌دانستند چه خبر است. یک عروسی اجباری باید سرگیرد. به‌علاوه حاجیه خانم عزادار بود و نمی‌توانست در این مراسم، آنجور که دلخواهش بود، شرکت کند. نرگس حتی با بدری هم درست اخت نمی‌شد. این دختر اگرچه سر پرسودائی داشت اما آرزو می‌کرد که این دوتا به وصال هم برسند. باوجود این هرچه دور و بر نرگس می‌پلکید که در امور عقدکنان به او کمک کند تن درنمی‌داد. عذرش این بود که حالا ما همه عزدار هستیم، باشد تا چلهٔ آن مرحوم بگذرد. آقا معلم و حاجیه

خانم موافقت کردند که آخوندی بیاید و صیغهٔ عقد را بخواند و مراسم رسمی به بعد موکول شود. در این صورت باید کمی به خودش برسد، حمام برود، بزک کند، لباس عقد بخرد، زیر ابرویش را بردارد، بند بیندازد. اینها تصورات حاجیه خانم از مراسم عقد بود، باوجود اینکه همه عزادار هستند. اما نرگس پا در یک کفش کرده بود که حوصلهٔ این تشریفات را ندارد، باشد برای پس از چلّه. نرگس خوش داشت به درد دل خاله خانباجی‌ها گوش سپرد. نسخه برای بیماری آنها بنویسد، چشم و گوش و حلق بچه‌های بیمار را معاینه کند. خلاصه به همه چیز علاقه نشان می‌داد جز به آنچه یک دختر دم بخت باید پای‌بند باشد.

به فرود اصلاً رو نشان نمی‌داد، او هم چندان پاپی‌اش نمی‌شد. فرود اغلب ساعات روز را در پنج دری آفتابگیر در خدمت آقا معلم می‌گذراند و نرگس در اطاق پشت حیاط خانهٔ حاجی آقا و به کارهای خودش می‌رسید.

بالاخره قرار شد که مراسم عقد بسیار ساده، فقط در حضور محضردار و نمایندهٔ ثبت و بی‌هیچگونه تشریفاتی برگزار شود.

شام پیش از عقدکنان را نرگس و آقا معلم سر سفرهٔ حاجیه خانم خوردند. پس از شام فرود با شمعدانی مهمانان را به حیاطشان بدرقه کرد. همینکه آنها آقامعلم را به خوابگاهش رساندند نرگس دست فرود را گرفت، شمع را خاموش کرد و او را به اطاق کشاند. در را بست و هنوز چراغ را روشن نکرده دست بر گردنش انداخت و بوسید و اشک ریخت. چیزی نمانده بود که اختیار از دست فرود دررود و معشوقه را در آغوش گیرد که در حیاط پائی روی زمین کشیده شد و صدائی به‌گوش رسید که

گفت:

«داداش، حاجیه خانم می‌خواهد بخوابد، نمی آئی؟»

نرگس پیچ چراق برق را پیچاند و اطاق را روشن کرد و در راگشود و گفت:

«چرا، الآن می آید.»

فرود دیگر امان نداد، از در بیرون آمد و همراه خواهرش خانهٔ آقا معلم را ترک کرد و به بدری پرید:

«به تو چه من کی می‌روم بخوابم.»

بدری غیظش گرفت و جواب داد:

«اگر به من مربوط نیست پس چرا آمدی؟ خجالت نمی‌کشی؟ شب قبل از عقدکنان؟»

این آخرین باری بود که فرود نرگس را دید. روز بعد در مراسم شرکت کرد اما به او چشم نینداخت. شب را در خانهٔ فیروز گذراند و به او اعتراف کرد: «من هنوز هم عاشق نرگسم و برای اینکه خوشبختی شما را به هم نزنم دیگر او را نخواهم دید. این حرف آخر ما در این خصوص باشد.»

هردو سکوت کردند، هیچ کلمه‌ای رد و بدل نشد. صبح زود دست فیروز را فشار داد، صورت همدیگر را بوسیدند و از هم جدا شدند.

حاجیه خانم و بدری باز با لچک سیاه و پیراهن مشکی دم باغچه زیر سایهٔ درخت انار قالیچه‌ای پهن کرده صبحانه می‌خوردند. فرود چمدانش را بست و از آنها خداحافظی کرد. مادر و خواهر اصرار داشتند او را تا گاراژ بدرقه کنند. فرود مانع شد، چون هنوز بلیط نگرفته بود و

نمی‌خواست به این خانه برگردد. نگاهی به ماهی‌های سرخ توی حوض انداخت و گفت:

«هر وقت در تهران خانه‌ای گرفتم به شما خبر می‌دهم که اسباب‌کشی کنید. اگر بدری نتوانست با من بسازد شما خانهٔ دیگری اجاره می‌کنید و یا من از پیش شما می‌روم و خانه‌ای می‌گیرم.»

دست انداخت گردن مادرش، او را دلداری داد. دست خواهرش را گرفت اما فشاری نداد. وی زلف‌های برادرش را و صورتش را نوازش کرد و او را بوسید. صورتش سرخ و داغ شده بود، و چشم‌هایش می‌درخشیدند و خیره به برادر می‌نگریستند.

در دم در بار دیگر برگشت، خواهر را در آغوش گرفت و هر دو گریستند.

فرود در تهران یکراست به خانهٔ کلهر رفت و به او گفت: «اگر شکمم را سفره نمی‌کنی می‌خواهم چند روز در خانهٔ تو بمانم.»

صفحهٔ جدیدی در زندگی فرود گشوده شد.

با کلهر عرق خوری حسابی کردند. فرود در مستی شاد و بی‌پروا، گستاخ و یک دنده شده بود، در هشیاری افسرده و سرخورده، هیچ تکیه‌گاهی برایش باقی نمانده بود، نه اجتماع و نه فرد. وجودش دیگر چه ثمری داشت؟ می‌دانست که عرضهٔ خودکشی هم ندارد. کلهر هم به این حقیقت پی برده بود، روزی به فیروز گفته بود:

«این داره از دست میره. اصلاً از دست رفته. فقط در حال مستی می‌شود با او چند کلمه حرف حسابی زد.»

فرود از فیروز کناره‌گیری می‌کرد. چندین مرتبه از او دعوت کرد به

خانه‌شان برود. حتی یک بار به او پرخاش کرد:

«تو آدم مهملی هستی، از گلوله گروهبان نمی‌ترسی اما از ناز و غمزهٔ یک زن وحشت داری.»

فرود خنده تحویل می‌داد:

«اروای دهنت. تو چه عقلت می‌رسه؟ ناز و غمزه یک زن!»

اگر هشیاری به یاری‌اش می آمد و می‌توانست فکر کند می‌دید به چه روزی افتاده است. آدم وقتی نه دنیا را داشت و نه آخرت را پایش توی هواست.

یک مشت تو دهنی دیگر لازم بود او را کله معلق کند.

روزنامه‌ها اعدام مهندس عالی را در خرداد ۱۳۳۸ خبر دادند. آن شب هردو دوست آنقدر عرق خوردند که به زور خود را به خانه رساندند. تا نزدیکی صبح در کوچه‌ها راه رفتند و تلوتلو خوردند و پرسه زدند تا نسیم سحر آنها را خاک‌آلود و ژولیده به حال آورد. یک وقت نزدیک غروب فرود چشم باز کرد و دید کلهر کنار او نیست و عیالش دارد خانه تکانی می‌کند.

یک سالی فرود بیکار بود. گاهی مادرش به او کمک می‌کرد، پول برایش می‌فرستاد. از این و آن قرض و قوله می‌کرد. حزبی‌هائی که به نان و آبی رسیده بودند و مشروطه‌شان راگرفته بودند به او قرض می‌دادند.

پس از چند ماه حاجیه خانم و بدری به تهران آمدند. فیروز برای آنها خانه‌ای اجاره کرد و بعد خرید. فرود فقط وقتی به دیدار آنها می‌رفت که یقین داشت نرگس سر کار است و نمی‌تواند آنجا باشد.

مادر خانه‌اش را در ولایت فروخت و گاهگاه سری به موطنش می‌زد

که درآمد دکان‌هایش را جمع آوری کند. تدریجاً داشت رابطهٔ میان خواهر وبرادر قطع می‌شد؛ فرود در یکی از بانک‌هائی که پس از امضای قرارداد نفت با کنسرسیوم مثل قارچ از زمین می‌روئیدند کاری پیدا کرد با حقوق ماهی ششصد تومان. خانه‌ای گرفت. گاهی مادرش به او سری می‌زد. زندگی شده بود بخور و بخواب و نمیر. همین. نه هدفی و نه آرزوئی. از زندگی فرار کرده بود.

کلهر مراقب بود که فرود جا نزند و خودش را نفله نکند.

خودکشی مانند دیوی بی‌شاخ و دم روبرویش تنوره می‌کشید و سبز می‌شد و دم تکان می‌داد و لگدی به پشتش می‌زد و به خاک می‌کشیدش. گاهی هم شاخه سبزی پیدا می‌شد.

در بانک با دختری آشنا شد. نزدیک بود عشق بر او دست اندازد. آن وقت تصویر گسستهٔ نرگس در مه غلیظی او را مفتون می‌کرد. می‌دید که دختر خوش‌پوش بانکی عجوزه‌ای بیش نیست. می‌کوشید همه‌چیز را فراموش کند. حزب و دسته‌بندی و شکست و حبس و زخمی شدن و ساغرو علی پرستار و واروژ و فیروز را و نرگس را. یاد مهندس عالی که می‌افتاد یکه می‌خورد. چگونه فراموش کند.

بیچاره که می‌شد سراغ کلهر می‌رفت. اما او دیگر درک کرده بود که رفیق عرق‌خوری شده که هروقت می‌خواهد خود را مسموم کند به یادش می‌افتد. کلهر کم‌کم از او دوری می‌کرد.

۱۹

زمانی رسید که باز ذوق نویسندگی‌اش گل کرد. شعر گفت و برای کسی نخواند و منتشر نکرد.

سالها بعد چندین مقاله و رساله و کتاب به قلم او به چاپ رسید. نقد او بر برخی آثار ادبی و انتشار آثار نویسندگان دورهٔ مشروطیت مورد توجه قرار گرفت. روزنامه‌ها دیگر برای او جاذبه‌ای نداشتند.

چنین به نظر می‌آمد که شعر و کتاب جای همه چیز زندگی را گرفته است: جای حزب و معشوقه و مبارزه و کامبرداری که بلیهٔ تازه‌ای رخ داد. هواری بر سرش ریخت که عوض اینکه او را له و لورده کند مقاومت او را به کلّی باور نکردنی برانگیخت. قد راست کرد و با تمام نیروئی که در او ذخیره شده بود کوشش کرد و بپا خاست و این‌بار مبارزه با سرنوشت را در پیش گرفت.

مادرش خبر آورد که بدری سه روز است غیبش زده و به خانه نیامده است.

هنگامی بود که از اینجا و آنجا، از حزبی‌های سابق و بخصوص از زندان خبرهائی دربارهٔ «چریک‌ها» و «مجاهدین خلق» و «هواداران

اسلام» شنیده می‌شد و در مطبوعات دولتی اصطلاحات «مارکسیست‌های اسلامی» معنای خاصی پیدا می‌کرد. در شهرگاهی دختران و زنان با لچک سیاه که زلف‌هایشان را می‌پوشاند جلب نظر می‌کردند. به نظر می‌آمد که کفش کتانی، پیراهن گشاد و بلند و ساده و بی‌پیرایه پوشیدن مد شده است.

شکی باقی نماند که بدری هم به آنها پیوسته است. سه روز گذشت. از بدری خبری نیامد. حاجیه خانم می‌خواست به شهربانی رجوع کند. اینکه «عسس بیا مرا بگیر» می‌شد. فرود به اطاق خواهرش رفت. یک تکه کاغذ مظنون پیدا نکرد. هرچیزی راکه ممکن بود اشاره‌ای باشد به‌گریزگاه و یا دسته وگروهی که با آنها بدری تماس داشته بوده است، همراه خود برده و یا مفقود کرده بود. شاید اگر در ولایت بود می‌شد پیش این دوست و یا آن آشنا سری زد و از آنها نشانه و علامتی گرفت و دنبالشان رفت. اما در تهران فرود هیچ‌کس را نمی‌شناخت که دربارهٔ آنها بشود حدس زد که با بدری تماس داشته‌اند.

فرود دیگر عرق‌خوری را ترک کرده بود، حادثه را با کلهر درمیان گذاشت. مردک منگ شد. باور نمی‌کرد. نشنیده بود که دختران هم چریک می‌شوند. اقلاً تا به حال چنین چیزی علنی نشده بود. عقلش به جائی نمی‌رسید.

فیروز دیوانه‌وار به بانک آمد: زنش پس از شنیدن خبر حالش به هم خورده، دارد از دست می‌رود، چه کند؟

«فیروز، اسم زنت را نیار، هیچ حوصله‌اش را ندارم. بگو بدری راکجا پیدا کنیم.»

«فرود، نرگس هم خواهر تست، دارد نفله می‌شود، اقلاً بهش اطمینان بده که داری دنبال بدری می‌گردی.»

فیروز رو کرد به کلهر و گفت:

«می‌دانی زن من چه می‌گه؟ وقتی مرداشون آنجور افتضاح بار آوردند باید زن‌ها قیام کنند.»

البته این توهین متوجه خود فیروز هم بود بی آنکه خودش به آن پی برده باشد.

همه‌جا در خارج، در محیط بانک، در جرگهٔ آشنایان قدیمی، در برخورد با رفیقان گذشته چنانچه جرأت می‌کردند در خیابان و کافه با او چند کلمه‌ای رد و بدل کنند، حتی در ضمن خواهش و استدعا از یاران نامردی که بر مسند صدارت و وزارت نشسته بودند، هیچ‌چیز دستگیرش نشد. کسانی بودند که با کمال علاقه گفته‌های فرود را به گوش هوش می‌شنیدند اما خاموش می‌ماندند و گوینده حدس می‌زد که رشته‌ای آنها را با این چریک‌های فدائی و یا مجاهدین خلق ایران متحد سازد اما سوت کور باقی می‌ماندند، دست کم ابراز همدردی می‌کردند اما گرهی از کار فروبستهٔ او نمی‌گشودند.

گاهی از زندان خبرهائی می‌رسید. حالا دیگر فرود جرأت به خرج می‌داد و به ملاقات زندانیان و هم زنجیرهای دیرین می‌رفت. با کی هم از برخورد با سید هاشمی و واروژ نداشت، به امید اینکه کوره‌راهی یابد و او را به گریزگاه خواهرش برساند. به خاطرش رسید از امام جمعه شهرشان کمک طلبد. به ولایت رفت و با توصیه‌ای از آقا معلم خود را به آیت‌الله

رساند. دو سه روزی طول کشید تا توانست در خلوت خدمت آقا برسد. با توصیهٔ ایشان به حوزهٔ علمیهٔ قم رفت، با طلبه‌ها دوستی و آشنایی به هم زد. میان آنها همعقیده بسیار یافت. چند تن از آنها را به تهران دعوت کرد. به آنها سور داد و با هم به گردش رفتند. چند روزی مرخصی بی‌حقوق گرفت و با یکی از آنها به مشهد رفت. با طلبه‌های آنجا خوش گذراند. نتیجه هیچ هیچ بود.

از همه کاری افتاده بود. روزی چند ساعت در بانک به سر می‌برد. به هر دری می‌زد. مادرش را دلداری می‌داد، دروغ و راست سر هم می‌کرد، به پیرزن وعده و وعید می‌داد، امیدوارش می‌کرد، او را به خانهٔ خودش می‌برد. آنچه از دستش برمی‌آمد می‌کرد.

داشت مأیوس می‌شد. این طلبه‌ها که گرفتار شده بودند نه چریک بودند و نه مجاهد. بزرگ‌ترین جرم آنها این بود که «ولایت فقیه» و یا «رد تئوری بقا» را خوانده بودند.

فرود به این خیال افتاد که نکند بدری به مبارزهٔ مسلحانه علیه رژیم کشیده شده؟ از کجا معلوم که دختر جوان شیفتهٔ مرد دولتمند خوشگلی نشده و دنبال هوسرانی و عیش و عشرت رفته باشد. مگر چنین چیزی ممکن نیست؟ گیج گیجی می‌خورد و از خود می‌پرسید چرا چشم به مجتهد و ولایت و حوزه‌های علمیه قم و مشهد دوخته ساده‌ترین وجه را که یک زیبای شکیل در هوسرانی غرق شده از نظر دور داشته است. هیچ‌یک از این حدس و گمان‌ها او را آرام نمی‌کرد و از تلاش باز نمی‌داشت.

تنها کسانی که می‌شد با آنها مشورت کرد و راز دل بازگفت کلهر و فیروز بودند. همشهری شوخی می‌کرد به قصد اینکه رفیقش را آرام کند اما عقلش به جائی قد نمی‌داد. فیروز از خودش رأی نداشت، فـقط حرف‌های نرگس را تکرار می‌کرد: به شهربانی و سازمان امنیت رجوع کند. دیگر فرود همین کارش مانده بود که متوسل به این دستگاه‌ها شود. نه، نه، راستی که فرود نیازی به این‌گونه صلاحدیدها نداشت. نرگس هم هر روز حالش بدتر می‌شد، از زمان مفقود شدن بدری غش و ضعفش بیشتر تکرار می‌شد. کار فیروز هم اکنون شده بود بیمارداری. یک روز به فرود گفت:

«آرزو دارد تو را ببیند و همدرد تو باشد.»

فرود در جواب با لحنی خشمالود گفت:

«فیروز، بس کن. من این ریشه را قطع کرده‌ام. گرفتاری‌ام کم است که حالا ناراحتی تازه‌ای هم برای خودم بخرم؟»

در همین حیص و بیص بود که روزنامه‌ها از یک حادثۀ مهم خبر دادند. به گفتۀ مطبوعات مأمورین سازمان امنیت در مشهد توطئۀ خطرناکی را کشف کرده بودند. واقعیت این بود که در حرم مطهر حضرت رضا طبق اظهارات یک «مقام امنیتی» مقداری اوراق مضرّه و سلاح‌های گرم که طلاب طرفدار «مارکسیست‌های اسلامی» و زیارتنامه‌خوانهای حرم مخفی کرده بودند پیدا می‌شود. در ضمن بازرسی غرفه‌ها زد و خوردی با مأمورین در می‌گیرد و عده‌ای زخمی و چند تن دستگیر می‌شوند. «مقام امنیتی» مدعی بود که سلاح‌ها طبق اسناد

مکشوف از عراق به ایران وارد شده است.

کم کم نظیر این‌گونه اطلاعات، که تا این زمان مسکوت می‌ماند و از مردم پنهان نگاه داشته می‌شد، در رادیو و تلویزیون و روزنامه‌ها به صورتی یک شکل و بخشنامه‌وار نشر می‌یافت. خبر مصادرهٔ املاک و دارائی یک سازمان امنیتی که به اروپا گریخته و از آنجا به عراق رفته بود مردم را متوجه ساخت که پشت پرده علیه دستگاه دولتی و شاه اقداماتی صورت می‌گیرد. و بالاخره خبر کشته شدن همان ساواکی گریز پا در مطبوعات اروپا و تفسیرات زیرجلی و دهان به دهان اهل فن را متوجه کرد که در بعضی از کشورهای عربی، و از جمله در فلسطین، تدارکاتی علیه رژیم ایران دیده می‌شود.

فرود تصمیم گرفت خود را به بغداد و شاید هم به اردوی فلسطینی‌ها در لبنان برساند. حاجیه خانم با رغبت حاضر و مایل بود تمام دارائی خودش را آتش بزند به امید اینکه خبری از بدری بیابد.

به او گذرنامه ندادند. دلیلش روشن بود. دستگاه دولتی اطلاع داشت که خواهرش به چریک‌ها پیوسته و ممکن است خارج ایران باشد. حتی توصیهٔ «امام جمعه» ولایت و نامهٔ حجت‌الاسلام مشهد بی‌اثر ماند. فرود بنیه نداشت قاچاقی و بی‌گذرنامه از مرز بگذرد. حالا برای نخستین‌بار پشیمان بود از اینکه آن روز بی‌احتیاطی کرده و از جیپ بیرون پریده، از کلت یا هر سلاح دیگر نهراسیده، تیرخورده، خود را اینگونه علیل کرده است. این ناتوانی داشت خردش می‌کرد.

حالا دیگر فقط مسئله خواهرانه و علاقه به جان یک مادر پیر، که

روز به روز تکیده‌تر می‌شد، نبود که او را وادار به کوشش و تلاش می‌کرد و زجرش می‌دا. چرا آنقدر ضعیف است و نمی‌تواند وظیفه‌ای را که خود دانسته و یا ندانسته به عهده گرفته انجام دهد.

او خود را مدیون می‌دانست، گناهی کرده بود که باید کفاره‌اش را پس می‌داد.

داخل حزب شده بود، به پدرش و خانواده‌اش و به هزاران نفر امید داده بود که برای آنها زندگی تازه‌تر و بهتری فراهم خواهد آورد و ناگهان سر بزنگاه با ترس و ندانم کاری و سستی و بی‌ارادگی و هزار زبونی دیگر امید همه را به یأس بدل کرده بود.

وقتی کلهر این ادعا را شنید از جا پرید:

«به من و تو چه؟ ما چه گناهی کردیم؟»

«ما همه در یک مسیر شنا می‌کردیم، وقتی رهبران زه زدند چرا ما جایشان را نگرفتیم؟ سر جایشان ننشستیم؟»

«برو بابا چرا کتره‌ای حرف می‌زنی.»

«همین که گفتم. ما هم زبون بودیم و حالا خواهران و برادران کوچک ما وارد میدان شده‌اند، منتها راه مسالمت‌آمیز ما را قبول ندارند و صحیح یا باطل می‌خواهند مسلّحانه حق خودشان را بگیرند.»

هیچ راهی جز تلاش عمومی برای نجات خواهرش بدری وجود نداشت.

روزی که خبر کشته شدن چند جوان را در جنگلی در شمال ایران شنید و از گوشه و کنار اخباری منتشر گردید که دختران جوان هم در این

نبرد خونین و غیرمتساوی شریک هستند از ترس می‌لرزید مباداکه نعش خواهرش هم میان نعش‌های دیگر باشد.

آخرین سخن او در این باره به کلهر این بود:

«قاتل آنها من هستم، نمی‌شود دست روی دست گذاشت و چشم به راه فاجعه بود.»

از فردای آن روز کلهر و فیروز دیگر فرود را ندیدند. قطره‌ای بودکه در زمین فرو رفته بود.

برلن ۱۹ آبان ۱۳۵۷ = نوامبر ۱۹۷۸

مؤسسه انتشارات نگاه منتشر کرد: